D1235735

SVETLANA ALEXIEVITCH

les cercueils de zinc

Du même auteur
chez Christian Bourgois éditeur

les cercueils de zinc

Du même auteur
chez d'autres éditeurs

la supplication (*J.-C. Lattès*)
la guerre n'a pas un visage de femme
derniers témoins (*Presses de la Renaissance*)
ensorcelés par la mort (*Plon*)

SVETLANA ALEXIEVITCH

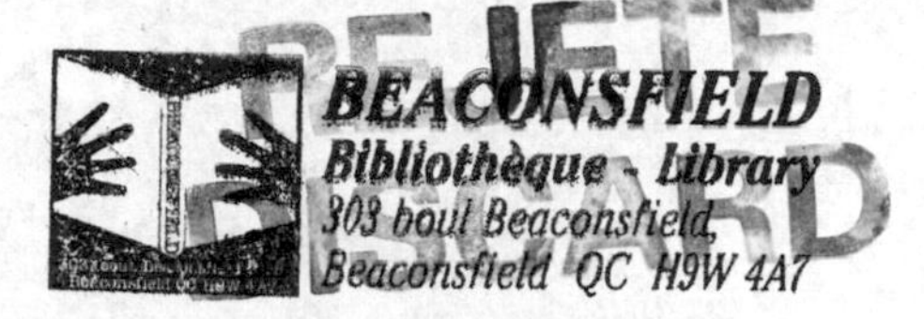

les cercueils de zinc

Traduit du russe par Wladimir Berelowitch
et Bernadette du Crest

Préface de Dimitri Savitski

Épilogue, traduit du russe
par Bernadette du Crest

Christian Bourgois éditeur

Titre original :
Zinky boys

ISBN 2 267 01846 2

PRÉFACE

Dans sa préface pour le premier livre de Svetlana Alexievitch *La guerre n'a pas un visage de femme*, publié en Union soviétique en 1985, Ales Adamovitch, un écrivain biélorusse fort estimé d'elle, dit une chose bizarre : « Le livre de Svetlana Alexievitch illustre un genre qui *n'a pas été défini et qui n'a même pas de nom.* » En réalité ce genre a un nom bien concret, c'est *le témoignage.* Mais c'était une époque où la loi du silence, quasi totale, et l'autocensure bien musclée, ne laissaient apparaître que les premières fissures dans leur bloc monolithique. Svetlana Alexievitch est précisément l'écrivain qui, à l'époque où l'on passait des premiers balbutiements timides à l'hallali général, a osé violer un des derniers tabous : elle a démoli le mythe de la guerre d'Afghanistan, des guerriers libérateurs et, avant tout, celui du soldat soviétique que la télévision montrait en train de planter des pommiers dans les villages alors qu'en réalité, il lançait des grenades dans les maisons d'argile où les femmes et les enfants étaient venus chercher refuge. Comme Svetlana le souligne elle-même, l'Union soviétique est un État militariste qui se camoufle en pays ordinaire et il est dangereux de faire glisser la bâche kaki qui recouvre les fondations de granit de cet État. Le premier extrait des *Cercueils de zinc* venait à peine de paraître, le 15 janvier 1990, dans le quotidien *Komsomolskaïa Pravda*, que Svetlana recevait déjà une pluie de menaces. On la prévenait qu'on connaissait son adresse et qu'on allait lui régler son compte. Qu'avait-elle fait ? Elle avait privé les jeunes gars revenus de la guerre de leur auréole d'héroïsme, elle leur avait ravi leur dernier refuge, la sympathie de leurs concitoyens. C'était même bien pire : ces garçons qui avaient été happés par le hachoir de la guerre, qui avaient perdu leurs amis, leurs illusions, leur sommeil, leur santé, qui étaient devenus incapables de se refaire une vie, ces gamins, souvent estropiés physiquement, étaient devenus aux yeux de leur entourage, et cela dès le premier extrait paru dans la presse, des violeurs, des assassins et des brutes. Cette femme de quarante-deux ans aux allures de paysanne les envoyait de nouveau en première ligne en les exposant au feu croisé des horreurs du passé et de l'indifférence du présent... Ces héros forgés par le mythe de l'empire, qui s'étaient battus au nom d'une amitié mythique, pourraient peut-être continuer à vivre tant bien que mal s'ils étaient toujours protégés par l'Étendard, même malmené. Mais c'était dorénavant impossible.

Les officiers et les soldats ne sont pas les seuls à s'en prendre à ce livre ; le plus grave, c'est qu'il soulève aussi le courroux des généraux qui, aujourd'hui encore, font pression pour tenter de suspendre sa publication prévue à la fin de l'année 1990. N'oublions pas que dans cet empire en pleine décomposition, ceux-là constituent une des dernières forces réelles.

Svetlana doit se cacher. Elle souffre de la lâcheté de ceux qui, intimidés par leurs supérieurs militaires, sont prêts à désavouer leurs propres témoignages. Mais elle souffre davantage de ceux qui menacent non pas de la tuer elle, mais d'attenter à leurs propres jours ; ils lui hurlent au téléphone qu'ils ne peuvent plus vivre après son livre parce que tout le monde sait à présent qu'ils n'ont jamais été des « héros internationalistes » mais des mouflets terrorisés qu'on a envoyés dans les sables du désert sous les balles pour tuer.

Diplômée de la faculté de journalisme de Minsk, Svetlana a commencé sa carrière dans un journal local. Elle affirme n'avoir jamais rien su faire de ses mains, « ni coudre, ni faire la lessive... La seule chose que j'ai toujours faite avec plaisir, c'est réfléchir, m'interroger. Mes écrivains préférés, des écrivains pour la vie, ce sont Tolstoï et Dostoïevski. Mon philosophe préféré, Berdiaev... Pendant mon travail au journal local, je me suis aperçue que je découvrais mieux la vie *au son des voix*, à l'oreille. C'est vraisemblablement mon côté paysan. À la campagne, nous vivons tous en commun, tout se passe au vu et au su de tout le monde, les mariages comme les enterrements... Ma sensibilité aux voix m'a suggéré l'interview comme instrument de travail ».

C'est presque par hasard que la guerre devient le thème de son œuvre. Son premier choc, c'est sa rencontre avec une ancienne infirmière militaire qui, quarante ans après la fin de la guerre, ne pouvait toujours pas voir de la viande et évitait d'entrer chez le boucher « parce que ça ressemblait trop à de la chair humaine, surtout la viande de poulet... ». Cette phrase, Svetlana ne l'a jamais oubliée. Le deuxième choc, c'est une remarque jetée par une femme de la campagne à propos d'un jeune soldat qui avait perdu l'esprit à la guerre — celle d'aujourd'hui, cette fois — et qu'un officier ramenait chez lui : « Il a perdu l'esprit pour survivre... » Le troisième, les premiers cercueils de zinc ramenés au pays, à Minsk, pour y être enterrés et qui contenaient l'équipage d'un hélicoptère abattu. De tous les gens qui étaient là, seule une petite fille a pu dire ce qu'elle en pensait. Elle se mit à piailler de sa petite voix : « Papa, qu'est-ce qu'ils t'ont fait ? ! » Tous les autres ne parlaient que la novlangue... Enfin, cette mère d'un soldat tué en Afghanistan qui a décidé de remplacer l'inscription quasi officielle sur la tombe de son fils par celle-ci : « AU NOM DE QUOI ? »

Svetlana s'est rendue en Afghanistan. Son séjour ne fut pas long mais suffisant pour voir, pour comprendre, pour ne jamais plus oublier. Cependant la vraie guerre d'Afghanistan, celle qu'il faudrait des mois pour comprendre (et encore), elle est dans ses interviews et ses notes.

Elle avoue avec tristesse qu'à un certain moment, elle s'est sentie personnellement responsable vis-à-vis de cette guerre, coupable d'avoir accepté la complicité du silence.

La perestroïka a permis à beaucoup de voix courageuses de se faire entendre dans le pays. La voix de Svetlana Alexievitch est l'une d'elles. « Nous n'avons pas d'autre choix, dit-elle. Soit nous ferons preuve de courage et apprendrons toute la vérité sur nous-mêmes, soit nous resterons à croupir dans les oubliettes de l'Histoire. »

Dimitri SAVITSKI
Septembre 1990

Traduit du russe par Élisabeth Mouravieff

LES CERCUEILS DE ZINC

L'Histoire mentira.
Bernard SHAW.

Notes de travail

14 juin 1986

J'étais pourtant bien résolue à ne plus écrire sur la guerre. Après mon livre *La guerre n'a pas un visage de femme*, je ne pouvais plus supporter la vue d'un enfant qui saignait du nez ; à la campagne, je fuyais les pêcheurs car les yeux figés des poissons qu'ils jetaient allègrement sur la berge me donnaient la nausée. Nous avons tous, certes, des défenses, qu'elles soient physiques ou morales, pour nous protéger de la souffrance. Les miennes étaient épuisées.

Si j'entendais les hurlements d'un chat heurté par une voiture, je devenais folle. Je ne pouvais même plus voir un ver de terre écrasé. D'ailleurs les animaux, les poissons, les oiseaux ont aussi, comme tout ce qui vit, leur histoire, et il se trouvera bien quelqu'un pour l'écrire.

Mais soudain... Façon de parler car ce jour-là, il y avait déjà plus de six ans que durait la guerre...

... Nous avons fait monter une écolière dans notre voiture jusqu'à son village qui se trouvait sur notre route. Elle était allée faire des courses à Minsk. Des têtes de poulets dépassaient de son grand cabas. Son filet était plein de pains et nous l'avons fourré dans le coffre.

Au village, sa mère l'attendait devant la porte du jardin en poussant de grands cris. La petite s'élança vers elle :

— Maman !

— Oh ma mignonne, j'ai reçu une lettre ! Notre Andreï est en Afghanistan ! Ah, mon Dieu ! On le ramènera comme l'Ivan de la Fédora... Ivan, sa fosse, elle était petite, il était pas bien grand, l'Ivan... Mais notre gars qui est grand comme un chêne... Il fait deux mètres... Il écrit : « Tu peux être fière, maman, je suis para... » Quel malheur !... Ah mes pauvres !

L'affliction a cent reflets.
SHAKESPEARE.

Et voici une autre rencontre qui date d'un an.

Dans la salle d'attente à moitié vide d'une gare routière, j'aperçus sur un banc un officier avec une valise et, à ses côtés, un jeune gars maigrichon, le crâne rasé comme les soldats, qui, armé d'une fourchette de cantine, creusait un trou dans une caisse contenant un ficus desséché. Des femmes de la campagne s'assirent à côté d'eux et leur demandèrent sans préambule d'où ils venaient, ce qu'ils faisaient, qui ils étaient. L'officier expliqua qu'il ramenait chez lui ce soldat qui avait perdu la raison :

— Depuis Kaboul il creuse des trous avec tout ce qui lui tombe sous la main, pelle, fourchette, bâton ou stylo.

Le gars leva la tête :

— Il faut se cacher... Je vais creuser une tranchée... Je le fais très vite, vous savez... On appelait ça des fosses communes... Une grande tranchée pour tout le monde...

C'était la première fois que je voyais des pupilles aussi dilatées.

Je suis effrayée par ce que j'entends dire autour de moi, par ce que je lis dans les journaux. On évoque le devoir international, la géopolitique, les intérêts de l'État, la sécurité de nos frontières méridionales. Cependant de sourdes rumeurs circulent : il y aurait des enterrements dans les HLM et les isbas décorées de paisibles géraniums aux fenêtres ; on parle de cercueils de zinc trop grands pour les appartements minuscules construits sous Khrouchtchev. Des mères qui hier encore se jetaient avec désespoir sur ces boîtes métalliques aveugles, prennent aujourd'hui la parole dans les entreprises et les écoles, appelant d'autres jeunes garçons à « accomplir leur devoir envers la patrie ». La censure veille jalousement à ce que les récits de guerre ne parlent pas de nos morts. On veut nous faire croire que « le contingent limité de troupes soviétiques » a été envoyé en Afghanistan pour aider un peuple frère à construire des routes, à transporter des engrais dans les villages et que des médecins soviétiques sont là pour accoucher les femmes afghanes. Beaucoup ajoutent foi à tout ceci. Des soldats revenus de là-bas chantent dans les écoles en s'accompagnant à la guitare alors qu'ils devraient hurler.

J'ai parlé longuement avec l'un d'eux. Je voulais qu'il reconnaisse tout le tragique du choix qu'il devait faire entre tirer ou ne pas tirer. Mais il s'esquivait. Ce drame ne semblait pas exister pour lui. Où est le bien, où est le mal ? Est-ce bien de tuer « au nom du socialisme » ? Pour ces garçons, les valeurs morales se confondent avec les ordres militaires.

Comme l'écrit Youri Kariakine [1] : « L'histoire d'aucun peuple ne peut être jugée d'après sa conscience de soi. Cette conscience de soi est tragiquement inadéquate. »

1. Philosophe et critique littéraire, spécialiste de Dostoïevski, très actif dans la perestroïka, il est actuellement député du parlement de l'URSS. *(N.d.T.)*

Chez Kafka j'ai lu que l'homme pouvait se perdre à jamais en lui-même.

Mais je ne veux plus écrire sur la guerre...

5-25 septembre 1988

Tachkent. Une odeur étouffante de melons emplit l'aéroport. On dirait une melonnière. Il est deux heures du matin. Le thermomètre indique trente degrés. De gros chats à moitié sauvages, afghans paraît-il, plongent sans peur sous les taxis. Parmi la foule bronzée des vacanciers, entre les cageots et les paniers de fruits, on voit de jeunes soldats sautiller sur leurs béquilles. Ce sont presque des gamins. Personne ne leur prête attention, on est habitué. Ils dorment et mangent ici, à même le sol, sur de vieux journaux et attendent pendant des semaines leur billet pour Saratov, Kazan, Novosibirsk, Vorochilovgrad, Kiev, Minsk... Où les a-t-on estropiés ? Qu'étaient-ils allés défendre là-bas ? Cela n'intéresse personne. Seul un petit garçon ne les quitte pas de ses yeux grands ouverts, et une mendiante soûle s'approche de l'un d'eux :

— Viens... Raconte-moi...

Il la chasse de sa béquille. Mais elle, nullement vexée, ajoute quelques mots gentils, pleins de compassion.

J'ai à côté de moi des officiers. Ils discutent de la mauvaise qualité de leurs prothèses, de la typhoïde, du choléra, de la malaria, de l'hépatite. Ils racontent que, les premières années, il n'y avait ni puits, ni cuisines, ni bains, qu'il n'y avait même pas de quoi laver la vaisselle. Ils parlent de leurs acquisitions : une télé, un Sharp, un Sony. Pour les uns, la guerre est une marâtre, pour d'autres, une mère.

Je me rappelle avec quels yeux ils regardaient les belles femmes aux robes décolletées qui revenaient de vacances.

Dostoïevski dit des militaires que ce sont « les gens au monde qui se posent le moins de questions ».

Dans la salle d'embarquement, ça sent les toilettes défectueuses. Nous attendons longtemps l'avion pour Kaboul. Curieusement, il y a beaucoup de femmes.

Des bribes de conversation :

— J'entends de moins en moins. Au début, j'ai cessé d'entendre les oiseaux aux voix aiguës. Le bruant, je ne l'entends plus du tout. Je l'ai enregistré sur mon magnétophone et je mets le volume au maximum... Les suites d'une commotion cérébrale...

— Tu tires d'abord et, après, tu réalises que c'était une femme ou un enfant... À chacun son cauchemar...

— Pendant les tirs, les ânes se couchent, quand c'est fini, ils bondissent sur leurs jambes.

— Qu'est-ce que je ferai en Urss ? Prostituée ? Ça, on connaît. Si seulement je pouvais gagner assez d'argent pour un appartement coopératif... Les hommes ? Tu parles. Ils ne savent que boire.

— Et le général qui parlait du devoir international, de la défense des frontières méridionales. Il a même fait du sentiment : « Donnez-leur des bonbons. Ce ne sont que des enfants. Les bonbons, c'est le meilleur cadeau qu'on puisse leur faire... »

— L'officier était jeune. Quand il a appris qu'on lui avait coupé la jambe il s'est mis à pleurer. Un visage de fille au teint rose. Au début, j'avais peur des morts, surtout quand ils n'avaient plus de bras ou de jambes... Après j'ai pris l'habitude...

— Quand ils font des prisonniers, ils leur coupent les bras et les jambes, ils leur posent des garrots pour qu'ils ne meurent pas et ensuite ils les abandonnent. Les nôtres ramassent ces troncs qui voudraient mourir mais on les soigne.

— À la douane, ils ont vu mon sac tout vide :

« — Qu'est-ce que tu ramènes ?

« — Rien.

« — Rien ?

« Ils me m'ont pas cru. Ils m'ont forcé à me mettre en slip. Tous les autres ramènent deux ou trois valises.

— Debout, tu vas rater l'entrée au paradis.

Nous sommes maintenant au-dessus de Kaboul, c'est l'atterrissage.

... Le bruit lointain des canons. Des patrouilles, armées de pistolets-mitrailleurs et revêtues de gilets pare-balles, contrôlent les laissez-passer.

Je ne voulais plus parler de la guerre, mais m'y voici en plein.

Il y a quelque chose d'immoral dans le fait d'observer le courage et les risques que prennent les autres. Hier, en allant déjeuner à la cantine, nous avons dit bonjour à la sentinelle. Une demi-heure plus tard, ce garçon était tué par un éclat d'obus tombé sur la garnison. Pendant toute la journée, j'ai essayé de me rappeler son visage.

Ici on traite les journalistes de fabulateurs. Les écrivains aussi. Dans notre groupe d'écrivains, il n'y a que des hommes. Ils piaffent d'impatience à l'idée de gagner les postes éloignés, ils veulent voir les combats. Je demande à l'un d'eux :

— Pourquoi voulez-vous aller là-bas ?

— Ça m'intéresse. Je pourrai dire que j'ai vu la route du Salang... Je ferai le coup de feu...

Je ne puis me défaire du sentiment que la guerre est une création masculine qui dépasse mon entendement de femme.

Choses entendues :

— J'ai tiré à bout portant, j'ai vu un crâne humain voler en éclats. Je me suis dit : « C'est mon premier. » Après le combat, les blessés comme les morts se taisent... Moi, ici, je ne rêve que de tramways : je me vois rentrer chez moi en tramway... Mon meilleur souvenir, c'est ma mère qui fait des gâteaux... Ça sent la pâte sucrée...

— Tu avais un bon copain... Après, tu vois ses boyaux accrochés sur les pierres comme une guirlande... Alors tu veux le venger...

— On attendait une caravane depuis deux jours, trois jours. On restait couchés dans le sable chaud, on faisait sous nous. À la fin du troisième jour, on était devenus dingues. Alors la première rafale, on y a mis toute notre haine... Après, quand tout était fini, on a découvert que c'était une caravane de bananes et de confitures... On a fait le plein de sucreries pour toute notre vie...

Écrire (raconter) toute la vérité sur soi-même est physiquement impossible, selon la remarque de Pouchkine.

... Sur un tank, à la peinture rouge : « Vengeons Malkine. »

Au milieu de la rue, une jeune Afghane agenouillée devant un enfant tué criait comme seules peuvent le faire des bêtes blessées.

Nous sommes passés devant des *kichlaks* [1] anéantis, semblables à des champs labourés. Cette glaise morte, tout ce qui restait des maisons qui venaient d'abriter des hommes, était encore plus effrayante que l'obscurité d'où on aurait pu tirer sur nous.

À l'hôpital, j'ai vu une jeune Russe poser un ours en peluche sur le lit d'un garçonnet afghan. Il a pris le jouet avec ses dents parce qu'il n'avait plus de bras. On m'a traduit les paroles de la mère : « Ce sont tes Russes qui

1. Village en Asie centrale (*kichlâq* en turc et en persan). *(N.d.T.)*

ont tiré. Et toi, tu as des enfants ? Un garçon ou une fille ? » Je ne sais toujours pas si ses paroles contenaient davantage d'horreur ou de pardon.

On parle d'atrocités commises par les moudjahidin sur nos prisonniers. Ce qui frappe, c'est une impression de Moyen Âge. Et en effet, nous nous trouvons ici dans une autre époque, les calendriers indiquent le XIVe siècle.

Dans *Un héros de notre temps* de Lermontov [1], l'officier Maksimytch juge ainsi un montagnard qui a égorgé le père de Bella : « Bien sûr, si on se place de leur point de vue, il a agi comme il le devait. » Alors que pour un Russe, c'était un acte barbare. Lermontov saisit ce trait étonnant des Russes qui consiste à savoir se mettre à la place des autres et voir les choses à leur manière.

Choses entendues :

— On a fait prisonniers des *douchs* [2]... On leur demande : « Où sont vos dépôts d'armes ? » Ils ne répondent pas. On en emmène deux en hélicoptère : « Où est-ce ? Montre ! » Ils ne répondent pas. On en a jeté un sur les rochers...

— Ils ont tué mon ami. Ils vont rigoler, eux ? Ils seront contents ? Alors que mon ami est mort, lui... Je tire là où il y a le plus de monde... Un mariage afghan par exemple... Il y avait les jeunes mariés... Aucune pitié pour personne... Puisqu'ils ont tué mon ami...

Dostoïevski fait dire à Ivan Karamazov : « Une bête sauvage ne peut jamais être aussi cruelle, aussi artistiquement cruelle que l'homme. »

Je comprends que nous ne voulions pas entendre parler

1. Poète romantique. Le roman cité (1840) évoque entre autres les guerres coloniales du Caucase. *(N.d.T.)*

2. En russe : *doukh* de *douchman*, terme péjoratif désignant les résistants afghans, et jouant sans doute sur le sens russe du mot *doukh*, qui veut dire « esprit », « fantôme ». *(N.d.T.)*

de tout cela, que nous refusions de savoir. Mais dans toute guerre, quels qu'en soient la justification et le meneur, que ce soit Jules César ou Joseph Staline, les gens s'entre-tuent. Ce sont des crimes, mais dans notre pays, on ne s'interroge pas sur ce genre de problèmes. Même dans les écoles, on use du terme étrange d'éducation militaro-patriotique. Pourtant, j'ai tort de m'étonner, car tout se tient : un socialisme militaire, un pays militaire, une pensée militaire. Et néanmoins, nous avons l'ambition de devenir différents.

On n'a pas le droit de soumettre l'homme à de telles épreuves, à des épreuves qu'il ne peut supporter. En médecine, on appelle cela une expérimentation aiguë. Sur des vivants.

Aujourd'hui j'ai entendu citer Tolstoï sur l'instabilité, la « fluidité » des hommes.

Le soir, on a mis le magnétophone et on a écouté des chansons « afghanes ». Des voix éraillées qui muaient encore, chantaient dans le style de Vyssotski : « Le soleil est tombé sur le *kichlak* comme une énorme bombe » ; « Je n'ai pas besoin de gloire ; nous voulons vivre, c'est la seule récompense », « Pourquoi tuons-nous ? Pourquoi nous tue-t-on ? », « Pourquoi donc m'as-tu ainsi trahi, ma gentille Russie ? », « Même les visages, je les oublie déjà » ; « Afghanistan, tu es plus que notre devoir. Tu es notre univers » ; « Comme de grands oiseaux, des unijambistes clopinent au bord de la mer » ; « Mort, il n'est plus à personne. Il n'y a plus de haine sur son visage ».

La nuit, j'ai rêvé que nos soldats repartaient en Union soviétique et que je les accompagnais à l'aéroport. Je m'approche d'un jeune gars qui n'a plus de langue. Son pyjama d'hôpital dépasse de sa vareuse militaire. Je lui demande quelque chose, mais il ne fait qu'écrire son prénom : « Vanetchka... Vanetchka... » Je le distingue très bien.

Il ressemble au garçon avec lequel j'avais bavardé la veille et qui répétait sans cesse : « Maman m'attend chez moi. »

... Nous repassons pour la dernière fois dans les rues figées de Kaboul devant les affiches familières du centre ville : « Notre avenir radieux, c'est le communisme », « Kaboul ville de la paix », « Le peuple et le parti ne font qu'un ». Ce sont nos affiches, imprimées dans nos imprimeries. Notre Lénine est là qui lève la main...

À l'aéroport nous rencontrons des opérateurs de cinéma que nous connaissons déjà. Ils ont filmé le chargement d'une « tulipe noire ». Les yeux baissés, ils racontent qu'on habille les morts d'uniformes vieux modèle, ceux aux culottes bouffantes, qu'ils manquent parfois aussi et qu'alors on laisse les corps tels quels. Les planches sont vermoulues, les clous rouillés... « On a amené de nouveaux morts au frigo... Ça sent la viande de sanglier pas fraîche... »

Qui me croira si je raconte tout cela ?

15 mai 1989

Une fois de plus, je passe d'un homme à un autre, d'un document à une image. Chaque confession est comme un portrait peint : c'est plus qu'un document, une « image ». On évoque le côté fantastique de la réalité. Nous devons créer le monde non pas selon les lois de la vraisemblance quotidienne, mais « à notre image et à notre ressemblance ». L'objet de ma recherche reste toujours l'histoire des sentiments et non de la guerre proprement dite. Que pensaient ces gens ? Que voulaient-ils ? Qu'est-ce qui leur causait de la joie ? Que craignaient-ils ? Qu'ont-ils retenu ?

Hélas, de cette guerre deux fois plus longue que la Grande Guerre patriotique, nous ne savons que ce qui ne risque pas de nous troubler, car si nous pouvions nous voir tels que nous sommes vraiment, nous nous ferions certainement peur à nous-mêmes. « Les écrivains russes ont toujours été passionnés de vérité davantage que de beauté », écrit Berdiaev. Toute notre vie se passe précisément dans la recherche de cette vérité. Et aujourd'hui plus que jamais, que ce soit au bureau, dans la rue, aux meetings ou même aux repas de fête. Sur quoi nous interrogeons-nous sans cesse ? Comme toujours, nous voulons savoir qui nous sommes, où nous allons. Mais étrangement, plus qu'à autre chose, nous attachons du prix aux mythes qui nous concernent. Même plus qu'à la vie humaine. Un de ces mythes, celui de notre supériorité sur le monde entier, on nous l'a bien enfoncé dans le crâne : nous sommes les meilleurs, les plus justes et les plus honnêtes. Quiconque ose en douter est aussitôt accusé de parjure, le plus gros des péchés !

Tiré d'un livre d'histoire :

« Le 20 janvier 1801, les cosaques de l'ataman du Don Vassili Orlov reçurent l'ordre de gagner l'Inde. On leur donna un mois pour parvenir jusqu'à Orenbourg, puis trois mois pour arriver à l'Indus par Boukhara et Khiva. Bientôt trente mille cosaques traversèrent la Volga et s'enfoncèrent dans les steppes kazakh [1]. »

Extrait des journaux :

« À Termez, les amandiers sont en fleur, mais même si la nature ne nous avait pas offert cette merveille, ces journées de février seraient restées dans la mémoire des habitants de cette ville ancienne comme les plus solennelles et les plus heureuses...

1. *V borbe za vlast. Stranitsy polititcheskoï istorii Rossii XVIII veka* (La lutte pour le pouvoir. Pages de l'histoire politique de la Russie du XVIIIe siècle), Moscou, 1988. *(Note de l'auteur.)*

« Aux sons de l'orchestre, le pays saluait le retour de ses fils. Nos garçons rentraient après avoir accompli leur devoir international... Au cours de ces années, les soldats soviétiques en Afghanistan ont refait, restauré et construit des centaines d'écoles, de lycées, d'établissements scolaires de toutes sortes, trois dizaines d'hôpitaux et autant de jardins d'enfants, près de quatre cents immeubles, trente-cinq mosquées, plusieurs dizaines de puits, près de cent cinquante kilomètres de canaux d'irrigation... Leur tâche était de défendre des objectifs militaires et civils à Kaboul[1]. »

Toujours chez Berdiaev : « Je n'ai jamais appartenu à personne, seulement à moi-même. » Ce n'est pas notre cas. Chez nous, la vérité sert toujours quelqu'un ou quelque chose : les intérêts de la révolution, la dictature du prolétariat, le parti, un dictateur au front bas, le premier ou le second plan quinquennal, le énième congrès... « La vérité est au-dessus de la Russie », affirmait Dostoïevski. Ou encore, dans l'Évangile selon Matthieu : « Prenez garde qu'on ne vous égare : car beaucoup viendront sous mon nom. » (XXIV, 4-5.)

Il en est venu tant qu'on ne peut même pas les citer tous...

Je m'interroge. J'interroge les autres. Je cherche des réponses. Comment arrive-t-on à tuer le courage en nous ? Comment transforme-t-on nos jeunes gars en meurtriers ? Pourquoi peut-on faire de nous tout ce qu'on veut ? Mais je n'ai pas le droit de juger ce que j'ai vu et entendu. Je ne veux que refléter le monde de chacun tel qu'il est. Aujourd'hui l'idée de guerre, tout comme l'idée de vie et de mort en général, a pris un sens bien plus aigu qu'autrefois car l'homme a enfin atteint le but auquel il aspirait

1. *Moskovskaïa Pravda*, 7 février 1989. *(N.d.A.)*

dans son imperfection : la possibilité de tuer d'un seul coup l'humanité entière.

Nul n'ignore plus de nos jours qu'une armée soviétique de cent mille hommes a combattu à tout moment en Afghanistan. Comme le contingent était renouvelé tous les ans, cela fait un million de soldats en dix ans. Il existe d'autres comptabilités militaires : le nombre de balles et d'obus tirés, le nombre d'hélicoptères abattus, le nombre de tenues de combat déchirées et usées, le nombre de camions et de tanks mis hors d'usage. Combien tout cela nous a-t-il coûté ?

Il y a eu cinquante mille tués et blessés. On peut croire ou non à ce chiffre, car chacun sait comment nous savons compter : nous en sommes encore à dénombrer et à enterrer nos morts de la Grande Guerre patriotique...

Choses entendues :

— Même la nuit, je continue à avoir peur du sang... J'ai peur de mes rêves... Maintenant je ne peux même plus écraser un scarabée...

— À qui raconter tout cela ? Qui m'écoutera ? C'est comme chez Boris Sloutski[1] : « Lorsque nous sommes revenus de la guerre, j'ai compris qu'on n'avait pas besoin de nous. » J'ai tous les éléments de la table de Mendeleïev dans le corps... La malaria qui continue à me secouer... Récemment on m'a arraché une dent, puis une autre... Sous le choc je me suis soudain mis à parler... La dentiste m'a regardé d'un air presque dégoûté... « Il a la bouche pleine de sang et il se permet de parler... » Je me suis dit que je ne pourrais jamais plus être franc, parce que c'est ce qu'ils pensent tous de nous : ils ont la bouche pleine de sang et ils se permettent de parler...

1. Poète soviétique, connu pour ses poèmes à résonances civiques, souvent antistaliniens. *(N.d.T.)*

C'est pourquoi je ne citerai pas les vrais noms dans mon livre. Les uns ont demandé le secret de la confession ; quant aux autres, je ne veux pas les laisser sans défense devant ceux qui s'empresseront de les blâmer, de leur jeter sur leur passage : « Ils ont la bouche pleine de sang et ils se permettent de parler. » Allons-nous chercher une fois de plus des coupables ? C'est un moyen de défense bien connu. « C'est à lui la faute... C'est à eux ! » Non ! Nous sommes si proches les uns des autres que nul ne pourra se désengager.

Mais j'ai conservé leurs noms dans mon « journal de bord ». Peut-être un jour mes héros voudront-ils être reconnus :

Vladimir Agapov, lieutenant, chef de section ; Sergueï Amirkhanian, capitaine ; Dmitri Babkine, soldat, artilleur-pointeur ; Olympiada Romanovna Baoukova, mère d'Alexandre Baoukov, soldat mort à la guerre ; Viktoria Vladimirovna Bartachevitch, mère de Youri Bartachevitch, soldat mort à la guerre ; Tatiana Belozerskikh, employée ; Maria Terentievna Bobkova, mère de Leonid Bobkov, soldat mort à la guerre ; Taïssia Nikolaïevna Bogouch, mère de Viktor Bogouch, soldat mort à la guerre ; Anatoli Devtiarov, commandant, propagandiste dans un régiment d'artillerie ; Tamara Dovnar, veuve du lieutenant Petr Dovnar ; Maïa Emelianovna, mère de Svetlana Babouk, infirmière morte à la guerre ; Vladimir Erokhovets, soldat, grenadier ; Tamara Fadeïeva, médecin-bactériologiste ; Tatiana Gaïssenko, infirmière ; Vadim Glouchkov, lieutenant, interprète ; Inna Sergueïevna Golovneva, mère de Youri Golovnev, lieutenant, mort à la guerre ; Guennadi Goubanov, capitaine, pilote ; Galina Fedorovna Iltchenko, mère d'Alexandre Iltchenko, soldat mort à la guerre ; Vadim Ivanov, lieutenant, commandant d'une section de sapeurs ; Natalia Jestovskaïa, infirmière ; Sofia Grigorievna

Jouravleva, mère d'Alexandre Jouravlev, soldat mort à la guerre ; Vera Fedorovna K., mère de Nikolaï K., soldat mort à la guerre ; Taras Ketsmour, soldat ; Marina Kisseleva, employée ; Galina Khalioulina, employée ; Ludmila Kharitontchik, veuve du lieutenant Youri Kharitontchik, mort à la guerre ; Valeri Khoudiakov, commandant ; Alexandre Kostakov, soldat, agent de transmissions ; Evgueni Kotelnikov, adjudant, infirmier-chef dans une compagnie de reconnaissance ; Vassili Koubik, *praporchtchik*[1] ; Petr Kourbanov, commandant, chef d'une compagnie de chasseurs alpins ; Alexandre Kouvchinnikov, lieutenant, commandant d'une section de tireurs de mortier ; Nadejda Sergueïevna Kozlova, mère d'Andreï Kozlov, soldat mort à la guerre ; Evgueni Krasnik, soldat, tirailleur motorisé ; Denis L., soldat, grenadier ; Oleg L., pilote d'hélicoptère ; Alexandre Leletko, soldat ; Oleg Leliouchenko, soldat, grenadier ; Valeri Lissitchenok, sergent des transmissions ; Sergueï Loskoutkov, chirurgien militaire ; Vera Lyssenko, employée ; Konstantin M., conseiller militaire ; Tomas M., sergent, commandant d'une section d'infanterie ; Lidia Efimovna Mankevitch, mère de Dmitri Mankevitch, sergent mort à la guerre ; Vladimir Mikholap, soldat, tireur de mortier ; Galina Mliavaïa, veuve de Stepan Mliavoï, capitaine mort à la guerre ; Evgueni Stepanovitch Moukhortov, commandant, chef de bataillon, et son fils Andreï Moukhortov, sous-lieutenant ; Alexandre Nikolaïenko, capitaine, commandant d'une escadrille d'hélicoptères ; Natalia Orlova, employée ; Vladimir Oulanov, capitaine ; Ekaterina Nikititchna P., mère d'Alexandre P., commandant mort à la guerre ; Vladimir Pankratov, soldat, éclaireur ; Galina Pavlova, infirmière ; Vitali Roujent-

1. Sous-officier supérieur, généralement spécialiste technique, sans équivalent dans les autres armées. *(N.d.T.)*

sev, soldat, conducteur ; Sergueï Roussak, soldat, pilote de char ; Valentina Kirillovna Sanko, mère de Valentin Sanko, soldat mort à la guerre ; Igor Savinski, lieutenant, commandant d'une section de tirailleurs motorisés ; Vladimir Simanine, lieutenant-colonel ; Mikhaïl Sirotine, lieutenant, pilote ; Timofeï Smirnov, sergent, artilleur ; Alexandre Soukhoroukov, lieutenant, commandant d'une section de chasseurs alpins ; Leonid Ivanovitch Tatartchenko, père d'Igor Tatartchenko, soldat mort à la guerre ; Viktoria Semenovna Volovitch, mère du lieutenant Valeri Volovitch, mort à la guerre ; Valentina Yakovleva, *praporchtchik*, commandant d'une unité secrète ; Maria Onoufrievna Zilfigarova, mère d'Oleg Zilfigarov, soldat mort à la guerre.

PREMIER JOUR

« ... Car beaucoup viennent sous mon nom »

L'auteur. Une sonnerie du téléphone, longue comme une rafale de mitraillette, me réveille à l'aube en sursaut :

— Écoute, commence-t-il sans se présenter, j'ai lu ton tissu de calomnies... Si tu publies encore une seule ligne de ce genre...

— Qui êtes-vous ?

— Un de ceux dont tu parles. Je déteste les pacifistes ! Tu as déjà grimpé dans les montagnes avec tout ton barda sur le dos ? Tu as roulé en BTR[1] par une chaleur de 70 degrés ? Tu as passé tes nuits à respirer l'odeur âcre des épines ? Non ?... Alors, touche pas à ça ! C'est notre affaire ! Est-ce que ça te regarde ?

— Pourquoi ne veux-tu pas te nommer ?

— Touche pas à ça ! J'ai rapporté mon meilleur ami, un vrai frère, après une sortie de combat, dans un sac de cellophane... La tête, les bras, les jambes, tout ça en morceaux séparés... la peau aussi... Un tas de viande dépecé à la place du beau gars qu'il était... Il jouait du violon, il composait des poèmes... Il aurait pu parler de tout ça, lui, mais pas toi... Deux jours après son enterrement, on a

1. Véhicule de transport de troupes blindé. *(N.d.T.)*

emmené sa mère dans un hôpital psychiatrique. La nuit elle s'enfuyait pour aller au cimetière et creusait pour se coucher à ses côtés. Tu n'as pas le droit de toucher à ça ! On était des soldats. On nous a envoyés là-bas. Nous avons exécuté les ordres. Nous sommes restés fidèles au serment militaire. J'ai baisé notre drapeau, moi...

— « Prenez garde qu'on ne vous égare : car beaucoup viendront sous mon nom. » C'est le Nouveau Testament, l'Évangile selon Matthieu.

— Des petits malins ! Tout le monde est devenu très malin dix ans après. Tout le monde veut garder les mains propres à présent. Mais allez donc vous faire... ! Tu ne sais même pas ce que c'est qu'une balle. Tu n'as jamais tiré sur un homme... Je n'ai peur de rien, moi... Je m'en fiche de vos Nouveaux Testaments, de votre vérité. Moi, ma vérité, je l'ai portée tout entière dans ce sac de cellophane... En morceaux séparés : la tête, les bras, les jambes, le sexe... Allez tous vous faire... !!!

Et la tonalité retentit, comme une explosion dans l'écouteur.

Je regrette pourtant de n'avoir pu achever cette conversation. Peut-être était-ce lui, mon héros principal, cet homme blessé au cœur ?...

« Touche pas à ça ! C'est notre affaire ! » avait-il crié.

Et ce qui suit, c'est l'affaire de qui ?

« Je n'entendais que les voix, j'avais beau me concentrer, je ne voyais pas les visages. Tantôt elles s'éloignaient, tantôt elles revenaient. Je crois que j'ai eu le temps de me dire que je mourais et j'ai ouvert les yeux...

J'ai repris connaissance à Tachkent seize jours après l'explosion. Mon propre murmure me faisait mal à la tête, et je ne pouvais pas parler plus fort. J'avais déjà fait de l'hôpital à Kaboul. Ils m'ont ouvert le crâne. Dedans c'était une vraie bouillie. Ils m'ont enlevé tous les petits bouts d'os. Puis ils m'ont rassemblé le bras gauche avec des broches, mais sans les articulations. Mon premier sentiment était le regret du passé, parce que je ne pourrais pas revoir mes amis, et le plus vexant, c'était de penser que je ne pourrais plus faire de la barre fixe.

J'ai fait de l'hôpital pendant presque deux ans moins quinze jours. Dix-huit opérations, dont quatre sous anesthésie générale. Des étudiants en médecine se sont servis de mon cas pour leurs examens. Tout était bon : ce que j'avais, ce que je n'avais pas. Je ne pouvais pas me raser tout seul, c'étaient les copains qui m'aidaient. La première fois, ils ont déversé sur moi une bouteille entière d'eau de Cologne, mais moi je leur criais : « Une autre ! » Pas d'odeur, vous comprenez, je ne sentais plus rien. Alors ils ont sorti tout ce que j'avais dans ma table de nuit, le saucisson, les concombres, le miel, les bonbons : je ne sentais rien ! Il y avait le goût, mais pas d'odeur. J'ai failli devenir fou ! Quand le printemps est venu, les arbres étaient en fleurs, et moi je voyais tout ça mais ne sentais rien. On avait dû m'enlever un centimètre cube et demi de cervelle et, apparemment, ça m'avait privé d'un centre qui commandait la perception des odeurs. Maintenant encore, ça fait cinq ans pourtant, je ne sens pas l'odeur des fleurs, celle du tabac ou les parfums des femmes. Je peux sentir l'eau de Cologne, si c'est une odeur forte et grossière, mais pour cela il faut qu'on me fourre le flacon sous le nez. Apparemment, le cerveau a récupéré la faculté de sentir.

À l'hôpital, j'avais reçu une lettre d'un ami. C'est par lui que j'ai appris que notre BTR avait sauté sur une mine italienne. Il avait vu un homme éjecté avec le moteur : c'était moi...

À la sortie de l'hôpital, on m'a donné une allocation de trois cents roubles pour ma blessure grave (c'est cent cinquante pour une blessure légère). Puis une pension : des clopinettes, et on se débrouille comme on peut. On n'a qu'à se faire entretenir par ses parents. Chez mon père, c'est toujours la guerre, même quand elle est finie... J'ai plein de cheveux blancs, je fais de l'hypertension.

C'est seulement après la guerre que mes yeux se sont ouverts, là-bas je n'avais rien compris. Ensuite j'ai tout rembobiné en sens inverse...

J'ai été appelé en 81. Il y avait déjà eu deux ans de guerre, mais, dans le civil, on n'en savait pas grand-chose, on n'en parlait pas beaucoup. Dans notre famille, on pensait que si le gouvernement avait envoyé des troupes là-bas, c'est qu'il le fallait. Mon père, mes voisins raisonnaient de cette façon. Je ne me rappelle pas avoir entendu une autre opinion là-dessus. Même les femmes ne pleuraient pas : tout cela était encore loin, ça ne faisait pas peur. C'était une guerre sans en être une, une guerre bizarre, sans morts ni blessés. Personne n'avait encore vu les cercueils de zinc. Plus tard nous avons appris que des cercueils arrivaient dans la ville, mais que les enterrements avaient lieu en secret, la nuit, et que les pierres tombales portaient la mention « décédé » et non « mort à la guerre ». Personne ne se demandait pourquoi des gars de dix-neuf ans s'étaient mis soudain à mourir, si c'était la vodka, la grippe, ou une indigestion d'oranges. Leurs familles les pleuraient, mais les autres vivaient tranquillement, tant que ça ne les touchait pas. Les journaux écrivaient que nos soldats construisaient des ponts, plantaient des allées de l'amitié, que nos médecins soignaient les femmes et les enfants afghans...

Pendant les classes, à Vitebsk, tout le monde savait qu'on nous entraînait pour l'Afghanistan. Il y en a un qui a avoué qu'il avait peur, parce qu'on se ferait tous tuer. Je me suis mis à le mépriser. Juste avant le départ, il y en a un autre qui a refusé : d'abord il a triché, prétextant qu'il avait perdu sa carte du Komsomol[1], et puis la carte a été retrouvée, il a inventé que sa petite amie était enceinte. Je le prenais pour un malade. Nous partions faire la révolution ! C'est ce qu'on nous disait et nous y croyions. C'était plein de romantisme.

... Quand une balle rencontre un homme, ça s'entend, c'est un bruit caractéristique qu'on ne peut pas oublier, une espèce de claquement mouillé. Un gars que vous connaissez tombe face contre terre dans la poussière, brûlante comme des cendres. Vous le retournez : il a encore entre ses dents la cigarette que vous venez de lui donner... Encore allumée... La première fois on agit comme dans un rêve : on court, on traîne, on tire, mais on ne retient rien, on ne peut rien raconter après le combat. C'est comme si tout se passait derrière une vitre... Comme dans un cauchemar, quand on est réveillé par la peur sans se souvenir de rien. En fait, pour éprouver vraiment une terreur, il faut s'en souvenir, s'y habituer. Au bout de deux ou trois semaines, il ne reste plus de vous que le nom, vous n'êtes plus du tout la même personne. Tel que vous êtes devenu, la vue d'un mort ne vous fait plus peur, vous réfléchissez calmement ou avec agacement à la façon dont vous allez le descendre de son rocher ou le traîner en pleine chaleur sur plusieurs kilomètres. Ce nouvel homme que vous êtes n'imagine plus, il connaît l'odeur des entrailles en pleine chaleur, il sait que l'odeur des excréments et du sang humain ne peut être éliminée par aucune lessive... Il

1. Jeunesses communistes. *(N.d.T.)*

sait ce que sont des crânes grimaçants et brûlés dans une flaque boueuse de métal fondu, comme si pendant quelques heures ses compagnons n'avaient pas crié mais avaient ri en mourant. Il connaît ce sentiment aigu de soulagement, jamais éprouvé auparavant, à la vue d'un tué : ce n'est pas moi ! Ça se produit si vite, cette transformation. Très vite. Presque pour tout le monde.

La mort n'a pas de mystère pour les gens qui sont à la guerre. Tuer, c'est simplement appuyer sur la détente. On nous apprenait que pour rester en vie il fallait être le premier à tirer. C'est la loi de la guerre. Le commandant disait : « Ici vous devez savoir faire deux choses : vous déplacer rapidement et tirer avec précision. Mais penser, c'est mon affaire. » Nous tirions où on nous disait de tirer. J'avais appris à obéir aux ordres. Je n'épargnais personne. Je pouvais facilement tuer un enfant. Car tout le monde nous faisait la guerre, les hommes, les femmes, les vieux, les enfants. Vous avez une colonne qui traverse un *kichlak*. Le moteur du premier camion cale. Le conducteur sort, lève le capot... Un mouflet d'une dizaine d'années lui plante un couteau dans le dos... Du côté du cœur. Le soldat s'affale sur le moteur... On a transformé le gamin en passoire... Si on nous en avait donné l'ordre à ce moment-là, nous aurions pulvérisé le *kichlak*... Chacun essayait de survivre. Pas le temps de réfléchir. Il ne faut pas oublier que nous avions de dix-huit à vingt ans. Je m'étais habitué à la mort des autres, mais j'avais peur de mourir. J'ai vu qu'en une seconde, il pouvait ne plus rien rester d'un homme, comme s'il n'avait jamais existé. On expédiait un uniforme vide dans un cercueil qu'on lestait de terre étrangère pour faire le poids...

On voulait vivre... On n'avait jamais eu tant envie de vivre que là-bas. Quand on rentrait du combat, on riait. Je n'ai jamais autant ri que là-bas. Les vieilles blagues rebattues passaient pour le fin du fin. Ne serait-ce que celle-ci :

Un as du marché noir se retrouve à la guerre. La première chose qu'il fait est de se renseigner sur le prix d'un *douch* prisonnier. Huit bons [1], lui dit-on. Deux jours après, on voit un nuage de poussière s'approcher de la garnison : c'est le gars qui amène deux cents prisonniers. Un ami lui demande : « Tu peux m'en vendre un ?... Je te le payerai sept bons. — T'es pas fou, c'est donné ! Moi je les ai achetés à neuf bons. »

On pouvait la raconter cent fois, on riait toujours autant. On riait comme des bossus pour un rien.

Un *douch* guette l'ennemi, un catalogue à ses côtés : il voit un lieutenant, trois petites étoiles, ça fait cinquante mille afghanis. Pan ! Un commandant, une grosse étoile : deux cent mille afghanis. Pan ! La nuit venue il se fait payer par son chef : pour le lieutenant, pour le commandant, pour le... Quoi ? Un *praporchtchik* ? Tu as tué notre pourvoyeur ? Celui qui nous apporte le lait condensé, les couvertures et tout le reste ? Tu seras pendu !

On parlait beaucoup d'argent. Plus que de la mort. Moi, je n'ai rien rapporté de là-bas sauf l'éclat qu'on a retiré de mon corps. C'est tout. Les autres ramenaient des porcelaines, des pierres précieuses, des bijoux, des tapis... Les uns se servaient dans les *kichlaks* pendant les missions de combat... Les autres achetaient, troquaient... Un chargeur contre un assortiment de cosmétiques pour la petite amie : mascara, poudre, fard à paupières. On vendait des cartouches bouillies... Une balle bouillie sort mal de l'arme et ne peut tuer personne. Alors on chauffait des seaux ou des cuvettes et on faisait bouillir des cartouches pendant

1. Roubles convertibles en devises étrangères qui servent à payer les Soviétiques travaillant à l'étranger. *(N.d.T.)*

deux heures. Le soir on allait les vendre. Tout le monde faisait du business, les commandants, les soldats, les héros comme les poltrons. Dans les réfectoires, les couteaux, les gamelles, les cuillers, les fourchettes disparaissaient. Dans les casernes, on n'arrivait jamais à faire le compte des quarts, des tabourets, des marteaux. On voyait disparaître des baïonnettes de PM, des rétroviseurs, des pièces détachées, des médailles... Dans les *doukans*[1], on nous achetait tout, même les détritus de la garnison : des boîtes de conserve, des vieux journaux, des clous rouillés, des morceaux de contreplaqué, des sacs de cellophane... On vendait les ordures par camions entiers. C'était ça, cette guerre.

On nous a donné le surnom d'*Afghantsy*[2]. Un nom étranger. Comme un signe, une marque. Nous ne sommes pas comme tout le monde. Différents. Qu'est-ce qu'on est, au juste ? Je ne sais pas si je suis un héros ou un imbécile qu'il faut montrer du doigt. Ou peut-être un criminel ? On dit déjà que c'était une erreur politique. Aujourd'hui on le dit tout bas, demain on le dira plus haut. Alors que j'ai laissé du sang là-bas... Le mien et celui des autres... On nous a décorés de médailles que nous ne portons pas... Nous les rendrons sûrement un jour... Des décorations gagnées honnêtement dans une guerre malhonnête... On nous invite à venir parler dans les écoles. Pour raconter quoi ? On ne peut quand même pas parler des combats. Leur dire que j'ai encore peur du noir, que je sursaute quand j'entends quelque chose tomber ? Que nos prisonniers, on ne les ramenait jamais vivants ? On les piétinait. En un an et demi, je n'ai jamais vu un *douch* vivant, seulement des morts. Raconter les collections

1. Boutique, en persan *(dukân)*. *(N.d.T.)*
2. Pluriel d'*Afghanets*, ce qui signifie Afghan en russe. *(N.d.T.)*

d'oreilles humaines séchées ? Les trophées de guerre... Parler des *kichlaks* après une préparation d'artillerie qui les transforme en un champ labouré ? C'est ça qu'on attend de nous dans les écoles ? Non, il leur faut des héros. Mais moi je sais bien que nous avons détruit et tué. Nous avons construit aussi, et nous avons fait des cadeaux. Tout cela coexistait, c'était si imbriqué que je ne peux toujours pas faire le partage. J'ai peur de ces souvenirs... Je les fuis... Je n'en connais pas un seul revenu de là-bas qui ne boive pas et ne fume pas. Les cigarettes blondes ne me sont d'aucun secours, je cherche à me procurer les « Chasseur » qu'on fumait là-bas. Nous les appelions « La mort dans les marais ».

Surtout, n'allez pas parler de la fraternité entre *Afghantsy*. Ça n'existe pas, je n'y crois pas. À la guerre, c'est la peur qui nous unissait. Nous avons tous été trompés, nous voulions tous vivre et rentrer chez nous. Ici, nous sommes unis par ce qui nous manque. Nos problèmes, ce sont les pensions, les appartements, les médicaments, les prothèses, les meubles... Dès qu'ils seront résolus, nos clubs se désagrégeront. En ce moment, je me bats, je me démène, je me décarcasse, je me mets en quatre pour obtenir un appartement, des meubles, un réfrigérateur, une machine à laver, une télé japonaise : quand je me serai procuré tout ça, ce sera fini ! Il sera évident que je n'aurai plus rien à faire dans ce club. Nous n'attirons pas les jeunes. Ils ne nous comprennent pas. D'un côté, nous sommes un peu assimilés aux anciens combattants de la Grande Guerre patriotique, mais eux avaient défendu la patrie, pas nous. « Vous avez joué le rôle des Allemands, ou quoi ? » m'a demandé un gars. Nous leur en voulons. Eux, pendant qu'on mangeait notre rata mal cuit et qu'on sautait sur les mines, ils écoutaient de la musique et dansaient avec les filles. Ceux qui n'y étaient pas avec moi, qui n'ont rien vu, rien vécu, rien éprouvé, ceux-là ne sont rien pour moi.

Dans dix ans, quand toutes nos hépatites, nos commotions, nos malarias commenceront à faire parler d'elles, on voudra se débarrasser de nous... Au boulot comme à la maison... On ne nous invitera plus à présider des réunions. Nous serons devenus un fardeau pour tout le monde... Pourquoi faites-vous ce livre ? Pour qui ? Nous qui sommes revenus de là-bas, il ne pourra pas nous plaire. Comment raconter tout ça ? Les chameaux et les hommes morts dans la même flaque de sang, leur sang mélangé. Et à part nous, qui s'y intéressera ? Nous sommes des étrangers pour tout le monde. Ce qui me reste, c'est ma maison, ma femme, mon enfant qui va naître bientôt. Quelques amis de là-bas. À part eux, je n'ai confiance en personne... »

Un soldat, grenadier.

« Les journaux écrivaient : le régiment a procédé à une marche et à des tirs d'exercice... En lisant cela, nous nous sentions insultés. Notre section escortait des voitures. Pour faire un trou dans ces voitures, il suffit d'un tournevis, c'est une cible parfaite. Tous les jours on nous tirait dessus, il y avait des morts. Un garçon à côté de moi a été tué, sous mes yeux... C'était le premier mort que je voyais... Nous nous connaissions peu encore... C'était un tir de mortier, il a reçu plusieurs éclats... Il a mis longtemps à mourir... Il nous reconnaissait, mais il appelait des gens dont nous n'avions pas entendu parler...

Avant de partir pour Kaboul, on a failli se battre avec un appelé, mais son ami l'a empêché :

— Tu ne devrais pas te disputer avec lui, il part demain en Afghanistan !

Là-bas nous n'avions jamais une cuiller, une gamelle bien à nous. Il y avait une gamelle pour tout le monde, on se jetait dessus, à huit. L'Afghanistan, ce n'est pas un récit d'aventures ou un roman policier. Ce paysan affalé au corps malingre et aux grandes mains... Pendant les fusillades on prie Dieu (ou je ne sais qui) que la terre s'ouvre et vous cache... Que les rochers s'écartent... En rêve, on entend les chiens détecteurs de mines qui geignent. Chez eux aussi il y avait des morts et des blessés. Les bergers allemands et les hommes étaient tués ou soignés ensemble. Les hommes sans jambes, les chiens sans pattes. Impossible de distinguer le sang du chien du sang de l'homme sur la neige. On voit les prises de guerre jetées en vrac sur le sol, des armes chinoises, américaines, pakistanaises, soviétiques, anglaises, et on se dit que tout ça, c'était pour vous tuer. La peur est plus humaine que le courage : on a peur, on se prend soi-même en pitié... On refoule la peur dans son subconscient. On n'a pas envie de s'imaginer gisant, petit, seul et abandonné, à mille kilomètres de chez soi. Les hommes ont conquis l'espace, mais continuent à s'entre-tuer comme il y a mille ans. Avec des armes à feu, des poignards, des pierres... Dans les *kichlaks*, on tuait nos soldats à coups de fourche de bois...

Je suis rentré en 81. C'était l'euphorie. On avait rempli notre devoir international. Je suis arrivé à Moscou à l'aube. En train. Je ne pouvais pas attendre le soir et perdre une journée. J'ai emprunté des moyens de fortune : jusqu'à Mojaïsk en train de banlieue, jusqu'à Gagarine en autocar, puis jusqu'à Smolensk en charrette. Et de Smolensk à Vitebsk en camion. Six cents kilomètres en tout. Quand on apprenait que je venais de l'Afghanistan, on refusait de me prendre de l'argent. Les deux derniers kilomètres, je les ai faits à pied.

Chez moi, j'ai trouvé l'odeur des peupliers, le bruit des tramways, une petite fille qui mangeait une glace. Et surtout les peupliers : quelle odeur ! Tandis que là-bas, la zone verte, c'est d'où on nous tirait dessus. On avait tellement envie de voir un bouleau ou une mésange de chez nous. Dès que j'apercevais le coin d'une maison, je me recroquevillais intérieurement : qu'y avait-il de l'autre côté ? Pendant toute une année, j'avais peur de sortir : je n'avais plus de gilet pare-balles, plus de casque, plus de mitraillette, c'était comme si j'étais nu. Et la nuit, les cauchemars revenaient... Quelqu'un qui me visait en plein front... Avec un calibre qui m'aurait emporté la moitié de la tête... La nuit, je criais... Je me jetais contre le mur... Dès que le téléphone sonnait, j'avais des sueurs froides : je croyais que c'étaient des rafales de PM...

La presse continuait à écrire : le pilote d'hélicoptère X a effectué un vol d'exercice... Il a été décoré de l'Étoile rouge... C'est là que j'ai été définitivement « guéri ». L'Afghanistan m'a guéri de l'illusion qui consiste à croire que chez nous tout va bien, que les journaux et la télévision ne disent que la vérité. Je me demandais ce que je devais faire. Il fallait faire quelque chose... Aller quelque part... Prendre la parole, raconter... Ma mère m'a retenu : « Toute notre vie est à l'image de ça... »

Un tirailleur motorisé.

« Là-bas je me répétais tous les jours : « Idiote. Pourquoi as-tu fait ça ? » C'est surtout la nuit que ces pensées me venaient, quand je ne travaillais pas ; dans la journée, je me demandais comment faire pour tous les aider. Les blessures étaient effrayantes... J'étais scandalisée : qui avait bien pu inventer des balles pareilles ? Est-ce que c'étaient des êtres humains ? Le point d'impact était tout petit, mais à l'intérieur, les intestins, le foie, la rate, tout était haché, déchiqueté. Il ne leur suffisait pas de tuer ou de blesser, il fallait encore faire souffrir les gars de cette façon... Ils criaient toujours : « Maman ! » Quand ils avaient mal... Quand ils avaient peur... Je ne les ai jamais entendus prononcer d'autres noms...

En fait, j'avais voulu quitter Leningrad pour un an ou deux. Mon enfant et mon mari étaient morts. Plus rien ne me retenait dans cette ville, au contraire tout me rappelait le passé. C'est là que nous nous étions rencontrés, lui et moi... Que nous nous étions embrassés pour la première fois... Que j'avais accouché...

C'est le médecin chef qui m'a convoquée :

— Vous iriez en Afghanistan ?

— Oui...

J'avais besoin de voir des gens souffrir davantage que moi. J'en ai vu.

On nous disait que c'était une guerre juste, que notre pays aidait le peuple afghan à liquider le féodalisme et à construire une société socialiste radieuse. La mort de nos garçons, on n'en parlait pas trop, nous avions l'impression qu'il y avait beaucoup de maladies infectieuses comme la malaria, la typhoïde, l'hépatite... C'était en 80... Au tout début... Nous sommes arrivés à Kaboul... L'hôpital avait été installé dans des écuries anglaises. Il n'y avait rien... Une seringue pour tout le monde... Les officiers buvaient tout l'alcool, on traitait les blessures avec de l'essence. Elles se cicatrisaient mal, on manquait d'oxygène. Heureusement il y avait le soleil : un soleil éclatant qui tuait les microbes. Les premiers blessés que j'ai vus étaient en vêtements de dessous et en bottes. Ils n'avaient pas de pyjamas. Les pyjamas sont arrivés bien plus tard. Comme les pantoufles et les couvertures...

Pendant tout le mois de mars, les bras, les jambes amputés, les restes de nos soldats et de nos officiers sont restés en tas près des tentes. Les cadavres étaient à moitié nus, les yeux crevés, des étoiles découpées sur le dos ou sur le ventre... Des choses de ce genre, j'en avais vu au cinéma autrefois, dans les films sur la guerre civile. Il n'y avait pas encore de cercueils de zinc à l'époque, on n'en avait pas encore reçu.

Alors, petit à petit on a commencé à se poser des questions. Quelle sorte de gens étions-nous donc ? Nos doutes ont été très mal vus. Il n'y avait ni pantoufles ni pyjamas, mais on nous faisait accrocher partout des banderoles, des slogans, des affiches. Et sur le fond de ces slogans, on voyait les visages maigres et tristes de nos gars. Ils sont restés gravés à jamais dans ma mémoire...

Nous devions assister à l'instruction politique deux fois par semaine. On nous apprenait toujours la même chose : notre devoir est sacré, notre frontière doit être verrouillée. Le plus désagréable dans l'armée, c'est la délation : le chef nous ordonnait de dénoncer les autres pour la moindre peccadille, même si c'étaient des blessés ou des malades. Cela s'appelait : connaître le moral de la troupe... Une armée doit être saine... Il fallait donc moucharder tout le monde. Pas de pitié. Pourtant nous avions pitié et c'est la pitié qui nous permettait de tenir...

Sauver, aider, aimer. C'est cela que nous étions venues chercher. Au bout de quelque temps je me suis surprise à haïr. Je haïssais ce sable doux et léger qui brûlait comme le feu. Je haïssais ces montagnes, ces *kichlaks* aux toits bas d'où pouvaient partir des coups de feu à tout moment. Je haïssais le passant afghan qui portait un panier de melons ou qui se tenait devant sa maison. Qui sait où ils étaient allés la nuit précédente ? Peut-être avaient-ils tué un officier que je connaissais parce qu'il venait se faire soigner à l'hôpital... Ou égorgé deux tentes entières de soldats... Ailleurs on avait empoisonné l'eau... Quelqu'un avait ramassé un joli briquet qui lui avait explosé dans la main... C'étaient nos garçons qui mouraient là-bas, il faut le comprendre... Vous n'avez jamais vu un brûlé... Il n'a plus de visage... Plus d'yeux... Plus de corps... Quelque chose de rabougri, recouvert d'une croûte jaune, de lymphe... Sous cette croûte, on entend des grognements de bête, pas des cris...

Là-bas on vivait de haine, on survivait grâce à elle. La culpabilité ? Elle m'est venue ici, une fois que j'ai reconsidéré tout cela, avec la distance. Pour un mort de chez nous, il nous arrivait de tuer un *kichlak* entier. Là-bas, cela me semblait juste, ici j'ai été horrifiée en me souvenant d'une fillette qui gisait dans la poussière sans bras et sans jambes... Comme une poupée désarticulée... Dire qu'on s'étonnait qu'ils ne nous aiment pas. Certains étaient hospitalisés chez nous... Vous donnez un médicament à une femme et elle ne lève même pas les yeux sur vous. Pas un sourire. C'était même vexant... Je veux dire là-bas, ici c'est différent. Ici on redevient normal, on retrouve tous les sentiments humains.

Ma profession est belle, elle consiste à sauver des vies, et elle m'a sauvée aussi. Elle a été pour moi une justification. On avait besoin de nous là-bas. Le plus affreux, c'est que nous n'avons pas sauvé tous ceux qui auraient pu l'être, faute de médicaments ou bien parce qu'on avait amené le blessé trop tard (les infirmiers étaient souvent des soldats mal préparés qui avaient seulement appris à faire un pansement) ou encore parce qu'on n'avait pu réveiller le chirurgien qui était ivre. J'aurais pu en sauver... Nous ne pouvions même pas écrire la vérité dans l'avis de décès. Les garçons sautaient sur des mines... Souvent il n'en restait qu'un demi-seau de viande... Nous écrivions :

tué dans un accident de la route, tombé dans un précipice, mort d'une intoxication alimentaire. Quand on commença à compter les morts par milliers, on nous autorisa à dire la vérité aux familles. Les cadavres, je m'y étais habituée. Mais je ne pouvais me faire à l'idée que c'était un homme de chez nous, un petit gars.

Un jour on en a ramené un. Justement j'étais de service. Il a ouvert les yeux, il m'a regardée, il a dit :

— C'est fini...

Et il est mort.

On l'avait cherché pendant trois jours dans la montagne. Dans son délire, il appelait un médecin. Il s'était cru sauvé en voyant une blouse blanche. Mais sa blessure était incompatible avec la vie. J'ai appris là-bas ce qu'est une blessure à la boîte crânienne... Chacun d'entre nous a son cimetière dans sa mémoire...

Même dans la mort ils n'étaient pas égaux. Dieu sait pourquoi, on plaignait davantage ceux qui étaient morts au combat que ceux qui mouraient à l'hôpital. Ils poussaient des cris atroces en agonisant... Je me rappelle un commandant mort en réanimation. Un conseiller militaire. Sa femme est venue le trouver et il est mort sous ses yeux... Elle s'est mise à pousser des cris terribles... Comme une bête... J'avais envie de fermer toutes les portes pour que personne ne l'entende... Parce qu'à côté aussi il y avait des soldats qui agonisaient... Des petits gars... Ils n'avaient personne pour les pleurer, eux... Ils mouraient seuls. Cette femme était de trop parmi nous...

— Maman, maman !

Alors on répondait, on mentait :

— Je suis là, mon petit.

Nous devenions leurs mamans, leurs sœurs. Et on avait toujours envie d'être à la hauteur de cette confiance.

Ils amenaient un soldat blessé et ne voulaient pas repartir :

— Les filles, on n'a besoin de rien, mais est-ce qu'on peut seulement rester un peu avec vous ?

Tandis qu'ici, chez eux, ils ont leurs mamans, leurs sœurs, leurs femmes. Ici, ils n'ont pas besoin de nous. Là-bas, ils nous confiaient des choses qu'ici on ne raconterait à personne. Il a volé les bonbons d'un camarade et les a mangés. Ici, ça paraît ridicule, mais là-bas c'est une terrible déception vis-à-vis de soi-même. Dans les conditions de là-bas, on devient transparent. Si on est lâche, ça devient vite évident. Si on est un mouchard, même chose. Si on est un coureur de jupons, tout le monde le sait. Je ne suis pas sûre qu'on l'avouerait ici, mais là-bas j'en ai entendu plus d'un me dire que tuer pouvait plaire, que tuer pouvait devenir un plaisir. Un *praporchtchik* qui rentrait au pays ne me l'a pas caché : « Comment je vais faire maintenant, c'est que j'ai envie de tuer ! » On en parlait tranquillement. Les gars racontaient avec enthousiasme comment ils avaient brûlé un *kichlak*, comment ils avaient tout détruit. Ils n'étaient quand même pas tous fous ! Un jour un officier est venu nous voir, il venait de la région de Kandahar. Le soir, au moment de partir, il s'est enfermé dans une pièce vide et s'est tiré une balle dans la tête. Il paraît qu'il était ivre, moi je ne sais pas. C'est dur. Chaque journée est dure à vivre. Un garçon s'est suicidé en montant la garde. Trois heures au soleil. Un petit gars qui n'était jamais sorti de chez lui, qui n'a pas tenu le coup. Beaucoup perdaient la raison. Au début on les plaçait dans les salles communes, ensuite on les a logés séparément. Alors ils tentaient de s'enfuir, parce qu'ils avaient peur des grilles. Ils se sentaient mieux avec tout le monde. Je me souviens très bien de l'un d'eux. Il me disait :

— Assieds-toi... je vais te chanter une chanson d'ancien...

Il se mettait à chanter et s'endormait. Puis il se réveillait :

— Je veux rentrer à la maison... Chez maman... J'ai trop chaud ici...

Il demandait tout le temps à rentrer.

Beaucoup fumaient. Le « H », la marijuana... Ce qu'ils pouvaient se procurer... Ça rendait fort, ça libérait de tout. Et avant tout de son corps. C'est comme si vous marchiez sur la pointe des pieds. Vous sentez une étonnante légèreté dans chacune de vos cellules. Vous sentez chacun de vos muscles. Ça donne envie de voler. Comme si on planait ! Une joie irrésistible. Tout plaisait. On riait de n'importe quelle sottise. On entendait, on voyait mieux. On distinguait davantage les odeurs et les sons... La patrie aime ses héros !... Dans cet état il était plus facile de tuer. On n'avait plus de haine, plus de pitié. C'était facile de mourir. Plus de peur. On avait l'impression de porter un gilet pare-balles, d'être blindé...

Ils fumaient et partaient en raid... Moi j'en ai fumé deux fois. Dans les deux cas, quand j'étais à bout de mes forces à moi... Je travaillais à la section des maladies infectieuses. C'était prévu pour trente lits, et il y avait trois cents malades. Ils avaient la typhoïde, la malaria... On leur donnait des lits, des couvertures, mais ils étaient couchés à même le sol ou sur leurs capotes, en slip. Malgré leurs crânes rasés, ils étaient couverts de poux... Il leur en tombait de la tête, du corps... Je ne verrai jamais autant de poux... Juste à côté, dans les *kichlaks*, les Afghans se promenaient dans nos pyjamas d'hôpital, avec nos couvertures sur la tête en guise de turban. Oui, les gars leur vendaient tout. Je ne les condamne pas dans la plupart des cas. Ils mouraient pour trois roubles par mois : nos soldats touchaient huit bons par mois chacun. Trois roubles... Ils mangeaient de la viande véreuse, du poisson pas frais...

Nous avions tous le scorbut, j'ai perdu toutes mes incisives. Ils vendaient leurs couvertures et achetaient du haschisch, ou des sucreries, des bibelots... Là-bas les boutiques sont rutilantes, c'est très tentant. C'est plein de choses qu'on ne trouve pas ici. Alors ils vendaient leurs armes, leurs cartouches... Pour qu'on les tue ensuite avec...

Après tout ce que j'ai vécu là-bas, je vois mon pays d'un autre œil.

J'avais peur de revenir ici. C'était une drôle d'impression, comme si on m'avait écorchée vive. Je pleurais tout le temps. Je ne pouvais voir personne sauf ceux qui revenaient de là-bas. Avec eux je pouvais rester jour et nuit. Les conversations des autres me paraissaient futiles, absurdes. Six mois comme ça. Maintenant je me suis remise à me chamailler dans les files d'attente pour la viande. Je m'efforce de vivre une vie normale comme « avant ». Mais ça ne marche pas. Je suis devenue indifférente envers moi-même, envers ma vie. Ma vie est finie, il n'y aura plus rien. Pour les hommes, cette adaptation est encore plus douloureuse. Une femme peut se raccrocher à son enfant, eux n'ont rien. Ils rentrent, ils tombent amoureux, ils ont des enfants, mais de toute façon l'Afghanistan restera la seule chose importante. Je voudrais comprendre pourquoi. Qu'est-ce qui s'est passé ? Quel est le sens de tout ceci ? Pourquoi cela me touche-t-il à ce point ? Là-bas, toutes ces questions étaient refoulées, ici elles me tourmentent.

Il faut les plaindre, plaindre tous ceux qui y sont allés. Je suis une adulte, j'avais trente ans là-bas et pourtant c'était un grand choc. Ils sont tout jeunes, eux, ils ne comprennent rien. On est allé les chercher chez eux, on leur a mis une arme dans les mains et on leur a appris à tuer. On leur a dit qu'ils servaient une cause sacrée, on leur a promis que la Patrie ne les oublierait pas. À présent on détourne les yeux quand on les voit, on s'efforce d'oublier cette guerre. Tout le monde ! Même ceux qui nous y ont envoyés. Même nous, quand nous nous rencontrons, nous en parlons de moins en moins. Personne ne l'aime, cette guerre. Encore que je pleure toujours quand j'écoute l'hymne de l'Afghanistan. J'aime la musique afghane. Je l'entends. C'est comme une drogue.

Récemment j'ai rencontré un soldat dans un autobus. Nous l'avions soigné, il a perdu un bras. Je m'en souvenais bien, c'est aussi un Leningradois. Je lui ai demandé :

— Serioja, on ne pourrait pas t'aider ?

Mais lui, méchamment :

— Allez tous vous faire voir !

Je sais qu'il me retrouvera, qu'il me demandera pardon. Mais qui lui demandera pardon, à lui ? Et à tous ceux qui y sont allés ? Je ne parle même pas des infirmes. Comme il faut mal aimer son peuple pour l'envoyer à des choses pareilles. À présent je déteste toutes les guerres, même les bagarres entre gamins. Et ne me dites pas que cette guerre est terminée. En été, quand je respire de la poussière brûlante, quand je vois de l'eau stagnante, quand je sens l'odeur âcre des fleurs sèches, c'est comme si je recevais un coup dans la tempe... Cela me poursuivra toute ma vie... »

Une infirmière.

« Maintenant que je me suis déjà reposé de la guerre, qu'elle s'est un peu éloignée, je ne pourrai pas vous dire comment c'était exactement. Ces tremblements dans tout le corps, cette rage... Avant la guerre, j'avais terminé une école technique de transports auto et on m'a mis comme chauffeur du commandant du bataillon. Je n'avais pas à me plaindre. Mais on s'est mis à nous parler régulièrement du contingent de troupes soviétiques en Afghanistan. Il ne se passait pas une séance d'éducation politique sans qu'on nous dise que nos troupes défendent fermement les frontières de notre patrie et viennent en aide à un peuple ami. On commençait à s'inquiéter : ils vont peut-être nous envoyer à la guerre ? Pour calmer nos craintes, ils ont décidé de nous tromper, je l'ai compris maintenant.

On nous faisait venir chez le commandant de l'unité et on nous demandait :

— Les gars, vous voulez conduire des voitures toutes neuves ?

Bien sûr on répondait comme un seul homme :

— Oh oui, on en rêve.

— D'accord, mais auparavant vous devrez aller sur les terres défrichées [1] pour aider à rentrer la moisson.

Nous avons tous accepté.

Dans l'avion, nous avons entendu par hasard les pilotes qui disaient qu'on allait à Tachkent. J'ai commencé à avoir des doutes : est-ce qu'on allait vraiment sur les terres défrichées ? On s'est posé à Tachkent. On nous a emmenés en formation serrée dans un endroit entouré de barbelés à côté de l'aéroport. On s'assied, on attend. Les commandants ont l'air excité, chuchotent entre eux. L'heure du repas arrive et on apporte près de nous des caisses de vodka, l'une après l'autre.

— En colonne par deux, couvre-e-ez !

Et puis on nous annonce que dans quelques heures un avion va venir nous prendre pour nous transporter en Afghanistan où, fidèles à notre serment, nous accomplirons notre devoir militaire.

Ça a été terrible ! La peur, la panique a transformé les hommes en bêtes, les unes silencieuses, les autres furieuses.

1. Territoires du Kazakhstan, défrichés au milieu des années 1950. *(N.d.T.)*

Il y en avait qui pleuraient de dépit, d'autres étaient tombés dans une espèce de torpeur, à cause de ce mensonge incroyable, ignoble qu'on nous avait infligé. Voilà pourquoi ils nous avaient préparé la vodka. Parce que c'était plus facile, plus simple de venir à bout de nous tous. Après la vodka, quand l'alcool nous est monté à la tête, certains soldats ont tenté de s'enfuir, d'attaquer les officiers. Mais le camp était encerclé par des soldats d'autres unités qui nous ont tous refoulés vers l'avion. On nous chargeait comme des caisses, on nous jetait dans ce ventre métallique vide.

C'est comme ça que nous nous sommes retrouvés en Afghanistan. Deux jours après, on avait déjà vu des blessés, des morts. On avait entendu les mots « reconnaissance », « combat », « opération ». Je crois que j'ai eu un choc, j'ai mis plusieurs mois à reprendre mes esprits, à prendre clairement conscience de ce qui m'environnait.

Quand ma femme est allée se renseigner pour savoir comment je m'étais retrouvé en Afghanistan, on lui a répondu : « Il en a exprimé lui-même le désir. » Toutes nos mères et nos femmes ont reçu ce genre de réponses. Si ma vie, mon sang était nécessaire à une grande cause, je dirais : « Portez-moi volontaire ! » Mais on m'a trompé par deux fois, on ne m'a pas dit la vérité. Ce n'est que huit ans plus tard que j'ai su la vérité, que j'ai compris ce qu'était vraiment cette guerre. Mes amis sont dans la tombe et ne savent pas à quel point on les a eus avec cette sale guerre. Je les envie presque parfois : ils ne le sauront jamais. Personne ne les trompera plus. »

Un soldat, chauffeur.

« Mon mari a longtemps servi en Allemagne, puis en Mongolie. On avait le mal du pays. J'ai passé vingt ans de ma vie en dehors de ma patrie que j'aimais passionnément. Alors j'ai écrit à l'état-major que j'avais passé toute ma vie à l'étranger, que je n'en pouvais plus, que je demandais qu'on nous aide à rentrer chez nous...

Nous montions déjà dans le train, mais je ne parvenais toujours pas à y croire, je redemandais tout le temps à mon mari :

— Nous allons vraiment en Union soviétique ? Tu ne me mens pas ?

À la première gare, j'ai pris dans la main un peu de ma terre natale, je l'ai regardée, j'ai souri : ma terre ! J'en ai même mangé, vous pouvez me croire. Je m'en suis enduit le visage.

Youra, c'était mon fils aîné. C'est mal de l'avouer pour une mère, mais je l'aimais plus que les autres, plus que mon mari, plus que mon fils cadet. Quand il était petit, je lui tenais sa petite jambe en dormant. Aller au cinéma et le laisser avec quelqu'un me paraissait impossible. Il était âgé de trois mois ; je le prenais avec moi, j'emportais ses biberons. Je peux dire que je passais toute ma vie avec lui. Je l'ai élevé uniquement d'après les livres, d'après des modèles exemplaires : Pavel Kortchaguine, Oleg Kochevoï, Zoïa Kosmodemianskaïa[1]. En première classe[2], il savait par cœur des pages entières de *Comment l'acier fut trempé* de Nikolaï Ostrovski au lieu de contes ou de poèmes pour enfants.

La maîtresse était ravie :

1. Héros « classiques » toujours cités dans l'éducation idéologique soviétique traditionnelle. Le premier est le héros du roman *Comment l'acier fut trempé*, cité plus loin, le second, celui de *La Jeune Garde* de Fadeïev, la troisième fut une héroïne partisane pendant la Seconde Guerre mondiale. *(N.d.T.)*

2. C'est-à-dire à l'âge de sept ans (l'école soviétique compte dix classes, numérotées dans l'ordre croissant). *(N.d.T.)*

— Qui est ta maman, Youra ? Tu as déjà lu tellement de choses.

— Ma maman travaille à la bibliothèque.

Il connaissait la vie dans l'idéal, mais pas la vie réelle. Moi aussi, qui avais passé tant d'années loin de la Patrie, je m'imaginais que la vie était faite d'idéaux. Je me rappelle un jour que nous étions déjà rentrés chez nous, à Tchernovtsy, Youra était dans une école militaire, j'entends sonner à la porte ; il était deux heures du matin. C'était lui.

— C'est toi, mon petit ? Pourquoi si tard ? Par ce temps ? Tu es tout trempé...

— Maman, je suis venu te dire que c'est trop dur pour moi. Ce que tu m'as appris... Rien de tout ça n'existe... Où as-tu pris ça ?... Et je n'en suis qu'au début encore. Je ne pourrai jamais vivre comme ça.

Nous avons passé toute la nuit à la cuisine. Je lui en ai dit des choses : que la vie était belle, que les gens étaient braves. Des choses vraies. Il m'a écoutée en silence. Le matin, il est reparti dans son école.

J'ai insisté plus d'une fois :

— Youra, tu devrais abandonner ton école et entrer dans un institut civil. Ta place est là-bas. Je vois bien que tu souffres.

Il était mécontent de son choix parce que c'est par hasard qu'il est devenu militaire. Il aurait pu faire un bon historien. Un savant. Il vivait de livres : « Quel pays merveilleux, la Grèce antique. » En dixième, aux vacances d'hiver, il était allé à Moscou. J'y ai un frère, il est colonel en retraite. Youra lui confia qu'il voulait entrer à la faculté de philosophie de l'université. Mon frère était contre :

— Tu es un gars honnête, Youra. Être philosophe à notre époque, c'est dur : il faut mentir aux autres et à soi-même. Si tu dis la vérité, tu finiras en prison ou dans une maison de fous.

Alors, le printemps venu, mon Youra me dit :

— Maman, ne me pose pas de questions. Je serai militaire.

J'avais déjà vu des cercueils de zinc dans une petite ville de garnison. Mais à l'époque, mon fils aîné était encore en septième, mon autre fils était tout petit. J'espérais que la guerre serait finie quand ils seraient grands. Une guerre ne pouvait tout de même pas durer si longtemps ! « Elle a duré comme l'école, dix ans », a dit quelqu'un après l'enterrement de Youra.

C'était la fête de fin d'études dans son école. J'avais un fils officier. Comment pouvais-je m'imaginer qu'il devrait partir ? Je ne pouvais pas vivre un seul instant sans lui.

— Où peut-on t'envoyer ?

— Je demanderai l'Afghanistan.

— Youra !!!

— Maman, tu m'as fait comme je suis, ce n'est pas maintenant que tu vas me changer. Tu avais raison. Tous ces salauds que j'ai rencontrés dans ma vie n'ont rien à voir avec mon peuple et ma patrie. J'irai en Afghanistan pour leur prouver qu'on peut avoir un idéal dans la vie, que tout le monde ne se contente pas d'un réfrigérateur bourré de viande pour être heureux.

Il n'était pas le seul à demander l'Afghanistan, beaucoup d'autres garçons ont écrit des demandes. Tous de bonnes familles, avec des pères présidents de kolkhozes, instituteurs...

Que pouvais-je dire à mon fils ? Que la patrie n'avait pas besoin de cela ? Que voulait-il prouver à ces gens qui croyaient, et ils le croiront toujours, qu'on allait en Afghanistan pour chercher des nippes, des bons, des décorations, pour faire carrière... À leurs yeux, Zoïa Kosmodemianskaïa n'était qu'une fanatique parce qu'une personne normale serait incapable de répéter son geste...

Je ne sais plus ce que j'ai fait : j'ai pleuré, je l'ai supplié, je lui ai avoué ce que j'avais craint de m'avouer à moi-même, ma défaite ou ma désillusion, je ne sais comment dire.

— Mon petit Youra, la vie n'est pas du tout ce que je t'ai appris. Si j'apprends que tu es en Afghanistan, j'irai sur la place publique, je m'arroserai d'essence et je me brûlerai. Si on te tue là-bas, ce ne sera pas pour la patrie... Ce sera pour je ne sais quoi... La patrie peut-elle envoyer à la mort ses meilleurs fils sans une grande idée ? Ce serait une drôle de patrie...

Il m'a menti, il m'a dit qu'il partait en Mongolie. Mais moi je le connaissais bien, c'était mon fils, je savais qu'il irait en Afghanistan.

Mon fils cadet, Guéna, a été appelé au même moment. Pour lui j'étais tranquille, il était différent. Il n'était jamais d'accord avec Youra. Youra lui disait :

— Guéna, tu ne lis pas assez. Je ne te vois jamais avec un livre, toujours la guitare...

Et Guéna :

— Je ne veux pas être comme toi. Je veux être comme tout le monde.

Quand ils sont partis, je me suis installée dans leur chambre. J'ai perdu tout intérêt sauf pour leurs livres, leurs affaires, leurs lettres. Youra m'écrivait des lettres où il parlait de la Mongolie, mais il s'embrouillait tellement dans sa géographie que je ne doutais plus de l'endroit où il se trouvait. Jour et nuit, je réfléchissais à ma vie, je me passais au crible. Il n'y a pas de mots assez forts, ni de musique, pour exprimer ma douleur : c'est moi qui l'ai envoyé là-bas, moi-même !

... Des inconnus sont entrés et d'après leurs visages j'ai tout de suite compris qu'ils m'apportaient un malheur. J'ai reculé dans la chambre. Un dernier espoir terrible :

— C'est Guéna ? !

Ils ont détourné les yeux. Et moi j'étais prête encore une fois à leur donner un fils pour sauver l'autre :

— C'est Guéna ? !

L'un d'eux a dit tout bas :

— Non, c'est Youra...

Je n'en peux plus... Je ne peux plus continuer... Ça fait deux ans que j'agonise... Je ne suis pas malade, mais je meurs. Mon corps tout entier est mort... Je ne me suis pas brûlée sur la place publique... Mon mari ne leur a pas jeté sa carte du parti à la figure... Nous sommes probablement déjà morts... Seulement personne ne le sait... Pas même nous... »

Une mère.

« Je me suis tout de suite dit à moi-même que j'oublierais tout. Dans ma famille, c'est un sujet tabou. Ma femme a pris là-bas ses cheveux blancs à l'âge de quarante ans ; ma fille avait les cheveux longs, elle les a coupés, parce que pendant les bombardements de nuit à Kaboul on n'arrivait pas à la réveiller, il fallait la tirer par les nattes. Mais quatre ans après, ça s'est mis à sortir, j'ai envie de parler... Hier on avait des invités, je ne pouvais plus m'arrêter... Je leur ai apporté mon album, montré des diapositives : les hélicos qui descendent sur un *kichlak*... On place un blessé sur un brancard et à côté de lui sa jambe arrachée, encore chaussée d'une tennis... Des prisonniers qu'on va fusiller qui regardent naïvement l'objectif de mon appareil, alors que dans dix minutes ils seront morts... *Allah akbar !* Tout à coup j'ai regardé autour de moi et j'ai vu que les hommes avaient fui sur le balcon, que les femmes étaient parties à la cuisine, il n'y avait que les enfants des invités, des adolescents, qui étaient restés : ça les intéressait. Je ne comprends pas ce qui m'arrive. J'ai envie de parler. Pourquoi si subitement ? Pour ne rien oublier, jamais...

Je ne peux pas décrire mes sensations, mes sentiments d'alors. Peut-être, dans quatre ans ce sera possible. Dans dix ans, tout prendra une autre résonance, ou peut-être tout volera en éclats.

Il y avait une espèce de rancœur, de rage : pourquoi c'était à moi d'y aller ? Pourquoi cette malchance ? Mais j'ai assumé, je n'ai pas craqué et j'en ai tiré une satisfaction. En me préparant j'ai pensé aux moindres détails : quel canif, quel rasoir emporter... Enfin j'étais prêt... Après j'étais très impatient : j'avais hâte de rencontrer l'inconnu par crainte de perdre mon tonus, mes sentiments élevés. C'est un schéma classique, tout le monde passe par là... J'en avais des frissons, des sueurs froides... Je me rappelle aussi le moment où l'avion a atterri ; j'étais à la fois soulagé et excité : enfin j'y étais, on va voir ce que c'est, on va le palper, le vivre.

... Trois Afghans au marché qui discutent entre eux, rient. Un gamin crasseux qui passe en courant et plonge sous le comptoir au milieu de gros chiffons. Un perroquet qui me fixe de son œil vert. Je regarde et je ne comprends pas ce qui se passe... Ils n'interrompent pas leur conversation... Celui qui me tournait le dos pivote lentement... Je vois le canon du revolver qui s'élève lentement... Je vois déjà la bouche du canon... En même temps je sens un claquement sec et je n'existe plus... Je suis simultanément ici et ailleurs... Mais je reste encore debout. Je veux leur parler et je ne peux pas : a-a-a-ah...

Ensuite le monde réapparaît lentement, il se développe comme une photographie... Une grande fenêtre... Quelque chose de blanc contenant quelque chose de massif... Des lunettes qui m'empêchent de distinguer le visage tout en sueur... Les gouttes de sueur me frappent douloureusement au visage... Je lève mes paupières lourdes et j'entends un soupir de soulagement :

— Eh bien, ça y est, camarade lieutenant-colonel, vous êtes rentré de « mission ».

Mais si je relève la tête ou que je la tourne, mon cerveau s'effondre. De nouveau je vois le gamin qui plonge sous le comptoir, le perroquet qui me fixe de son œil vert, les trois Afghans... Celui qui me tournait le dos pivote... Je scrute le canon du revolver... Je vois la bouche du canon... À présent je n'attends plus le claquement familier et je crie : « Je dois te tuer ! Je dois te tuer !... »

Quelle est la couleur du cri ? Quel est son goût ? Et celui du sang ? Il est rouge à l'hôpital, gris sur le sable sec, bleu foncé sur les rochers vers le soir, quand il n'est plus vivant... Un blessé grave perd son sang très vite, comme un bocal brisé... On le voit s'éteindre... Seuls les yeux brillent, jusqu'au bout et regardent ailleurs, obstinément ailleurs, comme s'ils vous évitaient...

Nous avons tout payé, tout.

Lorsque vous regardez les montagnes d'en bas, elles semblent infinies, inaccessibles ; si vous montez en avion, vous voyez des sphinx renversés. Vous comprenez ce que je veux dire ? Je parle du temps, de la distance qui sépare les événements. À l'époque, même nous, les combattants, nous ignorions ce qu'était cette guerre. Ne me confondez pas avec celui que j'étais là-bas, en 79. J'y croyais ! En 83, je suis arrivé à Moscou. Ici les gens vivaient et se comportaient comme si nous n'étions jamais allés là-bas, comme s'il n'y avait pas de guerre. Je me suis promené dans la rue de l'Arbat et j'arrêtais les gens pour leur demander :

— Savez-vous depuis combien de temps il y a la guerre en Afghanistan ?

— Non...

— La guerre dure depuis quand ?

— Je ne sais pas, pourquoi voulez-vous le savoir ?

— Depuis quand ?...

— Deux ans je crois...

— Depuis quand ?...

— Pourquoi ? Il y a une guerre là-bas ? C'est vrai ?

Qu'avions-nous tous dans la tête à l'époque ? Vous ne dites rien ? Moi non plus. Selon un vieux proverbe chinois, est digne de mépris le chasseur qui se vante devant un lion mort, comme est digne de respect le chasseur qui se vante devant un lion vaincu. Peut-être quelqu'un a-t-il le droit de parler d'erreurs à propos de cette guerre. Je ne sais vraiment pas qui. En tout cas, moi je n'en ai pas le droit, parce qu'on pourra me poser la question : « Pourquoi n'avez-vous rien dit ? Vous n'étiez plus un gamin, vous aviez presque cinquante ans. »

Une chose que vous devez comprendre : là-bas j'ai tiré sur des gens et en même temps je respecte ce peuple, je l'aime. J'apprécie ses chansons, ses prières : elles sont calmes et infinies comme leurs montagnes. Mais j'ai sincèrement cru (je préfère ne parler que de moi) qu'on était moins bien dans une yourte que dans un immeuble de quatre étages, qu'il n'y a pas de culture possible sans cuvette de W.-C. Il fallait donc que nous leur amenions des cuvettes à volonté, que nous leur construisions des immeubles de pierre... Nous leur avons apporté des tables pour leurs bureaux, des carafes et des nappes rouges pour leurs assemblées officielles et aussi des milliers de portraits de Marx, de Engels, de Lénine, qui sont aujourd'hui accrochés dans tous les bureaux, au-dessus de la tête de chaque chef. Nous leur avons amené des « Volga » noires [1], et des tracteurs, et des taureaux de race.

1. Voiture soviétique, souvent utilisée comme voiture de fonction. *(N.d.T.)*

Les paysans (les *dehqans*[1]) ne voulaient pas prendre la terre qu'on leur donnait parce qu'elle appartenait à Allah. Les crânes défoncés des mosquées tournaient vers nous un regard venant d'ailleurs...

Nous ne saurons jamais comment une fourmi voit le monde. Cherchez chez Engels, il en parle, peut-être. Je vous citerai l'orientaliste Spesserov : « On ne peut pas acheter l'Afghanistan, on peut seulement le racheter à d'autres. » Je me rappelle qu'un matin j'ai vu un lézard, petit comme un hanneton, sur mon cendrier. Quelques jours après, il était toujours là, dans la même pose, il n'avait même pas tourné la tête. J'ai compris que c'était ça, l'Orient. Je pouvais disparaître et ressusciter, tomber et m'envoler dix fois, il n'aurait même pas tourné la tête. D'après leur calendrier, nous sommes en 1365...

Vous me voyez en ce moment chez moi, devant la télé. Est-ce que je pourrais tuer un homme ? Je ne ferais pas de mal à une mouche ! C'est toujours ma femme qui égorge les poulets qu'elle achète vivants. Les premiers jours, les premiers mois, quand les balles fauchaient les branches des mûriers, on avait une sensation d'irréel... Au combat, l'état d'esprit est très différent... On court, on guette sa cible... Devant soi... Avec sa vision périphérique... Je n'ai pas compté tous ceux que j'ai tués... Mais je courais... Je cherchais ma cible... Ici... Là-bas... Une cible vivante et mobile... Moi aussi j'étais une cible... Un objectif... Non, on ne revient pas d'une guerre en héros... On ne peut pas devenir un héros là-bas...

Nous avons tout payé, tout...

Vous vous imaginez le soldat de 45, vous l'aimez, celui qui était aimé de toute l'Europe. Ce garçon naïf, simple, avec son large ceinturon. Il n'avait besoin de rien, seule-

1. Métayer en persan. *(N.d.T.)*

ment de vaincre et de rentrer chez soi. Mais le soldat qui est revenu dans votre rue, dans votre immeuble, est différent. Celui-là voulait des jeans et un magnétophone. Les anciens disaient qu'il ne faut pas réveiller un chien endormi. Il ne faut pas soumettre l'homme à des épreuves inhumaines, il ne les supporterait pas.

Là-bas, je ne pouvais pas lire Dostoïevski que j'aime tellement. C'est trop sinistre. J'emportais de la science-fiction. Du Bradbury. Qui veut vivre éternellement ? Personne.

Et pourtant, ça existe ! Je m'en souviens... À la prison, on m'a montré le chef d'une « bande », comme on disait alors. Il était sur un lit métallique et lisait... Une couverture familière : Lénine, *L'État et la révolution.* « C'est dommage, m'a-t-il dit, je n'aurai pas le temps de le finir. Mes enfants le liront peut-être... »

Une école avait brûlé, il n'y avait plus qu'un mur. Et tous les matins, les enfants allaient en classe et écrivaient sur ce mur avec des morceaux de charbon qui étaient restés après l'incendie. Après les cours, on passait le mur à la chaux et il redevenait comme une feuille blanche...

Un jour, on a ramené du maquis un lieutenant sans bras et sans jambes, et châtré. Les premiers mots qu'il a prononcés après le choc ont été : « Comment vont mes gars ?... »

On a tout payé. Nous avons payé plus que les autres. Plus que vous.

Nous n'avons besoin de rien, nous avons tout vécu. Écoutez-nous et comprenez-nous. Alors que tout le monde veut agir, nous donner des médicaments, des pensions, des logements... Ces « dons », nous les avons payés en devises fortes, de notre sang. Mais nous sommes venus nous confesser auprès de vous... N'oubliez pas le secret de la confession... »

Un conseiller militaire.

« Après tout, notre défaite, c'est une bonne chose. Nos yeux vont se dessiller...

Impossible de raconter ce que c'était. C'est une illusion. Il y a eu ce qu'il y a eu, mais il ne m'est resté qu'une partie du tout, ce que j'ai vu et retenu, et ensuite il ne restera plus que ce que j'aurai su raconter. Au nom de qui ? D'Aliochka qui est mort dans mes bras avec huit éclats dans le ventre... Nous avons mis dix-huit heures à le ramener des montagnes. Il est resté vivant pendant dix-sept heures, il est mort à la dix-huitième... Est-ce pour Aliochka que je devrai me souvenir ? Mais ça, c'est la religion qui affirme que l'homme a besoin de quelque chose après la mort. Moi, je crois plutôt que les morts n'ont ni mal, ni peur, ni honte. Alors pourquoi remuer tout ça ? Vous espérez peut-être trouver en nous un idéal ? Vous vous trompez d'adresse. Comprenez qu'il est difficile de garder un idéal quand on se bat en pays étranger et sans savoir pourquoi. Là-bas nous étions tous pareils, mais nous n'avions pas les mêmes opinions. Ce qui nous rendait identiques, c'était que nous pouvions tuer et c'est ce que nous faisions. Mais le hasard pouvait fort bien envoyer là d'autres gens que nous. Nous sommes tous différents et partout identiques, là-bas comme ici.

Je me rappelle qu'en sixième ou en septième, le professeur de littérature russe m'a fait venir au tableau :

— Qui est ton héros préféré : Tchapaïev ou Pavel Kortchaguine [1] ?

— Huck Finn.

1. Tchapaïev : héros de la guerre civile. Pavel Kortchaguine : cf. note p. 51. *(N.d.T.)*

— Pourquoi Huck Finn ?

— Quand il s'est posé la question s'il devait livrer Jim, le nègre en fuite, ou brûler en enfer, Huck Finn s'est dit : « Tant pis, je brûlerai en enfer », et il n'a pas livré Jim.

— Et si Jim était dans l'armée blanche et toi dans l'armée rouge ? m'a demandé mon ami Aliochka après le cours.

C'est comme ça toute notre vie : il y a les Rouges et les Blancs, qui n'est pas avec nous est contre nous.

Près de Baghran, nous sommes entrés dans un *kichlak*, nous avons demandé à manger. Selon leurs lois, ils n'ont pas le droit de refuser une galette à un homme qui entre dans leur maison et qui a faim. Les femmes nous ont fait asseoir à leur table et nous ont nourris. Après notre départ, le village a lapidé à mort ces femmes et leurs enfants. Elles savaient qu'elles seraient tuées, mais elles ne nous ont pas chassés. Et nous qui arrivions avec nos lois... On entrait dans les mosquées sans nous découvrir...

Pourquoi tenez-vous à ce que je me souvienne ? Tout cela est très intime : le premier homme que j'ai tué, mon propre sang sur le sable léger, la tête du chameau comme une grande cheminée se balançant au-dessus de moi avant que je perde connaissance. En même temps j'étais comme tout le monde. De toute ma vie je n'ai refusé qu'une seule fois d'être comme tout le monde... À l'école maternelle, on nous forçait à nous prendre par la main et à marcher par deux, alors que j'aimais me promener seul. Les jeunes éducatrices ont supporté mes incartades pendant quelque temps, mais bientôt l'une d'elles s'est mariée, elle est partie et c'est « tante Klava » qui l'a remplacée.

— Prends Serioja par la main, m'a-t-elle dit en m'amenant un autre garçon.

— Je ne veux pas.

— Pourquoi ?

— J'aime me promener tout seul.

— Tu dois faire comme tous les enfants sages.

— Non.

Après la promenade, « tante Klava » m'a déshabillé, elle m'a même enlevé mon slip et mon maillot, et elle m'a enfermé pendant trois heures dans une pièce vide et sombre. Le lendemain, je tenais Serioja par la main comme tout le monde. À l'école, c'est la classe qui décidait, à l'institut c'était le groupe d'étudiants, à l'usine c'était le collectif de travail. Partout on décidait pour moi. On m'a appris qu'un homme seul ne peut rien. Dans je ne sais plus quel livre, j'ai trouvé l'expression « tuer le courage ». Lorsque je suis parti là-bas, il n'y avait plus rien à tuer en moi : « Les volontaires, deux pas en avant. » Tout le monde s'est avancé de deux pas, et moi aussi.

À Shindand, j'ai vu deux de nos soldats qui avaient perdu la raison passer leur temps à « négocier » avec les *douchs*... Ils leur expliquaient le socialisme d'après le manuel de dixième... « Or l'idole était vide, et les prêtres s'y installaient pour parler à leurs ouailles. » C'est du Krylov[1]. Un jour à l'école, j'avais peut-être onze ans, on a reçu la visite d'une tireuse d'élite qui avait tué soixante-dix-huit « oncles Fritz ». Quand je suis rentré à la maison, je bégayais, la fièvre est montée pendant la nuit. Mes parents croyaient que c'était la grippe, une maladie contagieuse. J'ai passé toute la semaine à la maison. J'ai lu mon *Taon*[2] que j'aime tellement.

Pourquoi tenez-vous à ce que je me souvienne ? Je n'ai même pas pu porter mes jeans et mes chemises d'avant guerre, parce que c'étaient les vêtements d'un autre, d'un homme que je ne connaissais plus, bien qu'ils aient

1. Ivan Krylov : fabuliste russe du début du XIXe siècle. *(N.d.T.)*

2. *The Gadfy*, d'Ethel Voynich, traduit en russe en 1898 et très populaire en Russie. *(N.d.T.)*

conservé mon odeur, comme m'a assuré ma mère. Cet homme-là n'existe plus. Celui que je suis maintenant n'a plus que son nom en commun avec l'autre. Seulement ne l'écrivez pas, ce nom... Pourtant j'aimais bien cet autre. « Padre, demande le Taon à Montanelli, votre Dieu est-il satisfait à présent ? » À qui pourrai-je jeter ces mots, comme une grenade ?...

Un soldat, artilleur.

« Comment je suis arrivée ici ? C'est très simple. Je croyais tout ce que racontaient les journaux. Je me disais : « Autrefois on accomplissait des exploits, on était capable de se sacrifier pour une cause, tandis que maintenant la jeunesse ne vaut rien. Moi comprise. Là-bas c'est la guerre, et moi je me fais des robes, je m'invente de nouvelles coiffures. » Maman pleurait : « Je ne te le pardonnerai pas, même sur mon lit de mort. Je ne vous ai pas mis au monde pour enterrer séparément vos bras et vos jambes. »

Mes premières impressions ? Le transit à Kaboul : des barbelés, des soldats armés de mitraillettes, des chiens qui aboient. Et rien que des femmes, des centaines de femmes. Les officiers venaient choisir les plus mignonnes et les plus jeunes. Moi, c'est un commandant qui m'a appelée. Il m'a dit :

— Viens, je vais t'emmener dans mon bataillon si ce que transporte mon camion ne te fait rien.

— Qu'est-ce que c'est ?

— Le « fret deux cents »...

Je savais déjà que le « fret deux cents », c'étaient les morts, les cercueils.

— Il est chargé de cercueils ?

— On va les décharger tout de suite.

C'était un « Kamaz » ordinaire, bâché. Ils ont jeté les cercueils comme des caisses de munitions. J'étais horrifiée. Les soldats ont compris que j'étais une nouvelle. Je suis arrivée dans mon unité. Soixante degrés au-dessus de zéro. Aux toilettes, il y avait tant de mouches qu'elles auraient pu vous emporter sur leurs ailes. Pas de douche. J'étais la seule femme.

Deux semaines après, le commandant du bataillon me convoque :

— Tu vas vivre avec moi...

Pendant deux mois, j'ai repoussé ses avances. Une fois j'ai failli lui lancer une grenade, une autre fois j'ai saisi un couteau. J'en ai entendu des vertes et des pas mûres : « Tu veux pas moins qu'un général !... Quand tu auras une envie de thé ou de beurre, tu viendras sans qu'on te le demande... » Je n'avais jamais dit de grossièretés jusque-là, mais c'en était trop :

— Va donc te faire...

J'étais devenue grossière. On m'a mutée à Kaboul, comme employée d'hôtel. Les premiers temps, j'en avais après tout le monde, comme une bête sauvage. On me prenait pour une folle.

— Mais qu'est-ce qui te prend ? On ne va pas te mordre.

Mais moi je ne pouvais plus faire autrement, j'avais pris l'habitude de me défendre. Quand quelqu'un m'invitait :

— Passe chez moi pour une tasse de thé.

Je répondais :

— Une tasse ou une tringle ?

Jusqu'à ce que j'aie eu mon homme... L'amour ? Ce sont des mots qu'on n'emploie pas ici. Par exemple il me présentait à ses amis :

— Ma femme.

Moi, je lui demandais à l'oreille :

— Ta femme afghane ?

Une fois on était sur un BTR. Je l'ai protégé de mon corps, mais heureusement la balle a frappé la trappe alors qu'il tournait le dos. Quand nous sommes rentrés, il a écrit à sa femme et lui a parlé de moi. Depuis deux mois il ne reçoit plus de lettres de chez lui.

J'aime tirer. Je vide tout mon chargeur d'un seul coup. Ça me soulage.

Une fois j'ai tué un *douch*. J'étais partie dans la montagne pour m'aérer un peu, regarder le paysage. J'ai entendu un léger bruit derrière un rocher, c'était comme une décharge électrique, j'ai fait un bond en arrière et j'ai tiré une rafale. J'avais été la plus rapide. Quand je me suis approchée, j'ai vu que c'était un bel homme, costaud. Il était mort...

— Avec toi, on peut partir en reconnaissance, m'ont dit les gars.

Je me suis sentie toute fière. Ce qui leur a plu aussi, c'est que je n'ai pas fouillé dans la sacoche du mort, je lui ai pris seulement son revolver. Par la suite, les garçons m'ont surveillée pendant tout le chemin du retour, ils avaient peur que je me sente mal, que j'aie des nausées. Mais non, ça s'est bien passé...

Quand je suis rentrée, j'ai ouvert le réfrigérateur et je me suis mise à dévorer, j'ai dû manger ce qu'il me faut habituellement pour une semaine. C'était nerveux. Ils m'ont apporté une bouteille de vodka. J'en ai bu, mais ça ne me soûlait pas. J'en avais des frissons : si j'avais raté cet homme, ma mère aussi aurait reçu le « fret deux cents ».

J'avais envie de faire la guerre, mais pas cette guerre-ci, une guerre comme la Grande Guerre patriotique.

Pourquoi nous mettions-nous à haïr ? C'est très simple. Un camarade était tué alors qu'on l'avait côtoyé, qu'on avait mangé dans la même gamelle. À présent il était mort, tout brûlé. C'est très clair. À ces moments-là, on serait capable de tirer comme des fous. Nous ne sommes pas habitués à analyser les événements pour en découvrir les causes et les coupables. Voici sur ce thème une histoire drôle qu'on aimait bien. On demande à Radio-Arménie : qu'est-ce que la politique ? Réponse : vous avez déjà entendu un moustique pisser ? La politique c'est encore plus fin. Donc la politique est l'affaire du gouvernement. Les gens, quand ils voient le sang, ils deviennent comme des bêtes, eux... Ils voient la peau d'un brûlé qui s'enroule comme un bas de nylon... C'est terrible quand on tue des animaux... Une fois, on a fusillé une caravane qui transportait des armes. Les hommes ont été fusillés d'un côté, les ânes de l'autre. Les uns comme les autres attendaient la mort en silence. Après, un âne blessé criait comme si on passait une pièce métallique sur une tôle. Quelque chose de très grinçant...

Ici, j'ai un autre visage, une autre voix. Vous pouvez vous imaginer ce que nous sommes devenues, si nous, des filles, nous pouvons parler ainsi :

— Quel con ! Parce qu'il s'est disputé avec son sergent il est parti chez les *douchs*. Il aurait pu le flinguer et l'affaire aurait été classée... Il serait passé aux pertes.

C'était une conversation normale. Parce qu'ici beaucoup d'officiers croyaient que c'était comme en Urss, qu'ils pouvaient frapper, insulter les soldats... Ceux-là, on les retrouvait morts... Pendant le combat ce n'était pas difficile de leur tirer dans le dos, allez prouver quoi que ce soit, après.

Dans leurs postes en montagne, les gars ne voient personne pendant des années. Un hélicoptère, trois fois par semaine. Quand je suis arrivée, le capitaine s'est approché de moi et m'a dit :

— Jeune fille, enlevez votre casquette. — Or, j'avais les cheveux longs. — Ça fait un an que je n'ai pas vu de femme.

Tous les soldats ont surgi de leurs tranchées pour me regarder.

Au combat un soldat m'a protégée de son corps. Je m'en souviendrai toute ma vie. Il ne me connaissait pas, il l'a fait parce que j'étais une femme. Comment oublier ça ? Et comment croire qu'un homme puisse dans la vie de tous les jours vous protéger ainsi ? Ici, le bon est encore meilleur, le mauvais encore pire. On était bombardés... Un soldat m'a crié une obscénité. Quelque chose de sale. Il a été tué sous mes yeux, un obus lui a emporté la moitié de la tête et du tronc... Je me suis mise à trembler comme si j'avais la malaria. Pourtant j'avais déjà vu des sacs de cellophane contenant des cadavres... Des cadavres enveloppés dans du papier d'alu, comme de grands jouets... Mais je n'avais jamais tremblé de cette façon... Je ne parvenais pas à me calmer...

Je n'ai jamais vu des filles porter leurs médailles, même lorsqu'elles avaient été décorées. L'une d'elles a voulu arborer la médaille « Pour hauts faits de guerre ». Tout le monde s'est moqué d'elle, on disait : « Pour hauts faits de sexe... » Parce que chacun savait qu'on pouvait décrocher une médaille contre une nuit passée avec le commandant du bataillon... Pourquoi y a-t-il des femmes ici ? Comme si on ne pouvait pas s'en passer. Ces messieurs les officiers deviendraient fous sans elles. Pourquoi les femmes veulent-elles tellement venir ici ? Pour l'argent... On peut s'acheter un magnétophone, des vêtements. Les revendre après son retour. En Urss, on ne peut pas gagner autant qu'en Afghanistan. Je parle franchement... Nos femmes se vendent aux *doukaniers* dans leurs boutiques, leurs appentis, et il faut voir comme ils sont petits... Si on entre dans un *doukan*, les *batchas*[1]

1. *Batcha* : gamin en persan. *(N.d.T.)*

crient : « *Khanoum*[1], zig-zig... » et ils vous montrent l'appentis. Les officiers paient en bons, ils disent : je vais voir une « ramasseuse de bons »... Tout cela c'est la vérité. Comme aussi cette blague. À Kaboul le Dragon des Montagnes rencontre Kochtcheï l'Immortel et Baba Yaga[2]. Ils sont tous venus pour défendre la révolution. Deux ans après ils se retrouvent sur le chemin du retour : le Dragon n'a plus qu'une tête, on lui a coupé les autres ; Kochtcheï est à peine vivant et encore est-ce parce qu'il est immortel, mais Baba Yaga porte un ensemble en jeans, elle, et délavé en plus. Elle est toute contente :

— Je rempile pour ma troisième année.

— Tu es folle, Baba Yaga !

— C'est en Union soviétique que je suis Baba Yaga, ici je suis Vassilissa la Belle[3].

Oui, les gens sortent d'ici esquintés, surtout les soldats, les garçons de dix-huit ou dix-neuf ans. Ils voient que tout se vend ici... En tout cas, beaucoup de choses... Une femme se vend pour une nuit contre une caisse, qu'est-ce que je dis, contre deux boîtes de singe. Plus tard, il regardera sa femme avec les mêmes yeux. On les a brisés ici. Il ne faut pas s'étonner ensuite de leur comportement étrange en Urss. Ils ont une autre expérience. Ils ont pris l'habitude de tout régler par la force, par la mitraillette... Un *doukanier* vendait des pastèques, cent afghanis pièce. Nos soldats voulaient marchander. Il a refusé. Ah, c'est comme ça ! Il y en a un qui a mitraillé tout le tas de pastèques. Un garçon comme ça, il vaut mieux ne pas lui marcher sur les pieds dans l'autobus ou

1. Madame. *(N.d.T.)*

2. Personnages des contes russes ; Baba Yaga est une affreuse sorcière. *(N.d.T.)*

3. Autre personnage de conte. *(N.d.T.)*

l'empêcher de passer devant tout le monde dans une file d'attente...

Je rêvais de rentrer chez moi, de sortir un lit pliant dans le jardin et de dormir sous un pommier... Sous les pommes... Mais maintenant j'ai peur. Beaucoup ont peur de rentrer, surtout maintenant que nos troupes se préparent à repartir. Pourquoi ? C'est très simple. Quand nous rentrerons, là-haut tout sera différent : la mode aura changé au cours de ces deux ans, la musique, les rues... L'attitude envers cette guerre aura changé aussi... Nous serons comme des loups blancs... »

Une employée.

« J'y ai tellement cru que, même à présent, j'essaie d'y croire. Quoi que j'entende, quoi que je lise, je me laisse toujours une petite porte de sortie. C'est l'instinct de conservation. Avant l'armée, j'ai terminé un institut de culture physique. Mon dernier stage s'est passé au camp de l'Artek[1], où j'étais chef. J'avais à répéter très souvent des mots comme « la parole d'honneur du pionnier », « la mission des pionniers... ». C'est moi qui ai demandé au bureau de recrutement : « Envoyez-moi en Afghanistan... » L'instructeur politique nous a fait des conférences sur la situation internationale, il nous a dit que nous n'avons devancé les « bérets verts » américains que d'une heure, qu'ils étaient déjà en route pour l'Afghanistan. C'est vexant d'avoir été si crédule. On nous a enfoncé dans la tête, répété, que c'était notre « devoir international » et

1. Camp de vacances de « pionniers » (sorte de scouts mais dont tous les enfants soviétiques font partie) réputé pour regrouper surtout des enfants privilégiés. *(N.d.T.)*

nous avons fini par y croire. Mais je ne peux pas aller jusqu'au bout. Je me dis : « Enlève tes lunettes roses. » Ce n'est pas en 80 ou en 81 que je m'y suis retrouvé, mais en 86. À l'époque on ne disait encore rien de ce qui se dit aujourd'hui. En 87 j'étais déjà dans le Khost. Nous avons pris un mamelon... On y a laissé sept des nôtres... Des journalistes sont arrivés de Moscou... On leur a amené des « verts » (l'armée populaire d'Afghanistan) comme si c'étaient eux qui avaient pris le mamelon... Les Afghans ont posé pour la photo mais c'est nos soldats qui étaient à la morgue...

Pendant les « classes », on sélectionnait les meilleurs pour l'Afghanistan. On n'avait pas envie d'être envoyé à Toula, à Pskov ou à Kirovabad où c'est sale, où on étouffe, mais pour l'Afghanistan il y avait toujours des volontaires. Le commandant Zdobine a essayé de nous convaincre, mon ami Sacha Krivtsov et moi, de retirer nos demandes :

— J'aimerais mieux que ce soit Sinitsyne qui se fasse tuer plutôt que l'un de vous. L'État a dépensé tant d'argent pour vous.

Sinitsyne était un gars de la campagne, un conducteur de tracteur. Moi j'avais déjà un diplôme, Sacha était à la faculté de philologie des langues germano-latines à l'université de Kemerovo. Il chantait merveilleusement, jouait du piano, du violon, de la flûte, de la guitare. Il composait de la musique. Il dessinait bien. Nous étions comme des frères, lui et moi. Aux séances d'instruction politique on nous racontait des prouesses militaires, des actes d'héroïsme. On nous assurait que l'Afghanistan, c'était comme la guerre d'Espagne. Et voilà qu'on me disait : « J'aimerais mieux que ce soit Sinitsyne qui se fasse tuer plutôt que l'un de vous. »

D'un point de vue psychologique, c'était intéressant de voir la guerre. Avant tout, c'était une occasion de se connaître soi-même. Cela m'attirait. Je demandais aux garçons de ma connaissance ce qu'ils avaient fait là-bas. L'un d'eux nous jetait de la poudre aux yeux, je le comprends maintenant. Il avait une grande tache sur la poitrine, comme une brûlure, en forme de lettre « P ». Il faisait exprès de porter des chemises ouvertes pour la montrer. Il inventait que la nuit, ils se posaient en hélicoptère sur les montagnes, il disait qu'un para est un ange pendant les trois premières secondes, avant l'ouverture du parachute, qu'ensuite, pendant trois minutes, tant qu'il est dans l'air, il est un aigle et que le reste du temps c'est un cheval de labour. Nous prenions tout cela pour de l'argent comptant. Si seulement je rencontrais ce Homère aujourd'hui ! Par la suite, des gens comme lui, je ne les ratais pas, je les voyais venir de loin : « Si tu avais de la cervelle, tu aurais été commotionné. » Un autre gars, au contraire, essayait de me dissuader :

— Tu n'as pas besoin d'y aller. Il n'y a rien de romantique là-bas, il n'y a que de la boue.

Ça ne me plaisait pas :

— Toi, tu as essayé. Moi aussi, je veux essayer.

Il m'a appris comment rester en vie. Il y a dix commandements :

— Quand tu tires, tu dois rouler et t'écarter de deux mètres de l'endroit où tu étais. Tu dois cacher derrière un mur ou un rocher le canon de ton PM pour qu'on ne voie pas la flamme, pour qu'on ne puisse pas te repérer. Pendant la marche, ne bois pas, sinon tu n'iras pas jusqu'au bout. Quand tu es de garde, ne t'endors pas, griffe-toi le visage, mords-toi les mains. Un para doit d'abord courir tant qu'il peut et ensuite autant qu'il le faut.

Mon père est un scientifique, ma mère ingénieur. Depuis mon plus jeune âge, ils ont formé ma personne. Je voulais avoir mes propres opinions, j'ai même été exclu des « octobristes[1] », on a refusé pendant longtemps de me prendre chez les pionniers. Je me battais quand il s'agissait d'une question d'honneur. Une fois que j'ai reçu mon foulard de pionnier, je ne m'en séparai plus, même en dormant. Aux cours de littérature, l'institutrice m'interrompait :

— Tes idées personnelles ne m'intéressent pas, dis ce qu'il y a dans le livre.

— Pourquoi, ce n'est pas vrai ce que je dis ?

— Ce n'est pas comme dans le manuel...

C'est comme dans ce conte où le roi détestait toutes les couleurs, sauf la grise. Dans son royaume, tout était gris souris.

Maintenant je dis à mes élèves :

— Apprenez à penser pour qu'on ne refasse pas de vous des imbéciles. Des soldats de plomb.

Avant l'armée, c'étaient Dostoïevski et Tolstoï qui m'apprenaient à vivre, à l'armée c'étaient les sergents. Le pouvoir des sergents est illimité, il y en a trois par section.

— À mon commandement ! Que doit avoir un parachutiste ? Répétez !

— Un parachutiste doit avoir une gueule insolente, un poing de fer et pas un gramme de conscience.

— La conscience est un luxe pour un para. Répétez !

— La conscience est un luxe pour un para.

— Vous êtes le bataillon de santé, l'élite des troupes aéroportées. Répétez !

C'est un extrait d'une lettre de soldat : « Maman, achète-moi un chiot et appelle-le "Sergent", je le tuerai quand je reviendrai. »

C'est le régime lui-même qui écrase la conscience, on

1. Organisation encadrant les enfants des âges préscolaires avant qu'ils soient « pionniers ». *(N.d.T.)*

n'a pas la force de résister, ils peuvent faire de nous ce qu'ils veulent.

Lever à six heures du matin. Trois fois de suite : à chaque fois il faut se recoucher. Debout, couchés.

Trois secondes pour se rassembler sur « la piste d'envol » : c'est un lino blanc comme neige pour qu'on ait à le laver et l'astiquer plus souvent. Cent quatre-vingts hommes doivent bondir de leur lit et former les rangs. Quarante-cinq secondes pour mettre la tenue numéro trois, c'est-à-dire la tenue complète, sauf le ceinturon et la chapka. Une fois, il y en a un qui n'a pas eu le temps d'enrouler ses chaussettes[1].

— Rompez et recommencez !

Cette fois encore, il n'a pas réussi.

— Rompez et recommencez !

La mise en train du matin. Le combat à mains nues, une combinaison de karaté, de boxe, de sambo et de techniques de combat contre le couteau, le bâton, la pelle de sapeur, le revolver, le pistolet-mitrailleur.

Ton adversaire a un PM, toi tu as les mains nues. Ou bien tu as une pelle de sapeur, et c'est lui qui a les mains nues.

Sauter sur cent mètres à pieds joints. Briser dix briques avec son poing. Ils nous emmenaient sur un chantier : « Vous ne partirez pas d'ici avant d'avoir appris. » Le plus difficile est de se forcer, de ne pas craindre de frapper.

— Le bataillon de santé, c'est l'élite des troupes aéroportées. Répétez !

Cinq minutes pour la toilette. Douze robinets pour cent soixante hommes.

— En colonne ! Rompez. C'est trop lent... Rompez... En colonne...

1. Il s'agit de bandes, appelées parfois en français : « chaussettes russes ». *(N.d.T.)*

La vérification du matin : on examine les plaques ; elles doivent briller comme le trou de balle d'un chat, on examine les cols blancs, les chapkas où on doit avoir planté deux aiguilles avec du fil.

— En avant marche. Retour au point de départ. En avant marche...

Une demi-heure de temps libre par jour. Après le déjeuner. Pour écrire une lettre.

— Soldat Kravtsov, pourquoi restez-vous assis sans rien écrire ?

— Je réfléchis, camarade sergent.

— Pourquoi répondez-vous à voix basse ?

— Je réfléchis, camarade sergent.

— Pourquoi ne gueulez-vous pas, alors qu'on vous a appris à gueuler ? Il va falloir vous entraîner aux chiottes.

Cela signifie hurler dans la cuvette de W.-C. pour se faire une voix de commandement. Le sergent vous surveille pour que l'écho soit particulièrement sonore.

Quelques expressions du dictionnaire des soldats :

Descente des couleurs : « je t'aime, la vie ». La vérification du matin : « croyez-moi, braves gens ». L'appel du soir : « on les connaissait de vue ». Au trou : « loin de la Patrie ». La démobilisation : « la lumière d'une étoile lointaine ». Le champ d'exercices : « le champ des idiots ». La machine à laver la vaisselle : « la discothèque » (parce que les assiettes tournent comme des disques). L'instructeur politique : « Cendrillon » (dans la marine, « le Passager »)...

— Le bataillon de santé, c'est l'élite des troupes aéroportées. Répétez !

Et toujours cette sensation de faim. Notre lieu sacré, c'est le magasin du régiment où on peut acheter du cake, des bonbons, du chocolat. Si on a fait « cinq sur cinq » au tir, on a le droit d'y aller. Quand on manque d'argent, on vend quelques briques. Deux solides gaillards prennent une brique et s'approchent d'un nouveau qui a encore de l'argent :

— Achète-nous une brique.

— Qu'est-ce que vous voulez que j'en fasse ?

On l'entoure :

— Achète-nous cette brique...

— Combien ?

— Trois roubles.

Il donne les trois roubles et va jeter sa brique un peu plus loin. Pour trois roubles nous pouvons nous remplir la panse. Une brique équivaut à dix cakes.

— La conscience est un luxe pour un para. Le bataillon de santé, c'est l'élite des troupes aéroportées.

Je ne dois pas être un mauvais acteur parce que j'ai vite appris le rôle qu'on m'avait assigné. Le pire est de passer pour un *tchados*, ça vient du mot *tchado*[1], c'est quelque chose de faible, même pas du genre masculin. Au bout de trois mois j'ai eu une permission. Comme tout s'oublie vite ! Encore récemment j'embrassais une fille, j'allais au café, j'allais danser. Ces trois mois avaient semblé durer trois ans. Trois ans loin du monde civilisé.

Le soir :

— Eh, les singes, en colonne ! Qu'est-ce qui compte le plus pour un para ? Ce qui compte le plus pour un para, c'est de ne pas rater la terre quand il saute.

Juste avant mon départ on a fêté le Nouvel An. J'étais le père Noël, Sachka était la Fille des neiges. Ça nous rappelait l'école.

... On a marché pendant douze jours... En montagne, il n'y a rien de pire que la montagne... On fuyait une bande... On tenait grâce au doping...

1. En russe : enfant, du genre neutre. *(N.d.T.)*

— Infirmier, donne-moi ta « férocine ». — C'était en fait un neuroleptique.

On avait mangé toutes les réserves. On n'avait même pas la force de sourire. L'un de nous commençait :

— De quoi vous plaignez-vous ? demande le médecin au chat Leopold.

— Des souris.

— Sourissez... Ne sourissez plus... C'est clair. Vous êtes trop gentil. Il faut être plus méchant. Voici des cachets de « férocine ». Vous en prendrez trois fois par jour après les repas.

— Et alors ?

— Vous deviendrez féroce.

Le cinquième jour, un soldat s'est suicidé, il a laissé passer tout le monde devant puis il s'est tiré une rafale de mitraillette dans la gorge. Il nous a fallu traîner son cadavre, son sac à dos, son gilet pare-balles, son casque. Il n'avait aucune pitié. Il savait bien que chez nous on emporte les cadavres, qu'on ne les abandonne pas.

C'est au moment du départ, quand on a été démobilisés, qu'on a éprouvé pour la première fois de la pitié pour lui.

— Un cachet trois fois par jour...

— Et alors ?

— Vous deviendrez féroce.

Les blessures causées par les explosions de mines sont les plus terribles... Une jambe arrachée jusqu'au genou... L'os qui sort... À la deuxième jambe, il manque le talon... La verge coupée... L'œil crevé... L'oreille arrachée... La première fois que j'ai vu ça, j'étais tout secoué à l'intérieur, ça me piquait dans la gorge... Je me suis raisonné moi-même : « Si tu ne le fais pas maintenant, tu ne pourras jamais être infirmier. » Le gars avait ses deux jambes arrachées... J'ai mis des garrots, je lui ai fait une piqûre pour qu'il dorme... Un autre avait reçu une balle explosive dans le ventre... Ses intestins étaient dehors... Je l'ai bandé, j'ai stoppé l'hémorragie, je l'ai fait dormir... Il a tenu quatre heures, puis il est mort...

On manquait de médicaments. Il n'y avait même pas de mercurochrome. Soit qu'on n'ait pas eu le temps de nous approvisionner, soit que les normes de production aient déjà été remplies : c'est notre économie planifiée. On se procurait des médicaments d'importation, comme prises de guerre. J'avais toujours dans ma trousse douze seringues japonaises jetables. Elles sont emballées dans du plastique, il suffit d'ôter l'enveloppe pour faire la piqûre. Tandis que dans nos « Record », les joints en papier s'usaient et elles devenaient non stériles. La moitié d'entre elles étaient de mauvaise qualité et n'absorbaient pas le médicament. Nos perfusions sont dans des bouteilles d'un demi-litre. Pour secourir un blessé grave, il faut deux litres, donc quatre bouteilles. Il est pratiquement impossible de tenir ainsi le bras tendu pendant une heure sur le terrain. Et puis combien de bouteilles peut-on emporter ? Les Italiens ont autre chose : un paquet de plastique d'un litre, on peut danser dessus en bottes, il n'éclate pas. Les bandes soviétiques, les bandes ordinaires, stériles, ont des emballages qui pèsent plus lourd que la bande. Tandis que les bandes d'importation, thaïlandaises, australiennes, sont plus fines, plus blanches, je ne sais pas pourquoi... On n'avait pas du tout de bandes élastiques. Là encore, on puisait dans les prises de guerre... Des bandes françaises, allemandes... Et nos éclisses maison ? ! Ce sont de véritables skis ! On ne peut pas se charger avec ça. J'en ai eu des anglaises pour les avant-bras, pour les genoux, pour les hanches. Des bandages pneumatiques à fermetures Éclair. On glissait le bras là-dedans, on refermait : l'os brisé ne bougeait plus et était protégé contre les chocs pendant le transport.

En neuf ans, nous n'avons rien produit de nouveau. Les mêmes bandes, les mêmes éclisses. Le soldat soviétique est celui qui coûte le moins cher. C'est aussi le plus patient. En 41, c'était déjà le cas... Et cinquante ans après ça n'a pas changé... Pourquoi ?...

Ça fait très peur quand on vous canarde sans que vous puissiez tirer. On survit si on ne pense qu'à ça. Je ne suis jamais monté dans le premier ou le dernier véhicule. Je n'ai jamais laissé pendre mes pieds dans la trappe, mieux valait encore les laisser sur le blindage pour éviter de se les faire arracher en sautant sur une mine. Je gardais en réserve un médicament allemand contre la peur. Mais personne n'en prenait. Les soldats qui rentraient du combat ressemblaient peu aux militaires soviétiques ordinaires. Ils s'habillaient, se chaussaient, se nourrissaient par leurs propres moyens. Notre gilet pare-balles, on peut à peine le soulever tant il est lourd, tandis que le gilet américain ne contient aucune pièce métallique, il est fait d'une matière spéciale. Même à bout portant, le pistolet Makarov ne le troue pas ; un pistolet-mitrailleur ne peut le transpercer qu'à partir de cent mètres. Les sacs de couchage américains modèle 49 sont légers comme du duvet. Les nôtres ne pèsent pas moins de sept kilogrammes. Nous détroussions les mercenaires tués de leurs vestes, de leurs casquettes à longue visière, de leurs pantalons chinois à l'entrejambe renforcé. On prenait tout. Même les slips, car les slips, on en manquait aussi. Les chaussettes, les tennis. Moi j'ai fait l'acquisition d'une petite lampe de poche et d'un petit poignard. On tuait les moutons « sauvages », ceux qui se trouvaient à plus de cinq mètres du troupeau. Ou on les troquait contre deux kilogrammes de thé, également une prise de guerre. On rapportait des afghanis. Les supérieurs nous les prenaient. Ils se les partageaient aussitôt, sous nos yeux, sans se dissimuler. Parfois on cachait des billets dans des cartouches.

Certains voulaient se soûler, d'autres survivre, d'autres encore rêvaient de décorations. Moi aussi. En Urss, on me demande :

— Eh bien, qu'est-ce que tu as rapporté ? Alors, adjudant, tu étais magasinier là-bas ?

C'est vexant d'avoir été si crédule. Les instructeurs politiques nous inculquaient des choses auxquelles ils ne croyaient pas, qu'ils avaient fort bien comprises depuis longtemps. Ce slogan : « L'Afghanistan nous a faits frères », c'est du mensonge ! Dans l'armée, il y a trois castes : les bleus, les anciens, les libérables. Quand je suis arrivé là-bas, j'ai repassé ma tenue, j'ai tout recousu, astiqué. Le pli dans le dos était droit comme un « i ». Or, les bleus n'ont pas le droit d'être aussi impeccables, le pli leur est interdit. Un libérable se présente devant moi :

— Tu viens d'où, toi ?

— D'Union soviétique.

— Dis donc, le bleu, qu'est-ce qui t'a pris d'être aussi nickel ?

— Ne cherche pas la bagarre.

— Écoute, bleu, tu n'as pas intérêt à m'énerver. — Il était habitué à ce que tout le monde le craigne. — Tu ne diras pas que je ne t'ai pas prévenu.

Le soir ce sont les bleus qui lavent le casernement. Les anciens fument.

— Fais-moi mon lit.

— Ton lit ?

— Tu n'as pas compris ?

La nuit ils m'ont réveillé, ils étaient huit. Ils m'ont piétiné avec leurs bottes. Ils m'ont bien arrangé les reins. J'ai uriné du sang pendant deux jours. Dans la journée ils ne me faisaient rien, c'était seulement la nuit. J'ai tenté de ne pas résister, ça n'a rien changé. Alors j'ai adopté une autre tactique : dès qu'ils me réveillaient, je frappais le premier, avant même d'ouvrir les yeux. Ils tapaient proprement, sans laisser de bleus. Ils s'enveloppaient la main d'une serviette et me frappaient dans le ventre. Ils me l'ont esquinté. Une semaine comme ça.

Après les missions de combat, on n'a plus touché à moi. On battait les autres bleus, pas moi. Ils faisaient passer l'ordre de ne pas battre l'infirmier-chef.

Au bout de six mois, les bleus deviennent anciens. On fait un repas de luxe à leurs frais. Du pilaf. Des brochettes. Quand les libérables ont fini de manger, le rituel commence : des coups de ceinturon sur le postérieur, côté boucle. Douze coups pour le passage, six parce que ce sont des troupes aéroportées, trois parce que c'est une compagnie de reconnaissance, plus encore des coups pour le culot, la crânerie, l'insolence. Moi, j'ai eu droit à vingt-neuf coups. Pas question de broncher, sinon on recommence tout. Si on tient, on se met à table avec eux et ils vous serrent la main.

Le départ d'un libérable, c'est un vrai roman. Il faut se cotiser et lui acheter un attaché-case, une serviette de toilette, un foulard pour sa mère, un cadeau pour sa petite amie. Il faut enfin lui faire une tenue d'apparat. On lui procure une ceinture blanche, sans quoi ce ne serait pas un para ; on lui fabrique des aiguillettes (pour cela on tresse des suspentes de parachute qu'on demande aux pilotes). Ensuite il faut lui astiquer sa plaque : c'est une vraie œuvre d'art. D'abord on la passe au papier de verre n° 2, puis avec du n° 1, puis on la frotte avec du feutre, avec une pâte abrasive. Pendant une semaine, on fait tremper sa vieille tenue dans de l'huile de graissage pour lui rendre sa couleur vert foncé. L'opération suivante consiste à la laver à l'essence. Ensuite on l'aère pendant un mois. C'est prêt ! Les libérables s'en vont et les anciens deviennent libérables.

Avant notre retour, l'instructeur politique nous explique ce que nous pouvons raconter et ce que nous devons taire. Pas le droit de parler des morts, parce que nous sommes une grande et puissante armée. Il ne faut pas trop se répandre sur tout ce qui n'est pas réglementaire, car nous sommes une grande armée, puissante et saine sur le plan moral. Il faut déchirer les photos. Détruire les pellicules. Ici nous n'avons pas tiré, pas bombardé, pas empoisonné, pas fait sauter. Nous sommes une grande armée, puissante et saine sur le plan moral.

... La douane nous a confisqué les cadeaux que nous rapportions : des produits de beauté, des foulards, des montres à calculatrice.

— Vous n'avez pas le droit, les gars.

Aucun inventaire, bien entendu. C'était leur business, tout simplement. Mais ça sentait tellement les feuilles vertes d'automne chez nous. Les jeunes filles en robes légères... Je me suis rappelé un instant Svetka l'Afghani (je ne me souviens pas de son nom). À son arrivée à Kaboul elle a couché avec un soldat pour cent afghanis, parce qu'elle ne savait pas encore son prix. Deux semaines après, elle prenait déjà trois mille afghanis, ce qui n'est pas dans les moyens d'un soldat. Et « Pachka » Kortchaguine, où est-il maintenant ? Son vrai prénom est Andreï, mais on l'appelait Pachka à cause de son nom[1].

— Pachka, regarde ces filles !!!

Pachka-Andreï avait une petite amie mais un jour, elle lui a envoyé la photo de son mariage. Nous nous sommes

1. Allusion à Pavel (Pachka) Kortchaguine, déjà cité (cf. note p. 51). *(N.d.T.)*

relayés auprès de lui toute la nuit, parce qu'on craignait pour sa vie. Un jour il a accroché sa photo sur un rocher et l'a mitraillée avec son PM. Mais pendant longtemps encore, il a pleuré toutes les nuits, nous l'entendions.

— Pachka, regarde ces filles !!!

Dans le train, j'ai rêvé que nous nous préparions à une mission de combat. Sachka Krivtsov me demande :

— Pourquoi as-tu trois cent cinquante cartouches et non quatre cents ?

— Parce que j'ai des médicaments.

Il se tait et me demande encore :

— Tu aurais pu descendre cette Afghane ?

— Laquelle ?

— Celle qui nous a amenés dans une embuscade. Tu te rappelles, on a eu quatre tués ?

— Je ne sais pas. Sans doute que non. À la maternelle et à l'école, on m'a surnommé « le Don Juan » parce que je passais mon temps à défendre les filles. Et toi tu aurais pu ?

— J'ai honte...

Il n'a pas le temps de terminer sa phrase et je me réveille.

Chez moi, un télégramme de la mère de Sacha m'attendait : « Viens, Sacha a été tué. »

Je suis venu sur sa tombe :

— Sachka, j'ai honte d'avoir eu cinq sur cinq aux examens de fin d'études en communisme scientifique, pour ma critique du pluralisme bourgeois... J'ai honte parce que, après que le Congrès des députés du peuple eut déclaré que cette guerre était déshonorante, nous avons reçu la décoration des « Combattants-internationalistes » et des diplômes d'honneur du Soviet suprême de l'URSS. Sachka, tu es là-bas, et moi je suis ici... »

Un adjudant, infirmier-chef
d'une compagnie de reconnaissance.

« Il était petit, mon garçon. Il était né menu, comme une petite fille, il faisait seulement deux kilos, et il est resté petit. Quand je l'embrassais, je l'appelais « mon petit soleil ».

Il n'avait peur de rien, seulement des araignées. Une fois, il venait d'avoir quatre ans, il rentre à la maison... Nous lui avions acheté un nouveau pardessus... Je l'accroche sur un portemanteau, et j'entends, de la cuisine : floc-floc, floc-floc... J'accours. Qu'est-ce que je vois : l'entrée pleine de grenouilles, elles sortaient des poches du manteau... Lui, il les ramasse :

— N'aie pas peur, maman, elles sont gentilles — et il les remet dans ses poches.

— Mon petit soleil.

Il aimait les jouets de guerre. Les tanks, les mitraillettes, les revolvers. Il accrochait tout ça et défilait dans la maison :

— Je suis un soldat... Je suis un soldat...

— Mon petit soleil... Joue à quelque chose de pacifique.

— Je suis un soldat... Je suis un soldat...

Quand il devait entrer à l'école, pas moyen de trouver un uniforme à sa taille, ils étaient tous trop grands.

— Mon petit soleil.

... Quand il est parti faire son service militaire, j'ai prié pour qu'on ne le batte pas, je n'ai pas prié pour qu'il ne soit pas tué. J'avais peur que les garçons plus forts ne se moquent de lui à cause de sa taille. Il a raconté que là-bas, on pouvait vous forcer à nettoyer les toilettes avec votre brosse à dents ou laver les slips d'un autre. J'avais peur de ça. Il nous a demandé de lui envoyer toutes nos photos, la mienne, celle de papa, de sa petite sœur. Il nous a dit qu'il partait mais il ne nous a pas dit où. Deux mois après, on a reçu une lettre d'Afghanistan : « Pleure pas, maman, nos blindages sont sûrs. »

— Mon petit soleil... Nos blindages sont sûrs...

Je l'attendais déjà, il lui restait un mois avant la fin du service. Je lui ai acheté des chemises, une écharpe, des chaussures. C'est toujours dans l'armoire. Je l'aurais habillé pour la tombe... Je l'aurais fait, moi, mais ils ne m'ont même pas laissé ouvrir le cercueil... Le regarder, le toucher, mon petit garçon... Est-ce qu'ils lui ont trouvé un uniforme à sa taille ? Dans quoi est-il habillé ?

C'est d'abord un capitaine du bureau de recrutement qui est venu :

— Courage, mère...

— Où est mon fils ?

— Ici, à Minsk. On va vous l'amener tout de suite.

Je me suis affaissée par terre :

— Mon petit soleil !

Après, je me suis relevée, je lui suis tombée dessus, à coups de poing :

— Pourquoi es-tu en vie et pas mon fils ? Toi, tu es si fort, si costaud... Et lui qui est tout petit... Tu es un homme, lui c'est un petit garçon... Pourquoi es-tu en vie ? !

Quand ils l'ont apporté, j'ai tambouriné sur le cercueil.

— Mon petit soleil ! Mon petit soleil...

Maintenant je vais le voir au cimetière. Je tombe sur la pierre, je l'embrasse :

— Mon petit soleil !... »

Une mère.

« J'avais pris dans la poche un petit peu de notre terre, c'était un sentiment qui m'était venu dans le train... Bien sûr il y avait aussi des lâches parmi nous. Il y en avait un qui n'avait pas été pris pour l'Afghanistan à cause de sa vue, il était tout content : « La chance !! » Le suivant non plus n'a pas été pris, mais il en pleurait presque : « Je ne peux plus revenir dans mon unité ? Nous avons fêté mon départ pendant deux semaines ! Si encore j'avais un ulcère, mais j'ai juste deux dents qui me font mal. Je suis allé voir le général, j'étais encore en slip, mais je suis arrivé à passer. Je lui ai dit : si c'est à cause de ces deux sales dents qu'on ne me prend pas, arrachez-les-moi et qu'on n'en parle plus ! »

À l'école, j'avais cinq sur cinq en géographie. Alors, quand je fermais les yeux, je me représentais l'Afghanistan ainsi : des montagnes, des singes, nous faisons du bronzing, mangeons des bananes... En fait, voilà comment ça s'est passé. On nous a mis sur des tanks, nous avions nos capotes ; une mitrailleuse à droite, une mitrailleuse à gauche, une autre pointée vers l'arrière, toutes les embrasures ouvertes, avec nos PM. Un vrai hérisson métallique. On croise deux BTR de chez nous, les gars s'étaient installés sur le blindage en maillots, en chapeaux de paille, ils se sont pliés en deux en nous voyant. Et puis j'ai vu un mercenaire tué, ça a été un choc. Un véritable athlète ! Il avait dû être entraîné, celui-là. C'est pas comme moi ; en montagne, je ne savais même pas qu'il fallait poser le pied gauche avant le pied droit sur les pierres. J'ai porté un téléphone sur dix mètres de rocher à pic... Quand il y avait une explosion, je fermais la bouche, alors qu'il fallait l'ouvrir, à cause des tympans. On nous a donné des masques à gaz, mais dès le premier jour nous les avons jetés, parce que les *douchs* n'ont pas d'armes chimiques. On a vendu nos casques. C'est un poids inutile sur la caboche et ça chauffe comme une poêle. J'avais un autre problème : comment voler un chargeur supplémentaire. On nous en a donné quatre, le cinquième je l'ai acheté à un camarade avec ma première paie, le sixième on m'en a fait cadeau. Au combat on garde la dernière balle pour se la tirer dans la bouche.

On était allés construire le socialisme, mais on nous a entourés de barbelés ; « Les gars, interdit d'y aller. Vous n'avez pas besoin de faire de la propagande pour le socialisme, il y a des spécialistes pour ça. » C'est vexant, bien sûr, quand on ne vous fait pas confiance. Je discute avec un *doukanier* :

— Tu ne vivais pas comme il fallait. Nous, on va t'apprendre à vivre. On construira le socialisme.

Lui, il sourit :

— Je faisais du commerce avant la révolution et je continuerai à en faire. Rentre chez toi. Ici, ce sont nos montagnes. Nous nous débrouillerons sans vous...

Quand on circule à Kaboul, les femmes jettent des bâtons et des pierres sur les tanks. Les *batchas* jurent en russe sans accent, ils crient : « Russe, rentre chez toi. »

Qu'est-ce qu'on fait là ?

... On tirait au lance-grenades. J'ai eu le temps de tourner la mitrailleuse dans l'autre sens, c'est ce qui m'a sauvé. Sinon j'aurais reçu l'obus en pleine poitrine, tandis que là, ça m'a fauché une main et j'ai pris tous les éclats dans l'autre. Je me rappelle, c'était une sensation très douce, agréable... Aucune douleur... Et puis quelqu'un qui criait au-dessus de moi : « Tire ! Tire ! » J'appuie sur la détente, mais la mitrailleuse se tait, et puis je vois que ma main pend, toute brûlée, elle n'avait plus de doigts, alors que j'avais l'impression d'appuyer.

Je n'ai pas perdu connaissance, je suis sorti avec les autres du blindé, puis on m'a posé un garrot. Il fallait marcher, mais je suis tombé au bout de deux pas. J'ai perdu quelque chose comme un litre et demi de sang.

Et puis je les entends qui disent :

— On nous encercle...

L'un dit :

— Faut le laisser là, sinon on y passera tous.

Je leur ai demandé :

— Achevez-moi...

Il y en a un qui s'est tout de suite écarté, l'autre a armé son PM, mais lentement. Or quand on le fait lentement, la cartouche peut se mettre de travers, et c'est ce qui est arrivé. Il m'a jeté son PM :

— Je ne peux pas ! Tiens, fais-le toi-même...

J'ai attrapé le PM, mais on ne peut rien faire d'une seule main.

J'ai eu de la chance : il y avait un petit fossé, je m'y suis caché derrière des pierres. Les *douchs* sont passés à côté, sans me voir. Je me disais que s'ils me découvraient, il me faudrait quelque chose pour me tuer. À tâtons, j'ai trouvé une grosse pierre, je l'ai attirée vers moi, je me suis entraîné à faire le geste...

Le matin, les nôtres m'ont retrouvé. Les deux qui m'avaient laissé tomber la nuit m'ont porté sur une vareuse. J'ai compris : ils avaient peur que je raconte tout. Mais moi, ça m'était égal. À l'hôpital, on m'a emmené directement sur la table d'opération. Le chirurgien a jeté un coup d'œil : « Amputation... » Quand je me suis réveillé, j'ai senti que je n'avais plus de main... Il y avait de tout là-bas, des gars avec un seul bras, sans bras, sans jambes. Ils pleuraient en douce. Se pintaient. J'ai appris à tenir un crayon de la main gauche...

Je suis rentré chez mon grand-père, je n'ai personne d'autre ici. La mémé s'est mise à pleurer : son petit-fils chéri qui n'a plus de main. Mais le grand-père l'a rabrouée : « Tu ne comprends pas la politique du parti. » Je rencontrais des gens que j'avais connus :

— Alors, tu as rapporté un manteau de mouton ? Un magnéto japonais ? Rien ?... Mais tu n'es pas allé en Afghanistan, ma parole !

C'est un PM que j'aurais dû ramener !

Alors j'ai cherché des copains. Des gars qui étaient allés là-bas comme moi, parce qu'on parle le même langage, on se comprend. Le recteur me convoque : « Nous t'avons pris à l'institut alors que tu avais tout juste "passable", on t'a donné une bourse. Ne va plus les voir. Pourquoi vous réunissez-vous au cimetière ? Vous semez la perturbation. » On nous défendait de nous réunir. On avait peur de nous. Si nous nous organisons, nous nous battrons pour nos droits. Nous avons droit à des appartements. Nous les avons obligés à aider les mères de gars qui sont dans la tombe. Nous exigerons qu'on leur mette des monuments funéraires, des grilles. Seulement qui s'en soucie ? On nous disait : les gars, ne racontez pas trop ce qui s'est passé, ce que vous avez vu. C'est un secret d'État ! Cent mille soldats dans un pays étranger, c'est un secret. Même la chaleur qu'il fait à Kaboul est un secret...

La guerre ne rend pas les gens meilleurs. Elle les rend pires. Ça ne marche que dans un sens. Je ne revivrai jamais le jour où je suis parti à la guerre. Je ne pourrai pas redevenir comme j'étais avant. Comment est-ce que je pourrais devenir meilleur quand j'en ai vu des choses... Il y en a un qui a acheté à des médecins deux verres d'urine d'un gars qui avait la jaunisse. Contre des bons. Il les a bus. Il est tombé malade. Il a été réformé. On se tirait des balles dans les doigts, on s'estropiait avec des détonateurs, des culasses de mitrailleuses. Le même avion ramenait des cercueils de zinc et des valises pleines de peaux de mouton, de jeans, de culottes de femmes... Du thé de Chine...

Avant, j'avais les lèvres qui tremblaient quand je prononçais le mot « Patrie ». Maintenant je ne crois plus en rien. Lutter pour quelque chose, tu parles. Lutter pour quoi ? Contre qui ? À qui le dire, tout ça ? On a fait la guerre, d'accord. Et puis c'est tout. Mais peut-être qu'on a quand même eu raison de la faire ? Si les journaux disent que c'était une guerre juste, on sera tous d'accord. D'un autre côté, on commence à raconter que nous sommes des assassins. Qui croire ? Je n'en sais rien. Je ne crois plus personne. Les journaux, je ne les lis pas, je ne suis même pas abonné. Parce qu'aujourd'hui on écrit une chose et demain ce sera le contraire. Où est la vérité ? Je ne sais pas. Il y a les copains, un, deux, trois copains. Eux, je les crois. Je peux compter sur eux. Sinon je n'ai personne. Ça fait déjà six ans que je suis ici, je l'ai bien compris...

On m'a donné un livret d'invalide, ça me donne la priorité ! Je vais à la caisse des anciens combattants.

— Où vas-tu, mouflet ? Tu t'es trompé de caisse.

Je serre les dents, je ne dis rien. Derrière mon dos, j'entends :

— Moi j'ai défendu la Patrie, tandis que celui-là...

Quelqu'un me demande :

— Où est passée ta main ?

Je lui réponds :

— J'étais bourré, je suis tombé sous un train de banlieue. J'ai eu la main coupée...

Alors ils sympathisent, ils me plaignent.

J'ai lu il n'y a pas longtemps chez Valentin Pikoul[1], dans son roman *J'ai l'honneur (Confession d'un officier de l'État-major russe)* :

« Actuellement (il s'agit des conséquences humiliantes de la guerre russo-japonaise de 1905) beaucoup d'officiers quittent le service car partout où ils paraissent, ils sont un

1. Romancier populaire, auteur de romans historiques à succès, souvent teintés de nationalisme. *(N.d.T.)*

objet de mépris et de sarcasmes ; les officiers en arrivent à avoir honte de leur uniforme et portent plutôt des vêtements civils. Même les estropiés ne suscitent aucune compassion ; on donne bien plus aux culs-de-jatte qui mendient s'ils racontent qu'ils ont eu leurs jambes coupées par un tramway au coin des perspectives Nevski et Liteïny. Comme s'ils n'avaient rien à voir avec Moukden ou Liao-Yang[1]. »

Bientôt nous aussi, on parlera de nous de cette façon... J'ai l'impression qu'à présent je pourrais même changer de pays... Partir... »

Un soldat des transmissions.

« C'est moi qui ai demandé à y aller, je rêvais de cette guerre. Ça m'intéressait. Quand j'allais au lit, j'essayais de l'imaginer. Je voulais savoir comment ça se passait quand on n'avait qu'une pomme à partager avec deux amis, tous les trois affamés et que vous leur donnez votre pomme. Je croyais que là-bas on était tous frères, tous copains. C'est ça que j'allais chercher.

Je sors de l'avion, je regarde les montagnes quand un « libérable » (il se préparait déjà à repartir) me pousse du coude :

— Donne-moi ton ceinturon.

— Quoi ? ! — C'était mon propre ceinturon, je l'avais acheté au marché noir.

— Idiot, de toute façon on va te le confisquer.

Effectivement, on me l'a pris le jour même. Et moi qui croyais qu'en Afghanistan tout le monde était ami. Imbécile ! Le nouveau n'est qu'une chose. On peut le réveiller

1. Lieux de batailles de la guerre russo-japonaise de 1904-1905. *(N.d.T.)*

la nuit, le rouer de coups, le frapper avec des chaises, des bâtons, avec les poings, avec les pieds. On peut le battre aux toilettes en plein jour, lui prendre son sac à dos, sa boîte de singe, ses biscuits s'il en a apporté. Là-bas, il n'y a pas de télévision, pas de radio, pas de journaux. Les distractions, c'est la loi du plus fort. « Bleu, lave-moi mes chaussettes. » Et ce n'est encore rien : « Bleu, viens me lécher mes chaussettes. Et lèche-les bien, de façon que tout le monde te voie. » Avec une chaleur de soixante-dix degrés, on tient à peine debout : on peut faire de vous ce qu'on veut. Mais pendant les opérations de combat, les « anciens » marchaient devant et nous couvraient. Ils nous sauvaient. C'est la vérité. Et une fois rentrés à la caserne : « Allez, bleu, lèche-moi mes chaussettes... »

Or c'est plus terrible que le premier combat... Le premier combat, c'est intéressant ! C'est comme au cinéma. Au cinéma, j'ai vu des centaines de fois marcher à l'assaut, mais c'est du chiqué. En fait, on ne marche pas, on court, et on ne trotte pas, on n'est pas artistiquement courbé, on court de toutes ses forces, comme un fou, et on fait des crochets comme un lièvre enragé. Autrefois j'aimais les défilés sur la place Rouge, quand on peut voir les armements. Maintenant je sais qu'il n'y a rien à admirer là-dedans et le seul désir que j'éprouve est que ces tanks, ces BTR, ces PM retrouvent bien vite leur place et soient recouverts de housses. Ce serait même mieux si on faisait défiler tous les « porteurs de prothèses » de l'Afghanistan... Des hommes comme moi qui ont été amputés de leurs deux jambes au-dessus du genou... Quand c'est au-dessous du genou, c'est une chance ! J'aurais été un homme heureux, j'envie ceux qui ont gardé leurs genoux... Quand on vous change les pansements, vous gigotez pendant une heure ou deux : on devient si petit sans ses prothèses. On reste en caleçon de bain et en maillot de para qui est aussi grand que vous. Les premiers temps je ne permettais à personne de m'approcher. Je ne pouvais pas parler. Encore si j'avais gardé une jambe, mais les deux... Le plus dur est d'oublier qu'on a eu ses deux jambes... Des quatre murs, on ne peut en choisir qu'un, celui où il y a une fenêtre...

J'ai envoyé un ultimatum à ma mère : « Si tu pleures, je ne viens pas. » C'était ce que j'avais craint le plus là-bas aussi : si on me tuait, ma mère se mettrait à pleurer quand on me ramènerait chez moi. Après le combat, on plaint les blessés, mais pas ceux qui sont tués : ceux-là, c'est leur maman qu'on plaint. À l'hôpital, je voulais dire merci à l'infirmière, mais je ne pouvais pas, j'avais oublié les mots.

— Tu retournerais en Afghanistan ?

— Oui.

— Pourquoi ?

— Là-bas un ami est un ami, un ennemi est un ennemi. Tandis qu'ici je me pose constamment cette question : pour quoi mon ami est-il mort ? Pour ces spéculateurs repus ? Ici, ça ne va pas du tout. Je me sens étranger.

J'apprends à marcher. Si on m'attrape par-derrière et que je tombe, je me dis : « Du calme. Ordre numéro un : on se retourne et on se dresse sur les bras. Ordre numéro deux : on se relève et on marche. » Les premiers mois ça me convenait mieux : il ne fallait pas marcher mais ramper. Alors je rampais. L'image la plus frappante qui m'est restée là-bas, c'est un gamin moricaud avec un visage russe. Il y en a beaucoup comme lui. C'est que nous y sommes depuis 79... Ça fait sept ans... J'y retournerais bien... À coup sûr ! Si seulement je n'avais pas perdu mes jambes au-dessus du genou... Si ça avait été au-dessous... »

Un soldat, tireur de mortier.

« Je me suis souvent demandé pourquoi j'y étais allé. Il y a cent réponses à cette question, mais la principale, on la trouve dans ce poème, seulement je ne me rappelle plus son auteur :

Il est deux choses qui comptent en ce monde :
D'abord les femmes, et ensuite le vin.
Pourtant, aux yeux des hommes, plus douce que les femmes,
Meilleure que le vin, il y a la guerre.

J'enviais les collègues qui étaient allés en Afghanistan : ils avaient une expérience colossale. Comment l'acquérir dans la vie civile ? J'avais derrière moi dix ans de pratique : j'étais chirurgien dans l'hôpital d'une grande ville, mais quand j'ai vu arriver le premier convoi de blessés, j'ai failli devenir fou. Vous voyez un tronc, sans bras, sans jambes, mais qui respire. Vous ne verriez pas ça dans un film sadique. J'ai pratiqué là-bas des opérations dont on ne peut que rêver en Urss. Les jeunes infirmières ne tenaient pas le coup. Tantôt elles pleuraient jusqu'au hoquet, tantôt elles riaient aux éclats. Il y en avait une qui passait son temps à sourire. Celles-là, on les renvoyait chez elles.

Un homme ne meurt pas du tout comme au cinéma où on le voit tomber dès qu'il reçoit une balle dans la tête. En réalité, il a la cervelle qui gicle et il court après en essayant de la retenir, il peut courir cinq cents mètres de cette façon. C'est au-delà du concevable. Il court tant qu'il n'est pas physiologiquement mort. Il serait plus facile de l'achever que de le regarder ou de l'entendre sangloter, demander la mort comme une délivrance. Cela, c'est quand il lui reste des forces. Un autre est gagné par la peur... Son cœur commence à battre la chamade... Il crie, il vous appelle... On contrôle son pouls, on le trouve normal. On le tranquillise. Mais son cerveau guette le moment où il va se relâcher... On a à peine le temps de s'écarter du lit que le gars est déjà mort...

Ces souvenirs, ils ne s'oublieront pas de sitôt. Quand ces soldats, encore presque des enfants, auront grandi, ils vont tout revivre. Leur vision des choses changera. Pas la mienne. Mon père avait été pilote pendant la Seconde Guerre mondiale, mais il ne m'a rien raconté. Il croyait que tout cela était banal, mais pour moi c'était incompréhensible. Actuellement il me suffit d'un mot, d'une allusion. Je lisais hier dans le journal qu'Un tel s'était défendu jusqu'à la dernière cartouche et qu'il se l'était réservée pour la fin. Que signifie se suicider dans ces conditions ? Au combat, le problème est simple : c'est lui ou vous. Évidemment c'est vous qui devez rester vivant. Mais si tous les autres s'en vont et que vous couvrez leur repli, soit qu'on vous en ait donné l'ordre, soit que vous l'ayez décidé vous-même, vous savez presque à coup sûr que vous avez choisi la mort. Je suis certain que ce moment n'est pas si dur sur le plan psychologique. Dans ces circonstances, le suicide apparaît comme une chose normale dont beaucoup sont capables. On les traite ensuite de héros. Dans la vie ordinaire, les suicidaires sont des anormaux. Autrefois, on ne permettait même pas de les enterrer au cimetière avec tout le monde... Il suffit parfois de deux lignes dans le journal pour passer une nuit blanche, car tout remonte à la surface.

Ceux qui y sont allés ne voudront pas retourner à la guerre. On ne nous fera plus croire que le pain pousse sur les arbres. Quels que nous soyons, naïfs, cruels, aimant ou non nos femmes et nos enfants, nous avons tué. J'ai compris quelle a été ma place à la légion étrangère, mais je ne regrette rien. Actuellement, tout le monde parle d'un sentiment de culpabilité. Personnellement, je n'en éprouve pas. Les coupables, ce sont ceux qui nous ont envoyés là-bas. Je porte avec plaisir mon uniforme « afghan », je m'y sens un homme. Les femmes sont ravies ! Un jour je l'ai mis pour aller au restaurant. L'administratrice m'a fixé du regard, mais moi je n'attendais que cela :

— Quoi, je ne suis pas habillé comme il faut ? Allons, place pour un cœur brûlé...

Que quelqu'un ose seulement me dire que ma tenue de combat lui déplaît, qu'il ouvre seulement la bouche. Je ne sais pas pourquoi, je le cherche, ce quelqu'un... »

Un médecin militaire.

« Notre premier enfant, c'était une fille. Avant sa naissance, mon mari m'a dit que ça lui était égal, mais qu'il préférerait quand même une fille : ensuite elle aurait un petit frère, elle pourrait lui nouer ses lacets. C'est ce qui est arrivé...

Quand mon mari a téléphoné à l'hôpital, on lui a dit :

— C'est une fille.

— Très bien. On aura donc deux filles.

Alors ils lui ont dit la vérité :

— Mais non, c'est un garçon !

— Ah, merci ! Merci, vraiment !

Il les a remerciés pour ce fils.

La première journée passe, puis une autre... Les nurses apportent les bébés aux autres mamans, mais pas à moi. Personne ne dit rien. Je me mets à pleurer, la fièvre monte. La doctoresse arrive : « Eh bien, la maman, pourquoi ce chagrin ? Votre fils est un véritable colosse. Il dort encore, il ne s'est pas réveillé, il n'a pas faim. Ne vous inquiétez pas. » Ils me l'ont apporté, ils ont défait les langes : j'ai vu qu'il dormait et ça m'a tranquillisée.

Comment allions-nous l'appeler, ce garçon ? On a choisi trois prénoms : Sacha, Aliocha et Micha. Ils nous plaisaient tous les trois. La petite Tania est arrivée avec son père, elle m'a dit : « J'ai tiré au zor... » Quel « zor » ? En fait, ils avaient mis des petits papiers dans un chapeau et tiré au sort. « Sacha » est venu deux fois, c'est donc Tania qui a tranché. Il était lourd à sa naissance : quatre kilos et demi. Et grand : soixante centimètres. Je m'en souviens, il a marché à neuf mois. À dix-huit mois, il parlait déjà bien, mais jusqu'à trois ans il est resté fâché avec les « r » et les « s ». Il ne disait pas « tout seul », mais « tout cheul ». Son ami Sergueï devenait « Tigleï ». L'éducatrice de la maternelle Kira Nikolaïevna, « Kila Kalavna ». La première fois qu'il a vu la mer il s'est mis à crier : « Je ne suis pas né, c'est une vague qui m'a jeté sur la rive... »

À cinq ans, je lui ai offert son premier album de photos. Il en a eu quatre en tout : l'enfance, l'école, l'armée (quand il a fait ses études à l'école militaire) et l'Afghanistan (avec les photos qu'il nous a envoyées). Ma fille avait ses propres albums, j'en avais offert aux deux. J'aimais la maison, les enfants. Je leur ai écrit des poèmes :

Le perce-neige montre sa tête
Parmi la neige printanière.
Et le printemps prend son envol,
Et mon garçon est né...

À l'école, mes élèves m'aimaient bien. J'étais joyeuse... Sacha aimait beaucoup jouer aux gendarmes et aux voleurs : « Je suis brave, moi. » Il avait cinq ans et Tania dix, quand nous sommes allés sur la Volga. Une fois descendus du bateau, il fallait faire cinq cents mètres à pied jusqu'à la maison de sa grand-mère. Sacha est resté planté comme un piquet :

— Je n'y vais pas. Portez-moi.

— Comment, un si grand garçon ?!

— Je n'y vais pas, c'est tout.

Il n'a pas voulu marcher. Nous le lui avons souvent rappelé par la suite.

À la maternelle, il aimait danser. Il avait une jolie culotte bouffante, rouge. Il la mettait pour se faire photographier. Je les ai toujours, ces photos. Il a fait collection de timbres jusqu'en huitième, les albums nous sont restés. Ensuite il a collectionné des insignes, nous avons toujours la boîte. Et aussi les cassettes avec ses chansons préférées...

Pendant toute son enfance il a rêvé d'être musicien. Mais le fait que son père soit un militaire, que nous ayons toujours vécu dans une ville de garnison a certainement joué un rôle. Il mangeait avec les soldats, il lavait les camions avec eux. Quand il a voulu envoyer un dossier de candidature à l'école militaire, personne ne lui a dit « non » dans la famille, au contraire : « Mon petit, tu vas défendre ton pays. » Il travaillait bien à l'école, il a toujours été actif dans les organisations. Il a terminé avec de très bonnes notes. Le commandement nous a même adressé des remerciements... En 1985, Sacha était en Afghanistan. Nous étions fiers de lui : il faisait la guerre. Je parlais de Sacha et de ses amis à mes élèves. Nous attendions qu'il revienne en permission...

Avant Minsk, nous avions vécu dans des garnisons et nous avions gardé l'habitude de ne jamais fermer la porte à clé. Il est arrivé sans sonner : « C'est vous qui avez demandé un réparateur pour la télévision ? » De Kaboul, il a pris l'avion jusqu'à Tachkent avec des amis et de là jusqu'à Donetsk : ils n'ont pas pu avoir de billet pour une ville plus proche. De Donetsk, ils sont partis pour Vilnius (Minsk refusait les atterrissages), où ils ont dû attendre le train pendant trois heures. C'était trop long pour eux, alors qu'ils étaient si près de Minsk (quelque deux cents kilomètres), alors ils ont pris un taxi.

Il était tout bronzé, maigre, la seule tache blanche sur son visage, c'était ses dents. Je me mets à pleurer :

— Mon petit, tu es d'une maigreur !

Il m'attrape et me fait valser dans la pièce.

— Maman, je suis en vie ! Tu comprends, maman, je suis vivant !

Deux jours après, c'était le Nouvel An. Il a caché ses cadeaux sous le sapin. Pour moi, il y avait un grand foulard. Tout noir.

— Pourquoi en as-tu choisi un noir, mon petit ?

— Tu sais, maman, il y en avait de plusieurs couleurs, mais quand mon tour est arrivé, il n'en restait plus que des noirs. Regarde, il te va bien...

J'ai porté ce foulard à son enterrement, je ne l'ai pas quitté depuis deux ans.

Il a toujours aimé faire des cadeaux, il appelait ça des « surprises ». Quand ils étaient encore petits, un jour nous sommes rentrés à la maison, son père et moi : plus d'enfants. Je cours chez les voisins, dans la rue : pas d'enfants, personne ne les a vus. Je me mets à crier, à pleurer ! Alors je vois le carton du téléviseur qui s'ouvre (on venait d'en acheter un et je n'avais pas eu le temps de jeter la boîte) et les enfants qui en sortent. « Pourquoi pleures-tu, maman ? » Ils avaient mis la table, fait du thé en nous attendant, et comme nous nous attardions, Sacha avait inventé cette « surprise ». Ils s'étaient endormis dans la boîte.

Il était affectueux. C'est rare à ce point chez les garçons. Il m'embrassait toujours, m'étreignait : « Maman... Mamounette... » Depuis l'Afghanistan, il est devenu encore plus tendre. Tout lui plaisait chez nous. Mais il y avait des moments où il restait assis sans rien dire, sans rien voir. La nuit, il se réveillait en sursaut, il marchait dans sa chambre. Une fois il m'a réveillée en criant : « Des éclairs ! Des éclairs !... Maman, ils tirent !.. » Une autre nuit, j'ai entendu pleurer quelqu'un. Qui ça pouvait être ? Nous n'avions plus de petits enfants. J'ai ouvert la porte de sa chambre : il pleurait en se tenant la tête à deux mains.

— Mon petit garçon, pourquoi pleures-tu ?

— J'ai peur, maman.

Et puis plus un mot, ni à son père ni à moi.

Il est reparti comme d'habitude. Je lui ai préparé toute une valise de craquelins. C'était ce qu'il préférait. Toute une valise pour qu'il puisse en donner à tout le monde. Ils avaient tous la nostalgie de leur chez-soi...

La deuxième fois, il est encore venu pour le Nouvel An. D'abord on l'attendait en été. Il m'a écrit : « Maman, prépare beaucoup de fruits au sirop et de confitures, je mangerai et je boirai tout. » Puis il a reporté sa permission jusqu'en septembre parce qu'il voulait se promener dans la forêt, cueillir des chanterelles. Mais il n'est pas venu. Pour les fêtes de la révolution non plus [1]. On reçoit une lettre : qu'est-ce que vous en pensez, il vaut peut-être mieux que je vienne pour le Nouvel An, il y aura un sapin, papa a son anniversaire en décembre, maman en janvier...

Le 30 décembre... Je suis restée à la maison toute la journée sans sortir. Auparavant j'avais reçu une lettre : « Maman, je te commande à l'avance des confitures de myrtilles, des beignets de cerises et du fromage blanc. » Mon mari est rentré du travail, il a pris le relais pendant que j'allais au magasin acheter une guitare. Justement, on avait reçu un avis le matin : il y avait des guitares en vente. Sacha m'avait demandé une guitare ordinaire, pas chère.

Quand je suis rentrée du magasin, il était là.

— Oh, mon petit, je t'ai manqué !

1. Le 7 novembre. *(N.d.T.)*

Il a vu la guitare :

— Oh, qu'elle est belle ! — Il s'est mis à danser dans la pièce. — Je suis à la maison. Comme c'est bien chez nous ! Dans l'entrée de l'immeuble, il y a même une odeur particulière.

Il disait que notre ville, notre rue, notre maison étaient les plus belles du monde, que les acacias que nous avons dans la cour étaient les plus beaux. Il aimait cette maison. À présent c'est difficile pour nous d'y vivre, parce que tout nous rappelle Sacha, et en même temps c'est dur de partir parce qu'il l'aimait tant.

Cette fois il était différent. Tous ses amis l'ont remarqué, pas seulement nous. Il leur disait :

— Comme vous êtes heureux ! Vous ne vous imaginez même pas à quel point vous êtes heureux ! Chez vous, chaque jour est une fête.

Je suis rentrée du salon de coiffure. Ma nouvelle coiffure lui a plu :

— Maman, fais-toi toujours coiffer comme ça. Tu es si belle.

— Il faut beaucoup d'argent, mon petit... Je ne peux pas me payer le coiffeur tous les jours...

— J'ai apporté de l'argent... Prends tout, je n'en ai pas besoin...

Un de ses amis a eu un fils. Je me rappelle son expression lorsqu'il lui a demandé de prendre le bébé dans ses bras. Vers la fin de son congé, il a eu mal aux dents. Il avait toujours eu peur du dentiste. Je l'ai traîné par la main au dispensaire. Dans la salle d'attente, il transpirait de peur.

S'il y avait une émission sur l'Afghanistan à la télévision, il partait dans une autre pièce... À une semaine du départ, ses yeux sont devenus tristes, ils débordaient de détresse. Mais, peut-être, c'est quelque chose que je dis maintenant... À l'époque j'étais heureuse : à l'âge de trente ans, mon fils était commandant, décoré de l'Étoile rouge. À l'aéroport je ne pouvais y croire en le regardant : était-ce bien mon fils, ce jeune et bel officier ? J'étais très fière de lui.

Un mois après, on a reçu une lettre. Il souhaitait à son père une joyeuse fête de l'Armée soviétique et me remerciait pour les pâtés aux champignons que je lui avais préparés. Après cette lettre, il m'est arrivé quelque chose... Je ne pouvais plus dormir... Je me couchais... Je restais comme ça... Jusqu'à cinq heures du matin, les yeux ouverts...

Le 4 mars, j'ai fait un rêve... Un grand champ, et partout des explosions blanches... Quelque chose qui s'embrase... Et puis de longues bandes blanches qui s'allongent... Mon Sacha court, court, il est affolé... Pas d'endroit où il puisse se cacher... Ça explose de partout... Je cours après lui... Je voudrais le dépasser, pour être devant lui... Comme un jour, à la campagne, quand nous avons été pris par un orage... Je l'avais couvert de mon corps, et je le sentais qui gratouillait sous moi tout doucement, comme un souriceau : « Maman, sauve-moi ! » Mais je n'arrive pas à le rattraper... Il est si grand, il fait de si grands pas... Je cours de toutes mes forces... J'ai l'impression que mon cœur va éclater... Mais je ne peux pas le rattraper...

... J'ai entendu claquer la porte d'entrée. C'était mon mari. Ma fille et moi étions sur le canapé. Il est venu directement dans la chambre, avec ses bottes, son manteau, sa chapka. Ça ne lui arrivait jamais, parce qu'il était très soigneux, il avait passé toute sa vie à l'armée, il aimait la discipline. Arrivé devant nous, il s'est mis à genoux :

— Les filles, on a un malheur...

Alors j'ai vu du monde dans l'entrée. Une infirmière, le chef du bureau de recrutement, des instituteurs de mon école, des amis de mon mari...

— Mon petit Sacha ! Mon petit !!!

Ça fait déjà trois ans... Nous ne pouvons toujours pas ouvrir sa valise... Il y a ses affaires qu'on a apportées en même temps que le cercueil... J'ai l'impression qu'elles ont gardé son odeur.

Il a reçu quinze éclats en même temps. Il a seulement eu le temps de dire : « J'ai mal, maman. »

Pourquoi ? Pourquoi lui ? Il était si gentil, si tendre. Comment est-ce possible qu'il ne soit plus là ? Ces pensées me tuent petit à petit. Je sais que je meurs, ce n'est plus la peine de vivre. Je vais voir les gens, je me traîne vers eux... J'y vais avec le nom de Sacha à la bouche, je leur parle de lui... J'ai pris la parole à l'Institut polytechnique ; il y a une étudiante qui s'est approchée de moi pour me dire : « Si vous l'aviez moins gavé de patriotisme, il serait en vie. » Je me suis sentie mal après ces paroles. Je suis tombée.

C'est pour Sacha que j'y allais... Il ne pouvait quand même pas disparaître sans laisser de trace... Maintenant, on nous dit que cette guerre était une erreur fatale, que personne n'en avait besoin, ni nous, ni le peuple afghan. Avant, je haïssais ceux qui ont tué Sacha... Maintenant je hais l'État qui l'y a envoyé. Ne prononcez pas le nom de mon fils... À présent, il n'appartient qu'à nous... Je ne le donnerai à personne... Même pas son nom... »

Une mère.

« Un éclair... Une gerbe de lumière... Et c'est tout... Ensuite c'est la nuit, les ténèbres... J'ouvre un œil et je suis le mur du regard : où suis-je ? À l'hôpital... Ensuite je vérifie si mes mains sont en place... Oui... Plus bas... Je fouille... Ça s'arrête un peu vite... Je suis un peu court... C'est clair : je n'ai plus de jambes...

C'est la crise de nerfs... Et de vilaines idées : la mort vaudrait mieux que cette salle d'hôpital... Si encore j'avais été pulvérisé, anéanti... Je ne me verrais pas... Et les autres non plus... Mais après, c'est un trou. Je ne me rappelle plus rien...

J'ai oublié tout ce qui s'était passé auparavant... Une commotion terrible... Je ne me souvenais plus en rien de ma vie passée... Par la suite j'ai ouvert mon passeport, j'ai lu mon nom, j'ai appris mon lieu de naissance... J'avais trente ans... Marié... Deux enfants... Des garçons...

Ensuite il a fallu se rappeler les visages... Impossible...

C'est maman qui est venue me voir la première... Elle m'a dit : « Je suis ta maman... » Elle m'a raconté mon enfance... L'école... Même des détails comme la couleur de mon manteau quand j'étais en huitième. Les appréciations des maîtres... Elle me disait que j'aimais par-dessus tout la soupe aux pois... Je l'écoutais et c'était comme si je me regardais de l'extérieur... Je m'observais...

... La femme de service du réfectoire m'appelle :

— Assieds-toi dans ta chaise roulante, je vais t'emmener... Ta femme est venue te voir...

J'aperçois une belle femme devant ma salle... Je lui jette juste un coup d'œil indifférent, je ne sais pas pourquoi elle est là. Où est ma femme ? En fait c'était elle.

Elle m'a raconté nos amours... Comment nous avons fait connaissance... Comment je l'ai embrassée pour la première fois... Notre mariage... La naissance des garçons... Je l'écoutais et je retenais ce qu'elle disait, je ne me rappelais rien... Quand j'essayais de me souvenir de quelque chose, j'avais de fortes migraines...

Mes fils, je me les étais remémorés d'après leurs photos... Mais ils étaient différents quand je les ai vus... C'étaient à la fois les miens et pas les miens... Celui qui était blond est devenu brun... Le petit avait grandi... Je me suis regardé dans la glace ; ils me ressemblaient !

La guerre aussi, je l'avais oubliée... Les deux années entières... Il y a seulement que je n'aime plus l'hiver... Ma mère m'a raconté pourtant que dans mon enfance je l'aimais beaucoup... La neige... La guerre, ce sont les copains qui me la racontent... Je vois des films... Je me demande ce que je suis allé faire là-bas. Les jeunes gars, on les y a envoyés... Mais moi, je suis un officier, un professionnel... C'est moi qui ai demandé à y aller... Les médecins m'ont dit que la mémoire pourrait me revenir... Alors, j'aurais deux vies... Celle qu'on m'a racontée... Et celle que j'ai vécue... »

Un capitaine, pilote d'hélicoptère.

DEUXIÈME JOUR

« Et tel autre périt, l'amertume dans l'âme »

L'auteur. Il a encore téléphoné aujourd'hui. Je l'appellerai désormais « mon héros principal ».

Le héros principal. Je ne voulais pas téléphoner. Mais j'ai entendu deux femmes discuter dans un autobus : « Des héros, eux ? Ils ont tué des femmes et des enfants. Ce sont des anormaux... Et dire qu'on les invite dans les écoles... Et qu'ils ont droit à des priorités... » Je suis descendu à l'arrêt suivant et j'ai pleuré. Nous sommes des soldats, nous avons obéi aux ordres. En temps de guerre, l'insubordination, c'est la peine de mort ! Et nous étions bien en guerre. Évidemment les généraux ne tirent pas sur les femmes et les enfants, mais ce sont eux qui donnent des ordres. Et maintenant c'est nous les seuls coupables... C'est la faute aux soldats... On nous dit que c'est un crime d'exécuter un ordre criminel. Mais moi, j'avais confiance en ceux qui me donnaient des ordres. Autant que je me rappelle, on m'a toujours appris à avoir confiance en eux. Toujours ! Personne ne m'a appris à me poser des questions, à me demander si je devais tirer ou non. On m'a toujours répété que ma foi devrait être sans faille.

L'auteur. Nous étions tous dans le même cas.

Le héros principal. Oui, j'ai tué, je suis couvert de sang... Mais mon ami est mort, lui.

Mon ami, c'était comme un frère... La tête, les bras, les jambes, en morceaux séparés... La peau aussi... J'ai demandé à repartir aussitôt en raid... Il y avait un enterrement dans un *kichlak*... Avec beaucoup de monde... Le corps était recouvert de blanc et je les voyais très bien à la jumelle... Alors j'ai donné l'ordre de tirer : « Feu sur l'enterrement ! »

Oui, j'ai tué parce que je voulais vivre. Je voulais rentrer chez moi...

Mais pourquoi tu me fais dire tout ça ? Il n'y a pas bien longtemps que j'ai cessé de penser à la mort toutes les nuits. Pendant trois ans, je me suis demandé s'il valait mieux me tirer une balle dans la bouche ou me pendre avec ma cravate... Et toujours cette odeur âcre des épines... Elle peut rendre fou...

Bip-bip-bip dans l'écouteur...

L'auteur. Pourquoi ai-je l'impression de le connaître depuis longtemps ? D'avoir déjà entendu cette voix ?

« C'est resté comme un rêve... Comme si j'avais vu tout ça au cinéma... Maintenant j'ai l'impression de n'avoir jamais tué personne...

C'est moi qui ai voulu y aller. J'étais volontaire. Je voulais me mettre à l'épreuve, voir de quoi j'étais capable. J'ai une forte identité. À l'institut où j'ai fait mes études, on ne peut pas faire ses preuves, se tester. Je cherchais l'occasion de devenir un héros. J'en étais à ma deuxième année quand je suis parti. On dit que la guerre est une affaire d'hommes... C'était une guerre de gamins, de garçons qui sortaient de l'école... Pour nous c'était comme un jeu. L'amour-propre comptait beaucoup. La fierté. Savoir si on est capable. D'autres ont pu, pourquoi pas moi ? C'est ça qui nous préoccupait, pas la politique. Depuis mon enfance, je m'étais préparé à affronter des épreuves. Mon écrivain favori, c'était Jack London. Un homme doit être fort. À la guerre, on devient fort. Ma fiancée essayait de me dissuader : « Imagine que Bounine ou Mandelstam[1] ait dit une chose pareille ! » Aucun de mes amis ne m'a compris. Les uns se sont mariés. D'autres ont fait de la philosophie orientale, du yoga. J'ai été le seul à choisir la guerre.

... En haut, je voyais des montagnes brûlées par le soleil... En bas, une petite fille qui criait après ses chèvres... Une femme qui accrochait son linge... Comme chez nous dans le Caucase... J'étais même déçu... Mais la nuit, on a tiré sur notre feu de camp : j'ai soulevé la bouilloire, j'ai trouvé une balle en dessous. Pendant les marches, c'était la soif, une soif terrible, humiliante. On a la bouche sèche, on ne peut même pas rassembler assez de salive pour déglutir. On a l'impression d'avoir la bouche pleine de sable. On léchait la rosée ou sa propre sueur... Il fallait que je reste en vie. J'ai attrapé une tortue, je lui ai percé la gorge avec un caillou pointu pour boire son sang. Les autres n'ont pas pu.

J'ai compris que j'étais capable de tuer. J'avais une arme dans les mains. J'ai remarqué qu'après leur premier combat, certains avaient un choc nerveux. Ils perdaient connaissance ou ils avaient des nausées en se souvenant qu'ils avaient tué. On voit des cervelles qui éclatent... Un œil qui coule sur un corps humain... Moi, je tenais le coup ! Il y avait un chasseur parmi nous qui se vantait d'avoir tué des lièvres, des sangliers. C'est lui justement qui avait toujours des nausées. Tuer un animal, c'est pas la même chose que tuer un homme. Pendant les combats

1. Respectivement prosateur et poète du XXe siècle, considérés comme parmi les plus grands. *(N.d.T.)*

on est insensible… On a la tête froide… On calcule… Votre PM, c'est votre vie… Le PM fait partie de votre corps… Comme un troisième bras…

Là-bas c'était une guerre de partisans, les batailles étaient très rares. C'était toujours lui ou vous. On devenait sensible aux bruits comme un lynx. Vous tirez une rafale : l'autre s'est accroupi. Vous attendez la suite. Vous sentez qu'une balle a été tirée avant même d'avoir entendu le coup de feu. Vous rampez d'un rocher à un autre… Vous vous tapissez… Vous le poursuivez… Comme un chasseur… Vous êtes tendu comme un ressort… Vous ne respirez plus… Vous attendez le bon moment pour bondir… Pendant un corps à corps, vous pouvez facilement tuer avec la crosse de votre arme. Quand on tue, on sent qu'on est en vie ! Il n'y a pas de joie à tuer un homme. On tue pour pouvoir rentrer chez soi.

Les morts sont tous différents… Il y en a qui sont dans l'eau… Dans l'eau, il se passe quelque chose avec les visages morts, ils ont tous une espèce de sourire. Après la pluie, ils sont tout propres. Dans la poussière, la mort est plus franche. Vous voyez un mort en tenue toute neuve mais à la place de la tête, c'est une galette rouge et sèche, écrasée, écrabouillée comme un lézard… Vous vous dites : je suis vivant, moi ! Ou un autre assis au pied d'un mur… Près d'une maison… À côté, des noix cassées… Il venait sans doute d'en manger… Il a les yeux ouverts… Personne pour les fermer, après sa mort… On a seulement dix ou quinze minutes pour fermer les yeux d'un mort… Ensuite on ne peut plus… Vous vous dites : je suis vivant, moi ! Un autre penché. La braguette déboutonnée… Il était sorti faire ses besoins… Ils restent dans la position qu'ils avaient à ce moment-là… Mais moi, je suis vivant. On se palpe pour en être sûr… Les oiseaux n'ont pas peur de la mort. Ils restent posés là, ils regardent. Les enfants non plus, ils observent tranquillement, ils sont curieux. Comme les oiseaux. À la cantine, on mangeait sa soupe et on regardait son voisin en l'imaginant mort. Pendant un certain temps, je ne pouvais pas voir les photographies de mes proches. Quand on rentrait d'une mission, c'était insupportable de rencontrer des femmes et des enfants. Je me détournais. Ensuite ça m'est passé. Le matin je faisais de la gymnastique, des haltères. Je voulais rester en forme pour rentrer chez moi. Mais je dormais mal. À cause des poux, surtout l'hiver. On saupoudrait les matelas de DDT.

La peur de la mort, ça m'est venu après, chez moi. Quand je suis rentré, j'ai eu un fils. J'ai soudain eu peur qu'il ait à grandir sans moi si je mourais. Je me suis souvenu de mes sept balles... Comme on disait chez nous, j'aurais pu me faire expédier chez « les gens d'en haut »... Mais j'ai eu la chance pour moi. J'ai même le sentiment de n'avoir pas joué le jeu jusqu'au bout, de n'avoir pas assez fait la guerre...

Je ne me culpabilise pas, je n'ai pas peur des cauchemars la nuit. J'ai toujours choisi le duel honnête : c'était lui ou moi. Quand je voyais tabasser un prisonnier... Une fois ils étaient à deux contre un prisonnier ligoté, affalé comme une masse... Je les ai chassés, je les ai empêchés de lui taper dessus... Les gens comme ça, je les méprisais... Un jour il y en a un qui a pris son PM pour tirer sur un aigle... Je lui ai mis mon poing dans la gueule... Pourquoi en vouloir à un oiseau ? Qu'est-ce qu'il lui avait fait ?

Mes proches me demandaient :

— Comment c'est là-bas ?

— Bon, parlons d'autre chose, je vous raconterai ça plus tard.

J'ai terminé mes études à l'institut, je suis ingénieur. Je veux être un ingénieur, rien d'autre, pas un ancien combattant de la guerre d'Afghanistan. Je n'aime pas y penser.

Mais je ne sais pas ce que nous allons devenir, la génération de ceux qui ont survécu. C'est la première fois que je parle tant... On est comme deux inconnus qui se rencontrent dans un train, se parlent et se séparent à la gare suivante... J'en ai les mains qui tremblent... Je ne sais pas pourquoi je suis si nerveux... Pourtant, il me semblait que je m'en étais bien sorti... Quand vous écrirez, ne citez pas mon nom... Je n'ai peur de rien... Mais je ne veux pas figurer dans toute cette histoire... »

Un sergent,
commandant d'une section d'infanterie.

« Je devais me marier en décembre, en novembre je suis partie en Afghanistan. Quand je l'ai avoué à mon fiancé, il a éclaté de rire : « Tu veux défendre les frontières de notre Patrie ? » Et puis, quand il a compris que je ne plaisantais pas, il m'a jeté : « Tu n'as personne avec qui coucher ici ou quoi ? »

En partant, je me disais : « J'étais trop jeune à l'époque des grands chantiers du BAM, des terres défrichées [1], maintenant j'ai la chance de faire l'Afghanistan ! » J'ai cru aux chansons des gars revenus de là-bas, je me les passais toute la journée :

La Russie a jeté
Beaucoup de ses fils
Sur les rochers afghans
Ces dernières années...

1. BAM : voie ferrée doublant le Transsibérien, construite sous Brejnev dans des conditions très difficiles. Pour les terres défrichées, cf. note p. 49. *(N.d.T.)*

J'étais une jeune Moscovite bourrée de lectures. Je m'imaginais que quelque part, très loin, il devait y avoir une vraie vie où tous les hommes étaient forts, toutes les femmes belles. Et beaucoup d'aventures. J'avais envie de m'arracher à la routine...

J'ai mis trois nuits pour me rendre à Kaboul. Je n'arrivais pas à dormir. À la douane, ils ont cru que je m'étais shootée. Je me rappelle que j'essayais d'en dissuader un en pleurant :

— Je ne suis pas une droguée, j'ai sommeil.

Je traînais une lourde valise, avec des confitures de maman, des biscuits, mais aucun homme ne m'a aidée. C'étaient pourtant de jeunes officiers, beaux et forts, pas n'importe qui. Jusque-là, les garçons m'avaient toujours courtisée, ils me portaient aux nues. J'étais sincèrement étonnée :

— Il n'y a personne pour m'aider ? !

Le regard qu'ils m'ont jeté...

J'ai passé encore trois nuits dans un centre de tri. Dès le premier jour, un *praporchtchik* m'a fait une proposition :

— Si tu veux rester à Kaboul, viens me retrouver cette nuit...

Un petit gros repu, surnommé « Le Ballon », comme me l'ont dit les filles à l'oreille.

On m'a prise comme dactylo dans une unité. On travaillait sur des vieilles machines à écrire de l'armée. Dès les premières semaines, je me suis mis les doigts en sang. Je travaillais les doigts bandés, je perdais mes ongles.

Deux semaines après, voilà un soldat qui frappe à ma porte le soir :

— Le commandant t'appelle.

— Je n'irai pas.

— Arrête de faire ta mijaurée. Comme si tu ne savais pas ce qui t'attendait ici.

Le lendemain matin, le commandant a menacé de m'envoyer à Kandahar.

> *Qu'est-ce que c'est que Kandahar ?*
> *Des mouches, des* douchs *et le cauchemar...*

Pendant quelques jours, j'ai eu peur de me faire écraser par une voiture ou de recevoir un coup de feu dans le dos...

Au foyer j'avais deux voisines : l'une était responsable de l'électricité, on l'avait surnommée la Douille, l'autre s'occupait de la désinfection de l'eau, on l'avait surnommée Eau de Javel. Elles avaient explication à tout :

— C'est la vie...

Justement la *Pravda* venait de publier un article sur « Les madones de l'Afghanistan ». Les filles m'ont écrit de là-bas qu'il leur avait tellement plu, cet article, que certaines étaient même allées au bureau de recrutement pour demander qu'on les envoie en Afghanistan. Alors que nous ne pouvions pas passer devant les soldats sans qu'ils ricanent :

— Alors les « wagonnettes », il paraît que vous êtes des héroïnes ? ! Vous faites votre devoir international au lit ?...

Les « wagonnettes », parce que les grosses huiles, à partir du grade de commandant, vivent dans des wagons. Alors les femmes qu'ils... sont appelées « wagonnettes ». Les gars qui servent ici disent ouvertement : « Si j'apprends qu'une fille est allée en Afghanistan, elle cesse d'exister à mes yeux... » Nous avons connu, comme eux, les maladies comme l'hépatite ou la malaria, et les bombardements... Mais si nous nous rencontrons en Urss, je ne pourrai pas me jeter au cou d'un garçon que j'ai connu ici. À leurs yeux, nous sommes toutes des putains ou des cinglées. Il ne faut pas coucher avec une femme pour ne pas se salir... « Avec qui je couche ? Avec mon PM... » Ils peuvent même vous insulter en face... Allez donc sourire à quelqu'un dans ces conditions...

Ma mère dit fièrement autour d'elle que sa fille sert en Afghanistan. Qu'elle est naïve ! J'ai envie de lui écrire : « Maman, tais-toi, sinon on te répondra que ta fille est une putain... » Peut-être, quand je rentrerai, je verrai tout d'un œil différent, je serai moins aigrie. Mais en ce moment, je suis toute brisée, toute froissée. Qu'est-ce que j'ai appris ici ? Vous croyez qu'on peut apprendre le bien ou la charité dans cet endroit ? Ou la joie ?

Les *batchas* courent après la voiture en criant :

— *Khanoum*, montre-nous ta...

Ils peuvent même vous donner de l'argent pour ça. Il y en a donc qui acceptent...

Au début je me disais souvent que je ne pourrais pas tenir jusqu'à mon retour, que j'y laisserais ma peau. Mais actuellement je n'ai plus ce genre d'idées. Je fais souvent deux rêves qui se répètent. Le premier : nous entrons dans un *doukan* assez riche. Il y a des tapis sur les murs, des bijoux... Mes copains me vendent. On leur apporte un sac d'argent... Ils comptent les afghanis... Alors deux *douchs* m'attrapent par les cheveux et les enroulent autour de leurs mains... Le réveil sonne... Je me réveille terrorisée et je crie... Ces cauchemars, je ne les ai jamais vus jusqu'au bout...

Le deuxième rêve, c'est que nous sommes dans un avion militaire, un IL-65, qui nous emmène de Tachkent à Kaboul. Par le hublot, j'aperçois déjà les montagnes. Soudain la lumière s'éteint et on se met à tomber dans une espèce d'abîme... Puis on nous recouvre d'une couche de terre afghane, très lourde. Je me mets à creuser comme une taupe, mais je ne parviens pas à l'air libre... J'étouffe... Je creuse comme une folle...

Si je ne me contrôle pas, mon récit n'aura plus de fin. Ici il se passe tous les jours quelque chose qui vous retourne l'âme. Hier, un garçon a reçu une lettre de sa petite amie : « Je ne veux plus être ton amie, tu as les mains couvertes de sang. » Il est venu me parler sachant que je le comprendrais.

Nous pensons tous à nos maisons, mais nous en parlons peu. Par superstition. C'est qu'on a très envie de rentrer. Qu'est-ce qui nous attend chez nous ? Nous n'en parlons pas non plus, nous ne faisons que blaguer :

— Les enfants, racontez-moi ce que font vos papas.

Tout le monde lève le doigt :

— Mon papa est médecin...

— Mon papa est plombier...

— Mon papa travaille au cirque...

Mais le petit Vova ne dit rien, lui.

— Alors, Vova, tu ne sais pas ce que fait ton papa ?

— Avant, il était pilote, maintenant il travaille comme fasciste en Afghanistan...

En Urss j'aimais les livres de guerre, ici je trimbale toujours un Dumas avec moi. Je n'ai pas envie de voir la guerre partout. Les filles allaient voir les morts, elles racontaient qu'ils étaient alignés sur le sol, en socquettes... Je ne veux pas voir ça... Je n'aime pas non plus aller dans les montagnes. Dans les villages, là-haut, il y a beaucoup d'unijambistes. Tout le monde ne peut pas supporter ça. Moi, par exemple, je ne peux pas. J'avais rêvé d'être journaliste, maintenant je ne sais plus, je ne crois plus à rien.

Quand je rentrerai chez moi, je n'irai plus jamais dans le Midi. Je n'aurai pas le courage de voir des montagnes. Quand j'en vois, j'ai l'impression que la fusillade va commencer. Un jour, pendant une fusillade, une fille s'est mise à genoux. Elle priait en pleurant... Je voudrais bien savoir ce qu'elle demandait au ciel. Nous sommes tous un peu dissimulés ici, personne ne s'ouvre complètement, chacun a vécu une déception...

Moi, je pleure tout le temps et je prie pour retrouver cette jeune Moscovite bourrée de lectures qui n'existe plus... »

Une employée.

« J'y suis allé avec l'espoir d'en revenir la tête haute. Maintenant je me dis que je ne serai plus jamais comme avant cette guerre ; jamais...

Notre compagnie passait un *kichlak* au peigne fin. J'étais avec un autre gars. D'un coup de pied le gars a ouvert la porte d'une maison et a tiré une rafale de mitrailleuse dedans, à bout portant... Neuf balles... C'est des moments où on est aveuglé par la haine... On tirait sur tout le monde, même sur les animaux domestiques. Mais c'est encore plus effrayant de tirer sur des animaux. Ils font pitié. Je ne laissais pas tuer les ânes... Ils n'avaient rien fait... Ils avaient des amulettes accrochées au cou, les mêmes que les enfants... Quand on a mis le feu à un champ de blé, ça m'a tout retourné parce que je suis de la campagne. Là-bas, on se souvenait seulement des bons moments de notre vie passée, surtout de notre enfance. Je me revoyais couché dans l'herbe, parmi les clochettes et les pâquerettes... Ou en train de faire griller des épis de blé sur un feu...

La chaleur était telle que les tôles éclataient sur les toits des *doukans*. Le champ a pris feu tout de suite, une vraie explosion. Ça sentait le pain... Le feu a réveillé en moi cette odeur du pain de mon enfance...

Là-bas la nuit vous tombe dessus, sans transition, d'un seul coup. Et c'est d'un seul coup qu'on devient un homme. C'est la guerre qui fait ça. Là-bas, même quand il pleut, les gouttes n'arrivent pas jusqu'au sol. On regarde des émissions soviétiques transmises par satellite, on constate que l'autre vie, celle de là-bas, continue, mais elle ne vous concerne plus... Tout ça, vous pouvez le publier... Mais je n'arrive pas à vous faire comprendre l'essentiel et ça me fait enrager.

Parfois j'ai envie de décrire moi-même tout ce que j'ai vu. L'hôpital par exemple. Un gars qui a perdu ses bras et un cul-de-jatte, qu'il a fait venir sur son lit, qui lui écrit une lettre pour sa mère. Une petite fille afghane... Elle avait accepté un bonbon d'un soldat soviétique. Le lendemain matin, on lui a coupé les deux mains... Je voudrais décrire tout ça tel que c'était, sans aucun commentaire. Par exemple : il pleuvait ce jour-là... Rien de plus : il pleuvait... Sans aucun commentaire, sans dire si c'était bien ou mal, simplement : il pleuvait.

Nous espérions qu'à notre retour au pays, nous serions accueillis à bras ouverts. À notre grand étonnement, nous avons découvert que personne ne s'intéressait à ce que nous avions vécu. Dans la cour je retrouve les copains : « Ah, tu es rentré ? C'est bien ! » Je suis allé à mon école. Les profs n'ont pas posé de questions non plus. Nous avons eu ce genre de conversation :

Moi :

— Il faudrait immortaliser les noms de ceux qui sont tombés en faisant leur devoir international.

Eux :

— C'étaient des cancres et des voyous. Comment pouvons-nous accrocher une plaque commémorative en leur honneur ?

Ici on voit cette guerre autrement. Rien d'héroïque. On a perdu la guerre. Et puis qui en avait besoin, de cette guerre ? Brejnev et ses généraux ? Ça fait que mes amis sont morts pour rien. Moi aussi j'aurais pu y rester. Mais ma mère, quand elle m'a vu arriver par la fenêtre, elle s'est élancée dehors et s'est mise à courir dans la rue en criant de joie. Alors je me dis que le monde peut s'écrouler, mais qu'une chose est sûre : ce sont des héros qui reposent dans la terre d'Afghanistan. Des héros !

Dans mon institut, un vieux professeur nous a dit :

— Vous avez été victimes d'une erreur politique... On vous a rendus complices d'un crime...

Je lui ai répliqué :

— Moi j'avais dix-huit ans. Et vous, quel âge aviez-vous à ce moment-là ? Quand on avait la peau qui pétait de chaleur, vous n'avez rien dit. Quand vous avez su qu'on ramenait nos corps dans les « tulipes noires », vous n'avez rien dit. Vous écoutiez jouer les orchestres militaires dans les cimetières. On se faisait tuer là-bas, mais vous n'avez rien dit. Et maintenant vous avez soudain découvert que nous sommes des victimes, que c'était une erreur...

Mais moi, je ne veux pas être la victime de je ne sais quelle erreur politique. Et je me battrai pour ça ! Le monde peut s'écrouler, mais ça, ça restera : ce sont des héros qui reposent en terre afghane. Des héros ! »

Un soldat, grenadier.

« J'ai eu de la chance. Je suis rentré vivant, avec mes bras, mes jambes, mes yeux, je n'ai pas été brûlé, je ne suis pas devenu fou. Une fois là-bas, nous avons tout de suite compris que cette guerre n'était pas celle pour laquelle nous étions partis. Nous nous sommes dit : on finit de se battre, on reste en vie, on rentre à la maison, après on y verra plus clair...

Nous étions la première relève : nous avons remplacé ceux qui y étaient allés au tout début. Nous ne partions pas pour défendre une cause, nous avions des ordres. On n'a pas à discuter les ordres, sinon ce n'est plus une armée. Lisez Engels : « Un soldat doit être comme une cartouche toujours prête au coup de feu. » J'ai appris cette phrase par cœur. On va à la guerre pour tuer. Tuer, c'est mon métier. C'est à ça qu'on m'a formé. La peur de la mort ? On se dit : ça peut arriver aux autres, pas à moi. Il y en a qui se font tuer, mais pas moi. La conscience ne conçoit pas la possibilité de sa propre disparition. Je n'étais plus un gamin quand j'y suis allé, j'avais trente ans.

Là-bas, j'ai senti ce qu'est la vie. J'y ai passé les meilleures années de mon existence, je peux vous le dire. Ici notre vie est terne, mesquine : boulot-maison, maison-boulot... Là-bas, nous avons tout éprouvé, tout connu. Nous avons connu la véritable amitié entre hommes. Nous avons tâté de l'exotisme : le brouillard matinal qui monte dans les défilés comme un rideau ; les *bourouboukhaïs*[1], ces camions afghans tout peinturlurés à hauts bords ; les autobus rouges où les gens circulent pêle-mêle avec les moutons et les vaches ; les taxis jaunes. Certains endroits ressemblent à des paysages lunaires, ils ont quelque chose de fantastique, de cosmique. Ces montagnes éternelles semblent désertes, on a l'impression qu'il n'y a pas d'homme sur cette terre, seulement des rochers. Mais ces rochers vous tirent dessus. On sent la nature hostile, elle vous repousse, elle aussi. Nous avons vécu entre la vie et la mort en tenant dans nos mains la vie et la mort des autres. Quoi de plus fort que ce sentiment ? Nous ne ferons jamais la fête comme là-bas. Les femmes ne nous aimeront jamais comme elles nous ont aimés là-bas. La proximité de la mort aiguisait les sensations et nous l'avions toujours à nos côtés. J'ai eu un tas d'aventures de

1. Sans doute déformation de *boro bakheir* (« allons-y », en persan). *(N.d.T.)*

toutes sortes, je crois connaître l'odeur du danger, je le sens avec ma nuque. J'ai tout éprouvé là-bas et j'en suis sorti indemne. J'y ai mené une vie d'homme. Notre nostalgie vient de là. C'est le syndrome afghan...

Personne ne se demandait alors si c'était une cause juste. Nous avons fait ce qu'on nous avait ordonné de faire. Notre éducation, nos habitudes le voulaient. Bien sûr, maintenant on a tout reconsidéré, tout a été pesé sur la balance du temps, les souvenirs, l'information, la vérité qu'on nous a révélée. Avec un retard de presque dix ans ! À l'époque nous n'avions que l'image de l'ennemi que nous connaissions par les livres, l'école, les films sur les *basmatchi*[1]. J'ai bien vu cinq fois le film *Le Soleil blanc du désert*. Le voilà, l'ennemi ! Nous avons fait le plein sous ce rapport, parce qu'avant, on regrettait d'être nés trop tard, de n'avoir pas pu fairc la guerre en 41. Notre seule expérience morale, c'était la guerre ou la révolution, nous n'avions pas d'autres exemples.

Nous avons pris la relève des premiers combattants et nous avons planté gaiement les piquets des futures casernes, des cantines, des clubs de l'armée. On nous a donné des pistolets « TT-44 » qui dataient de la dernière guerre, c'est ceux que portaient les instructeurs politiques. Des pistolets tout juste bons pour se suicider ou pour les vendre au *doukan*. Nous étions habillés comme des partisans, n'importe comment, le plus souvent avec des maillots de sport et des tennis. Moi, je ressemblais au brave soldat Chveïk[2]. Il faisait

1. Mouvement de résistance à la reconquête bolchevik de l'Asie centrale après la révolution. Défait en 1922 (et définitivement dans les années 30) il a été souvent évoqué pendant la guerre en Afghanistan. *(N.d.T.)*

2. Héros comique du roman du même nom, de l'écrivain Jaroslav Hašek. Prototype du « Bidasse » qui n'a rien de militaire. *(N.d.T.)*

une chaleur de cinquante degrés, mais les chefs exigeaient de nous la cravate et la tenue complète, comme le veut le règlement depuis le Kamtchatka jusqu'à Kaboul...

À la morgue, il y avait des sacs contenant des morceaux de viande humaine... Le choc ! Six mois après, on regarde un film, on voit des balles traçantes trouer l'écran, on continue à regarder tranquillement. Ou bien on joue au volley, ça tire, on regarde où tombent les obus de mortier et on continue. On nous amenait des films sur la guerre, sur Lénine ou sur des femmes qui trompent leur mari... On aurait voulu des comédies... On n'en a jamais eu... Toujours la même chanson : il part en voyage, elle en profite pour le tromper... J'aurais bien déchargé mon PM sur l'écran ! L'écran, c'étaient trois ou quatre draps cousus bout à bout, à ciel ouvert ; le public était assis sur le sable. Une fois par semaine, c'était le jour des bains et du vin. Une bouteille de vodka coûtait trente bons. On en ramenait d'Urss. Les règlements douaniers autorisaient deux bouteilles de vodka et quatre bouteilles de vin par personne, la bière autant qu'on voulait. Donc on versait la bière et on remplissait les bouteilles de vodka. Dans les bouteilles d'eau minérale, l'eau faisait quarante degrés. Nous avions un chien baptisé Vermouth. Les yeux rouges, c'est pour la vie. On buvait de l'alcool industriel qui servait au nettoyage des avions, de l'antigel. On avertissait pourtant les soldats :

— Buvez tout ce que vous voulez, mais jamais d'antigel.

Le lendemain ou le surlendemain de l'arrivée des nouveaux, on appelait le médecin :

— Qu'est-ce qu'il y a ?

— Les nouveaux se sont empoisonnés à l'antigel...

On se droguait. Certains, quand ils étaient shootés, croyaient que la moindre balle était pour eux... D'autres fumaient pour dormir... Ils avaient des hallucinations...

Pendant toute la nuit, ils voyaient leurs familles, ils embrassaient leurs femmes... Certains avaient des visions en couleurs... Comme s'ils étaient au cinéma... Les premiers temps, on achetait les drogues dans les *doukans*, ensuite ils nous les donnaient gratuitement. Les *batchas* couraient après les soldats :

— Tiens, Russe ! Fume !

On faisait des blagues :

— Camarade sous-colonel[1], comment s'écrit votre grade, en un mot ou en deux mots ?

— En deux mots, bien sûr, comme « sous la table ».

Je perdais mes amis... Il y en a un qui a accroché un fil de fer avec le talon de sa botte, il a entendu un claquement, c'était le détonateur ; comme toujours dans ces cas-là, au lieu de se jeter à terre, il s'est retourné pour voir d'où venait le bruit et a reçu des dizaines d'éclats... Un tank a sauté sur une mine, il avait le fond ouvert comme une boîte de conserve, les galets et les chenilles complètement arrachés. Le pilote a essayé de sortir par la trappe, on a vu ses mains, mais il n'a pas réussi à grimper, il a brûlé avec son char. Dans les casernes, personne ne voulait occuper le lit d'un mort. On attendait un nouveau, une « relève » comme on disait :

— Tu dormiras là pour l'instant... Sur ce lit... De toute façon tu ne l'as pas connu...

On évoquait surtout la mémoire de ceux qui avaient des enfants. Des orphelins à présent... Mais ceux qui n'avaient personne, c'est comme s'ils n'avaient pas existé...

Nous étions remarquablement peu payés pour cette guerre : quelque chose comme le double de la solde, dont la moitié était versée en bons, deux cent soixante-dix bons, d'où on déduisait les cotisations, les souscriptions, l'impôt,

1. C'est-à-dire lieutenant-colonel, en un seul mot en russe. *(N.d.T.)*

etc. Tandis qu'un ouvrier ordinaire, sur la route du Salang, gagnait mille cinq cents bons par mois. Faites la comparaison avec le salaire d'un officier. Les conseillers militaires touchaient cinq à dix fois plus. L'inégalité apparaissait aussi à la douane... Quand on rapportait des marchandises coloniales... Certains avaient un magnétophone et un jean, d'autres un magnétoscope et cinq ou sept valises grandes comme des matelas que les soldats arrivaient à peine à déplacer.

À Tachkent :

— Tu viens d'Afghanistan ? Tu veux une pépée ?... Jolie comme une pêche, mon ami...

Ils essayaient de nous attirer dans un bordel privé.

— Non, mon cher, merci. Je veux rentrer. Voir ma femme. J'ai besoin d'un billet d'avion.

— Pour un billet, il faut des bakchichs. Tu n'aurais pas des lunettes italiennes ?

— Si.

Pour un billet jusqu'à Sverdlovsk, j'ai payé cent roubles, une paire de lunettes italiennes, un foulard japonais à fils d'argent et une trousse de maquillage français. Dans la file d'attente pour les billets, on m'a appris ce qu'il fallait faire :

— Reste pas là à faire la queue. Tu mets quarante bons dans ton passeport et tu seras chez toi demain.

J'ai essayé :

— Mademoiselle, je voudrais un billet pour Sverdlovsk.

— Il n'y a plus de place. Mets tes lunettes et regarde ce qui est écrit sur le panneau.

J'ai glissé quarante bons dans mon passeport...

— Mademoiselle, je voudrais un billet pour Sverdlovsk...

— Attendez, je vais voir. Heureusement que vous êtes revenu, justement une place s'est libérée.

On rentre chez soi. On se retrouve dans un monde totalement différent, dans sa famille. Les premiers jours, on n'entend pas ce qu'on vous dit, on ne fait que regarder et toucher. Passer la main sur la tête de son enfant, vous ne saurez jamais ce que c'est. Après tout ce qu'il y a eu... Le matin, à la cuisine, l'odeur du café et des crêpes... Votre femme qui vous appelle à table...

Au bout d'un mois, il faut repartir. Où ça ? Pour quoi faire ? On n'en sait rien. On n'y pense pas. C'est interdit d'y penser. On sait seulement qu'on y va parce qu'il le faut. La nuit, le sable afghan crisse entre vos dents, il est doux comme de la poudre ou de la farine. Vous vous rappelez, que vous êtes couché dans de la poussière rouge... C'est de la glaise... Les moteurs des BMP rugissent à côté... Vous vous réveillez, vous bondissez : mais non, vous êtes encore chez vous, c'est demain que vous devez partir... Ce jour-là, mon père m'avait demandé d'égorger le cochon... Avant, dans ces cas-là, je m'enfuyais en me bouchant les oreilles pour ne pas entendre les cris de la bête... Mais cette fois, lorsque mon père m'a dit : « Tiens-le », j'ai vu qu'il s'y prenait mal.

« Il faut frapper au cœur », que je lui ai dit.

Je l'ai fait à sa place.

... À la morgue, il y avait des sacs avec des morceaux de viande humaine... Le choc ! On ne doit pas verser le sang car ensuite on ne peut plus s'arrêter...

Chacun voulait sauver sa peau, par ses propres moyens !

Quelques soldats voient passer en bas un vieillard avec un âne... L'un d'eux prend son lance-grenades et vlan ! Plus de vieux ni d'âne...

— Les gars, vous n'êtes pas fous, non ? ! Un vieux et son âne... Qu'est-ce qu'ils vous ont fait ?

— Hier aussi, il y avait un vieux avec son âne... Un soldat l'a croisé... Le vieux et son âne ont continué leur route, le soldat est resté sur le chemin, lui.

— Ce n'était peut-être pas le même...

On ne doit pas verser le sang... Sinon, ensuite on passe tout son temps à tirer sur le vieux et l'âne qu'on a tués la veille...

Finie la guerre. On est restés vivants, on est rentrés. Maintenant, on fait le bilan... »

Un capitaine d'artillerie.

« Je restais là, près du cercueil à demander :

— Qui est là-dedans ? Est-ce bien toi, mon petit ? Est-ce bien toi ?

Je ne répétais que ça. Tout le monde croyait que j'étais devenue folle.

Plus tard, j'ai voulu savoir comment mon fils était mort. Je me suis adressée au bureau de recrutement :

— Racontez-moi comment mon fils est mort. Où est-ce arrivé ? Je ne crois pas qu'il ait été tué. J'ai l'impression d'avoir enterré une caisse de fer et que mon fils est toujours vivant.

Le commandant du bureau s'est énervé, il a même crié :

— C'est confidentiel ! Et vous qui passez votre temps à raconter à tout le monde que votre fils est mort. Cela ne doit pas être divulgué.

... J'ai souffert pendant vingt-quatre heures au moment de l'accouchement. Quand j'ai su que c'était un garçon, les douleurs se sont arrêtées : je n'avais pas souffert pour rien. Dès les premiers jours, j'ai tremblé pour lui, je n'avais personne d'autre au monde. Nous vivions dans un baraquement : dans la pièce, il y avait mon lit, le landau et deux chaises. J'étais aiguilleuse aux chemins de fer, je touchais un salaire de soixante roubles. Après mon retour de l'hôpital, j'ai repris mon tour de nuit. J'emmenais le landau au travail. J'emportais un réchaud électrique, je donnais à manger au petit et pendant que je m'occupais des trains, il dormait. Quand il est devenu un peu plus grand, j'ai commencé à le laisser seul à la maison. Je l'attachais à un pied du lit et je partais pour la journée. C'est devenu un gentil garçon.

Il est entré dans une école technique du bâtiment à Petrozavodsk. Un jour je suis allée lui rendre visite, il m'a embrassée et il est parti je ne sais où. J'étais même vexée. Et puis il est revenu en souriant :

— Il y a des filles qui vont venir.

— Quelles filles ?

Il était allé se vanter auprès des filles que sa mère était arrivée et il les avait appelées pour qu'elles viennent voir à quoi je ressemblais.

Personne ne m'avait jamais fait de cadeaux. Un 8 mars [1], il venait en vacances, je l'accueille à la gare :

— Donne, mon petit, je vais t'aider à porter.

— Le sac est lourd, maman. Prends plutôt mon rouleau à dessins. Mais attention, parce qu'il y a des dessins dedans.

Je le porte comme il m'a dit et il me surveille. Quels dessins pouvait-il y avoir là-dedans ? Arrivé chez nous, il enlève son manteau, je file à la cuisine pour surveiller mes petits pâtés. Et puis je lève la tête : je le vois qui me tend trois tulipes rouges. Comment se les était-il procurées dans le Nord ? Il les avait enveloppées dans un chiffon et glissées dans le rouleau à dessins pour qu'elles ne gèlent pas. Personne ne m'avait jamais offert de fleurs.

En été, il est parti sur des chantiers. Il est rentré juste pour mon anniversaire :

— Maman, excuse-moi de ne pas t'avoir souhaité bon anniversaire. Mais regarde, je t'ai apporté quelque chose...

1. Journée internationale des femmes et fête importante en URSS. *(N.d.T.)*

Et il m'a montré un avis de mandat. Je lis :

— Douze roubles, cinquante kopecks.

— Maman, tu as perdu l'habitude des grands nombres. C'est mille deux cent cinquante roubles qu'il faut lire...

— Je n'ai jamais eu dans les mains une somme pareille, je ne sais même pas comment on l'écrit.

Il était ravi :

— Maintenant, tu vas pouvoir te reposer et c'est moi qui vais travailler. Je gagnerai beaucoup d'argent. Tu te souviens, quand j'étais petit, je t'ai promis de te porter quand je serais grand ?

C'était vrai. Il était devenu très grand : un mètre quatre-vingt-seize. Et il me portait comme une petite fille. Si nous nous aimions tant, c'est probablement parce que nous étions seuls au monde. Je ne sais pas comment j'aurais fait pour le laisser à une femme. Je ne l'aurais pas supporté.

Il a reçu sa convocation pour l'armée. Il voulait qu'on le prenne dans les paras :

— Maman, on recrute des parachutistes. Mais ils m'ont dit qu'ils ne pourraient pas me prendre, parce qu'avec ma force, je vais leur casser toutes les suspentes des parachutes. C'est dommage, ils ont de si beaux bérets rouges...

Mais il a finalement été incorporé au régiment de parachutistes de Vitebsk. Je suis venue le voir au moment du serment. Je l'ai à peine reconnu : il s'était redressé, il n'était plus gêné par sa taille.

— Maman, pourquoi es-tu si petite ?

J'essayais encore de plaisanter :

— Parce que tu me manques et que ça m'empêche de grandir.

— Maman, on nous envoie en Afghanistan, mais ils ne veulent toujours pas de moi. Pourquoi ne m'as-tu pas fait une petite sœur, on m'aurait pris...

Quand ils ont prêté serment, il y avait beaucoup de parents. J'entends soudain :

— La maman de Jouravlev est-elle ici ? Venez féliciter votre fils.

Je m'approche de lui, je veux l'embrasser, mais il fait un mètre quatre-vingt-seize, impossible de l'atteindre.

Son commandant lui dit :

— Soldat Jouravlev, baissez-vous pour que votre maman puisse vous embrasser.

Il s'est baissé, m'a embrassée et quelqu'un nous a photographiés à ce moment-là. C'est sa seule photo militaire.

Ensuite on lui a donné quartier libre pour quelques heures et nous sommes allés au parc. Nous nous sommes assis dans l'herbe. Il a ôté ses bottes, il avait les pieds en sang. Ils avaient fait une marche-commando de cinquante kilomètres, mais on lui avait donné des bottes du quarante-quatre parce qu'ils n'en avaient pas du quarante-six. Il ne se plaignait pas, au contraire :

— Nous devions courir avec des sacs à dos remplis de sable. Devine à quelle place j'étais à l'arrivée ?

— Sûrement le dernier, à cause de tes bottes.

— Non, maman, j'étais le premier. J'ai enlevé mes bottes pour courir et je n'ai pas vidé mon sable comme d'autres.

J'avais envie de faire quelque chose d'exceptionnel pour lui :

— Mon petit, si on allait au restaurant ? Nous n'y sommes jamais allés ensemble.

— Maman, achète-moi plutôt un kilo de bonbons. Ce serait un excellent cadeau !

Nous nous sommes séparés avant la descente des couleurs. De loin, il a agité son paquet de bonbons pour me dire au revoir.

Nous, les parents, on nous a installés dans le gymnase de l'unité, sur des matelas. Mais nous ne nous sommes pas couchés avant l'aube parce que pendant toute la nuit, nous avons tourné autour de la caserne où dormaient nos gosses. Quand le clairon a sonné, je me suis hâtée de me lever : on allait les emmener faire leur gymnastique, j'aurais peut-être une chance de le revoir, même de loin. Ils ont fait leur footing, tous en maillots rayés identiques, je ne l'ai pas reconnu. Ils faisaient tout en colonne, le footing, et pour aller aux toilettes aussi. On ne leur permettait pas d'y aller seuls parce que, quand les gars ont appris qu'on les envoyait en Afghanistan, il y en a un qui s'est pendu aux toilettes, deux autres qui se sont coupé les veines. On les surveillait.

Quand nous sommes montés dans l'autocar, j'étais la seule à pleurer parmi les parents. Quelque chose me disait que je le voyais pour la dernière fois. Bientôt il m'a écrit : « Maman, j'ai vu votre autocar, j'ai couru comme un fou pour te revoir. » Pendant qu'on était dans le parc avec lui, une radio jouait la chanson « Quand ma mère me faisait ses adieux [1] ». Maintenant quand je l'entends...

Sa seconde lettre commençait par les mots : « Un bonjour de Kaboul... » Quand j'ai lu ça, je me suis mise à crier si fort que les voisins ont accouru. « Où est la loi ? Qui nous protégera ? » Je me tapais la tête contre la table. « C'est mon fils unique ! Même au temps des tsars, on ne prenait pas les soutiens de famille dans l'armée. Et lui, on l'envoie à la guerre. » Pour la première fois depuis la naissance de Sacha, j'ai regretté de ne pas m'être mariée : il n'y avait personne pour me défendre. Parfois Sacha me taquinait :

— Maman, pourquoi ne te maries-tu pas ?

1. Chanson de propagande de la guerre civile, où un soldat mobilisé explique à sa famille (et notamment à sa mère) qu'elle manque de conscience politique en pleurant son départ. *(N.d.T.)*

— Parce que tu serais jaloux.

Il riait et ne répondait rien. Nous avions l'intention de vivre très longtemps ensemble.

Il m'a écrit encore plusieurs lettres et puis plus rien. Son silence a duré si longtemps que je me suis adressée au commandant de son unité. Aussitôt Sacha m'a écrit : « Maman, n'écris plus au commandant, si tu savais le savon qu'il m'a passé. Je ne pouvais pas t'écrire, parce que j'ai été piqué à la main par une guêpe. Je ne voulais pas non plus demander à quelqu'un d'autre d'écrire à ma place, tu aurais eu peur en voyant une écriture inconnue. » Il voulait m'épargner et inventait des fables, comme si je ne regardais pas la télévision tous les jours pour deviner aussitôt qu'il avait été blessé. Désormais s'il se passait une journée sans lettre, mes jambes se dérobaient sous moi. Il se justifiait : « Comment veux-tu que mes lettres arrivent tous les jours si même l'eau ici, on ne nous l'amène qu'une fois tous les dix jours ? » Une de ses lettres était joyeuse : « Hourra ! Nous avons accompagné une colonne qui partait en Urss. On l'a suivie jusqu'à la frontière, on ne nous a pas laissés continuer, mais au moins nous avons pu voir notre pays de loin. C'est la plus belle terre du monde. » Et dans sa dernière lettre : « Si je reste vivant cet été, je rentrerai. »

Le 29 août je me suis dit que l'été était fini : je lui ai acheté un costume, des chaussures. Tout ça, c'est resté dans l'armoire...

Le 30 août. Avant d'aller au travail j'ai enlevé mes boucles d'oreilles et ma bague. Je ne sais pas pourquoi, je ne pouvais pas les porter ce jour-là.

Il est mort le 30 août...

Si je suis restée en vie après la mort de mon fils, je le dois à mon frère. Il est resté une semaine, toutes les nuits, à mon chevet, comme un chien de garde... Parce que je n'avais qu'une chose en tête, c'était courir jusqu'au balcon et sauter du sixième étage... Je me rappelle que lorsqu'on a apporté le cercueil dans la pièce, je me suis couchée dessus et je n'en finissais pas de le mesurer, avec mes mains : un mètre, deux mètres... C'est que mon fils faisait deux mètres... Je mesurais pour voir si le cercueil correspondait bien à sa taille...

Je parlais à son cercueil comme une folle : « Qui est là ? Est-ce toi, mon petit ?... Qui est là ? Est-ce bien toi, mon petit ?... » Ils me l'ont ramené dans un cercueil fermé : voilà, mère, nous te l'avons rapporté... Je ne pouvais même pas l'embrasser une dernière fois... le caresser... Je ne savais même pas comment il était vêtu...

Je leur ai dit que je choisirais moi-même sa place au cimetière. On m'a fait deux piqûres et j'y suis allée avec mon frère. Dans l'allée centrale, il y avait déjà des tombes « afghanes ».

— Mon petit garçon aussi, vous le mettrez ici. Il sera plus content d'être avec ses copains.

Il y avait un chef avec nous, je ne me rappelle pas qui, il a secoué la tête :

— On n'a pas le droit de les enterrer ensemble. On les disperse dans tout le cimetière...

Oh, que je suis devenue méchante, que je suis devenue méchante. « Il ne faut pas t'aigrir, Sonia, il ne faut pas t'aigrir », me suppliait mon frère. Mais comment être gentille après ça ? À la télévision, on a montré leur Kaboul... J'aurais bien pris une mitrailleuse et tiré dans le tas... Je me plantais devant le poste et « je tirais »... Ce sont eux qui ont tué mon Sacha... Et puis un jour ils ont montré une vieille femme... Sûrement une mère afghane... Elle m'a regardée droit dans les yeux... Je me suis dit : « Mais elle doit avoir un fils là-bas, on l'a peut-être tué, lui aussi. » Après l'avoir vue. j'ai cessé de « tirer ».

Je pourrais peut-être adopter un petit garçon de l'orphelinat... Un blondinet comme Sacha... Non, j'ai peur de prendre un garçon... Une fille, c'est mieux... Un garçon, on me le prendra, on me le tuera... Nous attendrons Sacha ensemble... Je ne suis pas folle, mais je l'attends toujours... On raconte une histoire... Il paraît qu'on a apporté un cercueil à une mère, elle l'a enterré... Et un an après il lui revient vivant, il n'avait été que blessé... La mère a eu une crise cardiaque... Moi, j'attends... Je ne l'ai pas vu mort... Je ne l'ai pas embrassé... Je l'attends... »

Une mère.

« Je ne vais pas commencer par le commencement. Je commencerai par le moment où tout s'est écroulé.

On était allés à Jalalabad... J'ai vu une petite fille au bord de la route, elle avait peut-être sept ans... Elle avait la main cassée qui pendait à un fil comme celle d'une poupée de tissu... Des yeux comme des olives qui me regardaient fixement... J'ai sauté du camion pour la prendre dans mes bras, la porter à nos infirmières... Elle était terrorisée, comme une petite bête sauvage, elle s'est enfuie en criant, avec sa main libre qui ballottait, j'avais l'impression qu'elle allait se détacher... Moi aussi je me suis mis à courir et à crier... Je la rattrape, je la serre contre moi, je la caresse... Elle mord et griffe, et tremble de la tête aux pieds... Comme si j'étais un fauve, pas un homme... Alors j'ai été frappé par cette pensée, ça m'a foudroyé : elle ne croyait pas que je voulais l'aider, elle croyait que je voulais la tuer...

Des hommes sont passés devant nous en portant un brancard avec une vieille Afghane souriante assise dessus.

— Où a-t-elle été blessée ? a demandé quelqu'un.

— Au cœur.

Quand je partais là-bas, mes yeux brillaient comme ceux des autres : je croyais qu'on avait besoin de moi. Besoin de moi !... Si vous aviez vu comme elle me fuyait... Comme elle tremblait... Comme elle avait peur de moi... Je ne l'oublierai jamais...

Là-bas, je ne voyais jamais la guerre en rêve. Ici, je passe mes nuits à me battre. Je rattrape cette petite fille... Avec ses yeux comme des olives... Cette main qui pend, qui va se détacher...

J'ai dit à d'autres gars qui revenaient aussi d'Afghanistan qu'il faudrait que j'aille voir un psychiatre.

— Pourquoi ?

— Je me bats.

— Nous nous battons tous...

Ne croyez pas que c'étaient des supermen... De ceux qui, assis sur des cadavres, la cigarette au bec, ouvrent des boîtes de singe... Bouffent des pastèques... Sottises ! C'étaient des gars ordinaires. N'importe qui aurait pu se trouver à leur place. Quant à ceux qui nous jugent aujourd'hui, comme quoi nous avons tué... J'ai envie de leur flanquer mon poing dans la gueule ! Ils n'y sont pas allés, eux... Ils ne savent pas ce que c'est... Ils n'ont pas le droit de juger ! Vous ne pourrez jamais vous aligner sur nous. Personne n'a le droit de nous juger. Seulement Sakharov... Lui, je l'écouterai... Personne ne veut comprendre cette guerre, on nous a abandonnés seul à seule avec elle. Qu'on se débrouille, en somme. C'est nous les coupables, c'est à nous de nous justifier... Aux yeux de qui ? On nous y a envoyés. Nous avons cru ce qu'on nous a dit. Nous nous sommes fait tuer pour ça. On n'a pas le droit de nous mettre sur le même plan que ceux qui nous y ont envoyés. J'ai perdu un ami... Le commandant Sacha Krivetz... Allez donc dire à sa maman qu'il était coupable... Dites-le à sa femme... À ses enfants... C'est vous qui nous avez envoyés là-bas... Le médecin m'a dit : « Vous, ça va bien, tout est normal. » Normaux, nous ? ! Avec tout notre bagage ?...

Là-bas nous ressentions la Patrie tout autrement qu'ici. On l'appelait l'Urss. Quand les libérables partaient, on leur disait :

— Vous saluerez l'Urss de notre part.

On croyait être protégés par un grand pays très fort qui nous défendrait au besoin. Mais je me rappelle, un soir que nous sommes revenus d'un combat avec des morts et des blessés graves, nous avons mis la télé pour nous changer les idées, pour savoir ce qui se passait en Urss. Nous avons appris qu'en Sibérie on avait construit une nouvelle usine géante... Que la reine d'Angleterre avait reçu à déjeuner un invité de marque... Qu'à Voronej, des adolescents avaient violé deux écolières, par désœuvrement... Qu'en Afrique un prince avait été assassiné... Nous avons senti tout à coup que personne n'avait besoin de nous, que le pays s'occupait de ses propres problèmes...

Le premier à craquer, ça a été Sacha Koutchinski :

— Ferme la télé ! Sinon je tire dessus.

Après chaque combat, on fait son rapport par radio :

— Notez : six « 300 », quatre « 021 ».

Les « 300 », ce sont les blessés, les « 021 », ce sont les morts.

Quand on regarde les morts, on pense à leurs mères et on se dit : moi, je sais déjà qu'il s'est fait tuer, mais elle, ne le sait pas encore. Est-ce qu'elle a senti quelque chose ? C'est encore pire s'il est tombé dans une rivière ou un précipice et qu'on n'a pu retrouver son corps. Dans ces cas-là on dit à la mère : porté disparu... Si vous voulez le savoir, cette guerre, ça a été la guerre des mères. Ce sont elles qui l'ont faite. Le peuple n'a pas souffert, lui. Il ne savait rien. On lui disait que nous pourchassions des

« bandes ». Une armée régulière de cent mille hommes qui en neuf ans n'a pas pu venir à bout de quelques poignées de « bandits » ! Une armée équipée des moyens les plus modernes... Il n'est pas bon d'être pris pour objectif par notre artillerie quand les « Grad » et les « Ouragan » vous bombardent... Ça fait voler les poteaux télégraphiques... On n'a qu'une envie, c'est de rentrer sous terre comme un ver. Les « bandits », eux, n'ont que des mitrailleuses « Maxim », de celles qu'on voit dans les vieux films... Les « Stinger » et les canons japonais sans recul, c'est venu après... Quand on faisait des prisonniers, on s'étonnait de voir ces gens maigres, épuisés, avec de grandes mains de paysans... Des bandits, ça ? C'était le peuple !

Là-bas, nous avons compris que les Afghans n'avaient pas besoin de ça. Et nous alors ? Vous passez devant des *kichlaks* abandonnés... Ça sent encore le feu, la cuisine... Vous voyez un chameau qui avance en traînant ses boyaux derrière lui comme s'il dévidait ses bosses... Il faut l'achever... Mais on est quand même programmé pour une vie civile : on n'arrive pas à l'achever... Pourtant, certains tiraient même sur des chameaux valides. Comme ça, pour rien ! Par connerie. En Urss ça lui vaudrait d'être coffré, ici il passe pour un héros : il se venge des bandits. Pourquoi les gars de dix-sept, dix-neuf ans peuvent-ils tuer plus facilement que des hommes de trente ans ? Parce qu'ils n'éprouvent pas de pitié. Après la guerre, j'ai découvert à mon grand étonnement que les contes d'enfants étaient très cruels. Il y a tout le temps quelqu'un qui tue. Baba-Yaga, par exemple, fait même rôtir une petite fille dans un four. Mais ça ne fait pas peur aux enfants. Ils pleurent très rarement.

Pourtant, j'avais envie de rester normal. Un jour on a reçu la visite d'une chanteuse. Une belle femme, avec des chansons qui vous remuent l'âme. Là-bas, on manquait tellement de femmes qu'on l'attendait comme on attend un proche. Une fois sur scène, elle nous dit :

— Quand je suis venue ici, on m'a laissée tirer à la mitrailleuse. Ce que ça m'a fait plaisir !

Puis elle s'est mise à chanter et au moment du refrain, elle demande :

— Allez, les gars, battez tous des mains ! Allez-y !

Personne ne l'a fait. On se taisait. Elle est partie. Un concert raté. Une supernana qui venait voir des supermen. Alors que dans les casernes, il y avait dix à vingt lits qui se libéraient par mois... Leurs anciens occupants étaient déjà au frigo... Avec juste une lettre sur le drap... Une lettre de leur mère, de leur petite amie : « Porte-lui nos pensées, rapporte sa réponse... »

L'essentiel dans cette guerre, c'était de survivre. Éviter de sauter sur une mine, de brûler dans son blindé, de servir de cible à un snipper. Pour certains, c'était survivre, mais aussi rapporter quelque chose, un téléviseur, un manteau de mouton retourné... On blaguait en disant qu'en Urss, on savait qu'il y avait une guerre grâce aux magasins d'occasion... En hiver, à Smolensk, nos filles portaient des manteaux afghans. C'était la mode !

Chaque soldat avait une amulette à son cou. On demandait :

— Qu'est-ce que c'est ?

— C'est maman qui me l'a donnée pour me protéger.

Quand je suis rentré, maman m'a avoué :

— Tu sais, Tolia, c'est grâce à moi que tu es rentré sain et sauf, j'ai conjuré le sort avec un peu de terre.

Quand on partait en raid, on avait deux petits papiers sur soi, un dans la vareuse, l'autre dans le pantalon : si on sautait sur une mine, il en restait forcément un. Ou bien on portait des bracelets avec le nom, le groupe sanguin, le rhésus et le matricule d'officier gravés dessus. On ne disait jamais « j'irai », mais « on m'a envoyé ». On ne prononçait jamais le mot « dernier ».

— Tiens, si on y allait une dernière fois.

— T'es pas fou ? C'est un mot qui n'existe pas... On dit « quatrième », « cinquième »... C'est un mot qu'on n'emploie pas ici.

La guerre a des lois vicieuses. Si on se fait photographier ou si on se rase avant d'aller au combat, autant dire qu'on est mort. Les premiers tués, c'étaient ceux qui venaient chercher de l'héroïsme avec leurs yeux bleus innocents. J'en ai rencontré un : « Je serai un héros ! » Il n'a pas fait long feu. Pendant les opérations militaires, excusez-moi, on faisait ses besoins là où on était posté. C'est un proverbe de soldat : mieux vaut patauger dans sa propre merde que de se transformer en merde sur les mines. On a inventé tout un argot. Le « bord », c'est l'avion ; une « blinde », c'est le gilet pare-balles ; « la friche », c'est les buissons et les roseaux ; « une toupie », l'hélicoptère ; « j'ai vu des lustres », ça veut dire des hallucinations de drogué ; « il a fait la cabriole », il a sauté sur une mine... Il y en a tellement qu'on pourrait faire un dictionnaire « afghan ». On se faisait surtout tuer au début et à la fin du service. Les premiers mois parce qu'on était trop curieux, les derniers parce qu'on était moins vigilant : on devenait abruti, la nuit on se demandait où on était, qui on était, pourquoi on était là, si ce n'était pas un rêve. Les partants ont des insomnies pendant le mois ou les deux mois qui précèdent leur libération. Ils ont leur propre calendrier. Le 43 mars ou le 56 février, cela veut dire qu'ils auraient dû être remplacés à la fin du mois de mars ou du mois de février. Après on ne fait plus qu'attendre de toutes ses forces. Tout énerve. Le menu de la cantine, toujours le même (soit du « saumon » — des harengs à la sauce tomate — soit de l'« esturgeon » — des harengs à l'huile), ça énerve ; les parterres de fleurs tout neufs de la garnison, ça énerve ; les blagues qui vous faisaient rire aux larmes vous agacent. Qu'y a-t-il de drôle, par exemple, dans cette histoire qui nous plaisait tant :

Un officier en permission revient au pays. Il veut se faire couper les cheveux. La coiffeuse l'installe dans un fauteuil.

— Comment ça se passe en Afghanistan ?

— Ça se normalise...

Quelques minutes après :

— Comment ça se passe en Afghanistan ?

— Ça se normalise...

Encore quelque temps après :

— Comment ça se passe en Afghanistan ?

— Ça se normalise...

Il paye, il s'en va. Les autres coiffeurs demandent à la fille :

— Qu'est-ce qui t'a pris de le martyriser ?

— À chaque fois que je lui parlais de l'Afghanistan, ses cheveux se dressaient sur sa tête, c'était plus facile à couper.

Mais maintenant que je suis rentré au pays (ça fait trois ans), j'ai envie de retourner là-bas. Pas pour faire la guerre, pour revoir les gens. On a beau attendre son départ, mais le dernier jour on a le cœur gros, on voudrait prendre toutes les adresses. Toutes !

Un type comme Bouton d'or. C'était le surnom de Valerka Chirokov, un garçon fragile, fin. Il y avait toujours quelqu'un pour le taquiner : « Tes mains sont des boutons d'or... », comme dans la chanson. Mais il avait un caractère de fer, il ne disait jamais un mot de trop. On avait un radin qui passait son temps à accumuler, à acheter, à troquer tout ce qu'il pouvait. Valerka s'est planté devant lui, a sorti deux cents bons de son portefeuille, les lui a montrés puis les a déchirés en petits morceaux. Ensuite il est sorti sans rien dire, laissant l'autre complètement baba.

Ou encore Sacha Roudik. La nuit du Nouvel An, on était en raid. On a placé nos PM en faisceau, ça c'était le sapin, et on a accroché nos grenades en guise de guirlande. Sur le canon « Grad » on a écrit avec du dentifrice : « Bonne année !!! » avec trois points d'exclamation. Sacha dessinait bien. J'ai ramené chez moi un drap où il a peint un paysage avec un chien, une fillette et des érables. Il ne représentait jamais les montagnes, parce que nous les avions prises en grippe. On pouvait demander à n'importe qui de quoi il rêvait, c'était toujours d'aller dans une forêt, de se baigner dans une rivière, de boire un grand verre de lait... Au restaurant, à Tachkent, une serveuse nous a demandé si on voulait du lait.

— Deux verres d'eau plate chacun. Le lait, ce sera pour demain. On vient juste d'arriver...

Quand on revenait d'Urss, on apportait toujours une valise pleine de confitures et de bouquets de branches de bouleau[1]. Pourtant on peut acheter sur place des branches d'eucalyptus, quoi de mieux ! Mais non, on rapportait du bouleau...

Sacha Lachouk. Un garçon très pur. Il écrivait souvent chez lui. « Mes parents sont bien vieux, disait-il. Ils ne savent pas que je suis là, je leur fais croire que je suis en Mongolie. » Il est arrivé avec une guitare et il est reparti avec elle pour tout bagage.

Il y avait toutes sortes de gens là-bas, n'allez pas vous imaginer que nous étions tous pareils. Parce qu'au début, on a fait le silence sur notre compte, ensuite on nous a tous représentés comme des héros et maintenant on nous dénigre pour mieux nous oublier. Là-bas, il y avait des gars capables de se jeter sur une mine pour sauver des

1. On s'en sert dans les étuves russes pour se fouetter le sang. *(N.d.T.)*

soldats qu'ils ne connaissaient même pas. Il y en avait d'autres qui pouvaient venir vous trouver et vous proposer de faire votre lessive, pourvu qu'on ne les envoie pas au combat.

On voyait passer des « Kamaz » avec des soldats qui portaient en grosses lettres sur leurs casquettes : Kostroma, Doubna, Leningrad, Naberejnye Tchelny... Ou encore : « Je veux rentrer à Alma-Ata ! » Les Leningradois retrouvaient des Leningradois, les Kostromiens retrouvaient des Kostromiens... Ils s'embrassaient comme des frères. En Urss aussi, nous sommes restés frères. Quand on voit un jeune avec une béquille qui arbore une décoration, on sait que c'est un *Afghanets.* Ça ne peut être qu'un des nôtres. Mon frère... Notre frère... On s'embrasse, ou on s'assied sur un banc, le temps d'une cigarette, mais on a l'impression d'avoir parlé toute la journée. On fait tous une espèce de dystrophie... Là-bas c'était un déséquilibre entre la taille et le poids... Ici c'est un trop-plein de sentiments qui ne peuvent déboucher sur des paroles ou des actes...

Nous étions déjà en route pour l'hôtel, après l'aéroport. C'étaient nos premières heures sur le sol natal. On ne disait plus rien, on était tendus. Soudain, nous avons tous craqué en même temps, nous avons tous crié d'une seule voix au conducteur de l'autocar :

— L'ornière ! Reste dans l'ornière, voyons !...

Et puis on a éclaté de rire, tout heureux ; on s'est rappelé qu'on était en Urss ! Le chauffeur pouvait rouler sur le bas-côté, dans l'ornière, où il voulait, puisque c'était notre terre... Cette pensée nous soûlait...

Quelques jours après, on a fait une découverte :

— Les gars ! Nous avons tous le dos voûté...

Parce que nous avions désappris à rester droit. Pendant six mois je me suis attaché toutes les nuits à mon lit pour redresser mon dos.

À une rencontre à la Maison des officiers, on nous a posé des questions idiotes du genre : « Parlez-nous des aspects romantiques du service en Afghanistan. » « Vous est-il arrivé personnellement de tuer quelqu'un ? » C'étaient surtout les filles qui aimaient les questions sanguinaires. Leur vie est plutôt terne, ça leur chatouille les nerfs. Mais personne n'aura l'aplomb de poser des questions sur l'aspect romantique de la Grande Guerre patriotique ! C'est qu'à l'époque, il y avait tous les âges, la guerre avait mobilisé les fils, les pères, les grands-pères. Tandis qu'en Afghanistan, il n'y avait que des gamins. Aveugles et enthousiastes. J'en ai vu, de ces gars qui voulaient goûter à tout. Au meurtre, à la peur, au haschisch. Les uns, ça les faisait planer, les autres flippaient : un buisson devenait un arbre, une pierre était une colline, quand ils marchaient, ils levaient les pieds deux fois trop haut. Ils avaient encore plus peur.

Et puis cette question-là aussi : « Est-ce que vous auriez pu refuser d'aller en Afghanistan ? » Moi ? Écoutez... Il y en a un qui a refusé chez nous, c'est le commandant Bondarenko, il commandait une batterie :

— J'irai défendre la Patrie quand il le faudra. Mais je n'irai pas en Afghanistan.

Premièrement, il a été jugé par un tribunal d'honneur et condamné pour lâcheté ! Faire subir ça à mon amour-propre ? Mieux vaut une balle dans la tête ou une corde autour du cou. Deuxièmement, on l'a dégradé ou, comme on dit chez nous, on lui a écorné son étoile : il est devenu capitaine. Ensuite on l'a envoyé dans un bataillon de construction [1]. Subir ça aussi ? On l'a vidé du parti. Chassé de l'armée. Et ça aussi ? Un vieux de la vieille, il avait vingt ans de service actif derrière lui.

1. Bataillons employés uniquement pour des chantiers, dépourvus d'armes et ressentis comme quasi déshonorants. *(N.d.T.)*

On demande à un officier :

— Qu'est-ce que tu sais faire ?

— Commander une compagnie. Commander une section, une batterie.

— Et qu'est-ce que tu peux faire encore ?

— Je peux creuser.

— Et quoi encore ?

— Je peux ne pas creuser...

Subir ça aussi ?

... À la douane, on m'a effacé des cassettes où j'avais enregistré un concert de Rosenbaum[1].

— Que faites-vous, les gars ?

— Nous avons une liste de ce qui est interdit.

J'arrive à Smolensk, on entend du Rosenbaum à toutes les fenêtres des foyers étudiants...

Maintenant, quand il faut faire peur aux racketteurs, la milice vient nous trouver :

— Les gars, aidez-nous...

Ou pour disperser une manifestation des « informels » :

— Allons chercher les *Afghantsy*...

Autrement dit, l'*Afghanets* est une machine à tuer, il est capable de n'importe quoi : tout dans les poings, rien dans la tête. On le craint. Personne ne l'aime.

Quand vous avez mal à la main, vous ne la coupez pas, vous la soignez jusqu'à ce qu'elle guérisse.

Pourquoi nous nous réunissons ? Pour tenir le coup ensemble. Mais quand je rentre chez moi, je suis toujours seul... »

Un commandant, propagandiste dans un régiment d'artillerie.

1. Chanteur et poète, très populaire. A gagné son succès par des canaux non officiels. *(N.d.T.)*

« On fait le même rêve toutes les nuits, on repasse le même film. Tout le monde tire et vous tirez aussi... Tout le monde court, vous courez aussi... On tombe et on se réveille... Sur son lit d'hôpital... Alors on veut sauter de son lit pour aller fumer dans le couloir. Et puis on se rappelle qu'on n'a plus de jambes... Retour à la réalité.

Je ne veux pas entendre parler d'erreur politique : je ne veux rien savoir ! Si c'était une erreur, rendez-moi mes deux jambes...

Ça vous est déjà arrivé de sortir des lettres de la poche d'un mort : « Ma chère... », « Mes chers... », « Ma chérie... » ? Vous avez déjà vu un soldat touché à la fois par une arquebuse à pierre et par un PM chinois ?...

On nous a envoyés là-bas, nous obéissions à un ordre. À l'armée, on doit commencer par obéir et on peut se plaindre après. On t'a dit : en avant ! Tu avances. Sinon tu rends ta carte du parti. Tu perds ton grade militaire. On a prêté serment ? Oui. Quand le vin est tiré il faut le boire. Maintenant on nous dit : « Personne ne vous a demandé d'y aller. » Personne ? Alors qui nous y a envoyés ?

J'avais un ami là-bas. À chaque fois que je partais au combat, il me disait adieu. Quand je rentrais, il m'embrassait parce que j'étais en vie ! Ici, je n'aurai jamais un ami comme lui...

Je sors rarement... Ça me gêne...

Vous avez déjà essayé nos prothèses ? Quand on marche avec, on a peur de se casser le cou. Il paraît que dans d'autres pays, les infirmes font du ski, jouent au tennis, dansent... On pourrait acheter ces prothèses au lieu d'acheter des produits de beauté français... Ou du sucre cubain... Ou des oranges du Maroc...

J'ai vingt-deux ans, j'ai toute ma vie devant moi. Je devrais chercher à me marier. J'avais une fiancée. Je lui ai dit que je la détestais pour qu'elle me quitte. Parce qu'elle avait de la pitié pour moi... J'aurais voulu qu'elle m'aime...

La nuit je rêve de ma maison natale,
D'une clairière parmi les sorbiers.
Je compte du coucou le cou-cou répété...
Il me promet cent ans de vie au total.

C'est une de nos chansons... Ma préférée... Mais parfois, je n'ai même pas envie de vivre un jour...

Pourtant j'en rêve encore aujourd'hui, j'aimerais revoir, même du coin de l'œil, cette terre étrangère... Ce morceau de désert biblique... Nous en avons tous la nostalgie... Ça nous attire, comme on est attiré par un précipice ou par la mer du haut d'une falaise... C'est une attirance qui donne le vertige...

La guerre est finie... À présent ils vont tout faire pour nous oublier, pour nous planquer le plus loin possible... C'est déjà ce qui s'est passé pour la guerre avec la Finlande... On a écrit un tas de livres sur la Grande Guerre patriotique, mais rien sur la guerre en Finlande... Notre peuple pardonne vite... Moi aussi, dans dix ans, je m'y serai fait, je m'en ficherai...

Si j'ai tué là-bas ? Oui. Parce que vous auriez voulu que nous restions des anges ? Vous vous attendiez à voir rentrer des anges ?... »

Un lieutenant, commandant d'une section
de tireurs de mortier.

« Je servais en Extrême-Orient. Un jour j'ai lu dans le journal du téléphoniste de service que le lieutenant Ivanov devait « se présenter à l'état-major de l'armée en vue de sa prochaine mutation dans la région militaire du Turkestan ». La date et l'heure. À vrai dire, je pensais qu'on m'enverrait à Cuba parce qu'on m'avait parlé d'un pays chaud à la visite médicale du conseil de révision.

— Pas d'objection si on vous envoie en mission à l'étranger ?

— Non.

— Vous irez en Afghanistan.

— À vos ordres.

— Vous le savez, là-bas c'est la guerre, on tire, il y a des morts...

— À vos ordres...

En Urss, la vie des sapeurs n'est pas gaie. On creuse des trous, on pioche... J'avais envie d'utiliser ce qu'on nous avait enseigné à l'école militaire. À la guerre, on a toujours besoin de sapeurs. J'y allais pour apprendre à faire la guerre.

De tous ceux qui avaient été convoqués, il n'y en a qu'un qui a refusé. On lui a demandé par trois fois :

— Acceptez-vous d'être envoyé en mission à l'étranger ?

— Non, je refuse.

Son sort est peu enviable. Il a aussitôt reçu un blâme, son nom est entaché et il n'aura pas d'avancement. Il a refusé à cause de son état de santé, il avait une gastrite ou un ulcère. Mais ce genre de choses n'entrait pas dans leurs considérations : qu'il fasse trop chaud ou non, du moment qu'on vous propose une mission, vous devez accepter. Les listes sont faites à l'avance...

J'ai mis six jours de train pour couvrir la distance de Khabarovsk à Moscou. À travers toute la Russie, les fleuves sibériens, le long du lac Baïkal. Au bout du premier jour, l'accompagnatrice du wagon n'avait plus de thé ; le lendemain, le ballon d'eau chaude est tombé en panne. J'ai retrouvé ma famille. On a pleuré. Mais à la guerre comme à la guerre...

... Quand on a ouvert la trappe, j'ai vu un ciel d'un bleu intense ; chez nous il n'est si bleu qu'au-dessus des fleuves. Il y avait du bruit, des cris, mais il n'y avait que les nôtres. Certains venaient accueillir la relève ou des amis, d'autres attendaient des colis d'Urss. Ils étaient tous bronzés, joyeux. Je n'arrivais pas à croire que quelque part, il pouvait faire moins trente-cinq, que même le métal et les blindages pouvaient geler. Le premier Afghan, je l'ai aperçu au transit, derrière les barbelés. Je n'ai rien ressenti de particulier, sauf de la curiosité.

J'ai été nommé à Baghran commandant d'une section du génie chargée des routes, dans un bataillon de sapeurs.

On se levait de bonne heure et on partait comme au travail : un tank équipé de fléaux, un groupe de snippers, un chien détecteur de mines et deux BMP pour la couverture. Les premiers kilomètres, on restait sur le blindage du char. Là-bas toutes les empreintes se voient bien, la route est couverte de poussière fine comme de la neige. Même un oiseau y laisse des traces. Si un char est passé ici la veille, il faut ouvrir l'œil : ils peuvent avoir enterré une mine dans la trace de la chenille. Ils refont le dessin de la chenille avec les doigts, puis effacent les empreintes de leurs pas avec un sac ou leur turban.

La route serpentait entre deux *kichlaks* morts, où il n'y avait plus personne, il n'y avait plus que de la glaise noircie par le feu. Un excellent abri pour une embuscade ! Il fallait rester sur le qui-vive. Une fois passés les *kichlaks*, on descendait du char. À présent l'ordre adopté était le suivant : le chien courait devant, suivi des sapeurs avec leurs détecteurs, qui avançaient et sondaient le sol. Dans cette affaire, on ne peut s'en remettre qu'à Dieu, à son intuition, à son expérience, à son flair. On aperçoit tantôt une branche cassée, tantôt un bout de ferraille qui n'étaient pas là la veille, tantôt une pierre. C'est qu'ils laissaient aussi des signes pour eux, pour ne pas sauter.

Un bout de fer, un autre... Un boulon... Comme s'ils étaient là par hasard... Mais sous terre, il y a des piles... Un fil qui conduit à la bombe ou à une caisse de trinitrotoluène... Une mine antichars ne réagit pas au poids d'un homme... Pour exploser, il lui faut de deux cent cinquante à trois cents kilos... Ma première explosion... Je suis resté seul sur le char, ma place était près du canon, j'ai été protégé par la tourelle, les autres ont tous été soufflés. Je me suis palpé, j'ai vérifié si ma tête était bien là, puis les bras, les jambes... Oui, tout y était, on pouvait continuer.

Devant nous, il y avait eu une autre explosion... Un tracteur blindé léger a sauté sur une puissante fougasse... Le tracteur s'est fendu en deux, le trou faisait trois mètres de long et il était profond comme la taille d'un homme. Le tracteur transportait près de deux cents obus pour un mortier... Les obus se sont éparpillés dans les buissons, sur les bas-côtés de la route, en éventail... Il y avait cinq soldats et un lieutenant ; le lieutenant, j'avais passé plusieurs soirées à fumer, à discuter avec lui... Personne n'est resté en vie... Nous avons ramassé ce que nous avons pu... Une tête couverte de poussière, tout écrabouillée, comme si elle n'avait pas d'os. On en a ramassé cinq caisses, le tout réparti également, pour qu'on puisse ramener quelque chose de chacun...

Les chiens nous aidaient beaucoup. Ils sont comme les hommes : il y en a qui sont doués, il y en a qui ne le sont pas ; certains ont de l'intuition, d'autres non. Une sentinelle peut s'endormir, pas un chien. Moi j'aimais Ars. Il était affectueux avec nos soldats mais il aboyait après les Afghans. L'armée afghane avait une tenue plus verte que la nôtre, qui tirait sur le jaune. Je me demande comment il faisait pour nous distinguer. Les mines, il les sentait à plusieurs pas... Il s'arrêtait net, dressait la queue : ne vous approchez pas ! Les pièges explosifs pouvaient être de toutes sortes... Le plus dangereux, c'étaient les mines artisanales parce qu'elles étaient à chaque fois différentes, on ne pouvait pas les reconnaître à des signes constants... Vous voyez une bouilloire rouillée : attention, elle est bourrée d'explosif... Ou bien un magnétophone, un réveille-matin... Des boîtes de conserve... Ceux qui se déplaçaient sans sapeurs étaient baptisés « crevards ». Il y avait des mines partout : sur les routes, sur les sentiers de montagne, dans les maisons... Les sapeurs marchaient toujours les premiers...

Cette fois, on était dans une tranchée... Il y avait eu là une explosion de mine, on avait déjà sondé le trou, tout le monde avait piétiné là-dedans depuis deux jours... Je saute dans la tranchée : ça pète ! Je n'ai pas perdu connaissance... J'ai levé les yeux : le ciel était clair... Quand ils sautent, les sapeurs ont pour premier réflexe de regarder le ciel pour savoir si leurs yeux n'ont rien eu. J'attachais toujours un garrot sur la crosse de mon PM, c'est lui qu'on m'a posé. Au-dessus du genou... Je savais déjà qu'on vous amputait exactement à l'endroit du garrot, trois ou cinq centimètres plus haut que la blessure. J'ai crié au soldat :

— Mais où mets-tu ce garrot ?

— C'est jusqu'au genou, camarade lieutenant.

On m'a emmené au bataillon de santé, à quinze kilomètres de là. Ensuite on m'a nettoyé la blessure, on m'a mis sous anesthésique. Le premier jour, on m'a coupé la jambe, la scie faisait le bruit d'une scie circulaire ; j'ai perdu connaissance. Le lendemain on m'a opéré les yeux. Au moment de l'explosion j'ai reçu les flammes dans la figure. On peut dire que mes yeux ont été rapiécés : vingt-deux sutures. On me les enlevait à raison de deux ou trois par jour, pour que le globe oculaire ne tombe pas en morceaux. À chaque fois, ils me faisaient des signaux avec une petite lampe, à gauche, à droite, pour vérifier que je percevais bien la lumière, que la rétine était en place.

La lumière de la lampe était rouge.

Je pourrais écrire une nouvelle : l'histoire d'un officier devenu travailleur à domicile. Il assemble des douilles, des prises électriques... Cent par jour... Ferre des lacets... Des lacets rouges, noirs ou blancs, il n'en sait rien... Il ne les voit pas... Diagnostic : cécité totale... Il tresse des filets à provisions... Il colle des petites boîtes... Autrefois je croyais qu'on ne faisait faire ce genre de travail qu'aux malades mentaux... Trente filets par jour... Il arrive déjà à remplir sa norme...

Les sapeurs avaient peu de chances de rentrer indemnes, ou même de rentrer tout court, surtout lorsqu'ils faisaient partie des compagnies de déminage. Ils étaient ou blessés ou tués. Quand on partait pour des opérations, on ne se serrait pas la main. Le jour où j'ai sauté, le nouveau commandant de la compagnie m'avait serré la main. C'était de bon cœur, personne n'avait eu le temps de l'avertir. Du coup j'ai sauté... Croyez-le si vous voulez. On croyait aussi que si on avait demandé soi-même à venir en Afghanistan, ça ne pouvait pas bien se terminer. Par contre, si on vous y avait envoyé, c'était affaire de service, on avait des chances de rentrer.

Cinq ans ont passé. Qu'est-ce que je vois en rêve ? Un long champ de mines... Je dresse un inventaire : le nombre de mines, le nombre de rangées, les repères pour les retrouver... Et puis je perds la feuille... Et c'était vrai, on les perdait souvent, ou encore c'étaient les repères qui disparaissaient : un arbre qui avait brûlé, un tas de pierres qui avait sauté... Personne n'allait vérifier... On avait trop peur... Alors on sautait sur nos propres mines... Dans mon rêve, je vois des enfants courir près de mon champ de mines... Personne ne sait que c'est miné... Je dois crier : « Attention, n'y allez pas ! C'est miné !... » Je dois rattraper les enfants... Je cours... J'ai retrouvé mes deux jambes... Et je vois, mes yeux voient de nouveau... Mais c'est seulement la nuit, en rêve. Je me réveille... »

Un lieutenant, sapeur.

« C'est peut-être absurde, surtout dans ce cas précis, dans le contexte de cette guerre. Mais je suis une romantique, je n'aime pas la vie mesquine, le culte des choses. Dès mon premier jour là-bas, le chef de l'hôpital m'a demandé ce que j'étais venue faire ici. J'ai dû lui raconter toute ma vie. À un homme que je ne connaissais pas... À un militaire... Comme si j'étais sur la place publique... C'était le plus pénible, le plus humiliant pour moi. Il n'y avait rien de secret, rien d'intime, tout était traîné au grand jour. Vous avez vu le film *Au-delà des limites* ? Ça parle de la vie des détenus dans un camp. Nous avons vécu selon les mêmes lois qu'eux... Les mêmes barbelés, le même carré de terre...

Mon entourage, c'étaient les serveuses, les cuisinières. Elles ne parlaient que de roubles, de bons, de viande avec os ou sans os, de saucisson fumé, de biscuits bulgares. Alors que dans mon esprit, les femmes étaient là pour se sacrifier. Elles devaient protéger, sauver nos soldats ! J'avais des pensées élevées. Les hommes perdaient leur sang, je devais donc donner le mien. Pourtant dès mon transit à Tachkent, j'avais compris que je m'étais trompée d'adresse. Quand je suis montée dans l'avion, je me suis mise à pleurer sans pouvoir m'arrêter. Je retrouvais là-bas ce que j'avais fui ici, ce que je ne voulais plus voir. Au transit, la vodka coulait à flots. « On rêve de l'herbe sur le cosmodrome... Une herbe verte, très verte... » J'aurais voulu m'envoler dans l'espace... Ici, en Urss, chacun a sa maison, sa forteresse... Tandis que là-bas... Nous étions quatre par chambre. Celle qui était cuisinière rapportait de la viande de la cantine et la cachait sous son lit... Un jour elle me fait :

— Va laver le plancher.

— Je l'ai déjà lavé hier, aujourd'hui c'est ton tour.

— Lave-le, je te donnerai cent roubles...

Je n'ai rien répondu.

— Je te donnerai de la viande.

J'ai continué à me taire. Alors elle a pris le seau d'eau et me l'a versé sur le lit.

— Ha-ha-ha-ha...

Et les autres ont ri aussi.

Une autre fille, une serveuse. Elle jurait comme un charretier mais elle aimait bien Tsvetaïeva[1]. Une fois son travail terminé, elle se mettait à faire des réussites :

— L'aurai, l'aurai pas... L'aurai, l'aurai pas ?

— À quoi penses-tu ?

— L'amour, pardi !

Pourtant, il y avait des mariages là-bas. Des vrais. De l'amour aussi. Mais c'était rare. L'amour, ça s'arrêtait à Tachkent ; ensuite chacun repartait de son côté.

Tania « BTR » (elle était grande, corpulente) aimait rester tard à discuter. Elle ne buvait que de l'alcool pur.

— Comment fais-tu pour avaler ça ?

— Tu parles ! La vodka, c'est pas assez fort pour moi. Elle ne me fait aucun effet.

1. Marina Tsvetaïeva : une des grandes poétesses russes du XXe siècle. *(N.d.T.)*

Elle a rapporté avec elle cinq ou six cents cartes postales avec des photos d'acteurs de cinéma qui se vendaient très cher dans les *doukans*. Elle se faisait mousser :

— Quand il s'agit d'art, je ne regarde pas les prix.

Verotchka Kharkov, je me la rappelle assise devant la glace, la bouche ouverte, tirant la langue. Elle craignait la fièvre typhoïde. Quelqu'un lui avait dit qu'il fallait se regarder tous les jours dans la glace parce que quand on a la typhoïde, les dents laissent des marques sur la langue.

Elles ne m'acceptaient pas. Elles me prenaient pour une idiote qui ne s'intéressait qu'à ses tubes à essai pleins de microbes. J'étais médecin bactériologiste à l'hôpital des maladies infectieuses. Je ne parlais que de typhoïde, d'hépatite, de paratyphoïde, d'amibiase. Les blessés n'arrivaient pas tout de suite à l'hôpital. Ils passaient cinq ou dix heures, ou même un jour ou deux, dans les montagnes, sur le sable, à attendre. Les blessures étaient infectées. Le blessé était encore en réanimation que je lui trouvais déjà la typhoïde.

Ils mouraient en silence. Une fois seulement, j'ai vu un officier fondre en larmes. Un Moldave. Le chirurgien, un Moldave lui aussi, s'était approché de lui et lui avait demandé en moldave :

— De quoi vous plaignez-vous, mon ami ? Vous avez mal quelque part ?

L'autre s'est mis à pleurer :

— Sauvez-moi. Je dois vivre. J'ai une femme et une fille que j'aime. Je dois rentrer...

Il serait mort sans rien dire, mais il a pleuré parce qu'il a entendu sa langue maternelle.

Je ne pouvais pas aller à la morgue, cet endroit où l'on apportait de la viande humaine mêlée de terre. Sous les lits des filles aussi, il y avait de la viande... Elles posaient les poêles à frire sur la table : « Rouba ! Rouba ! » — cela veut dire « en avant » en afghan. Une chaleur... La sueur qui tombe dans la poêle... Je n'ai vu que des blessés et n'ai eu affaire qu'aux microbes... Je ne pouvais tout de même pas vendre des bactéries... Au magasin de la garnison, on pouvait acheter des caramels pour des bons. C'était mon rêve ! « L'Afghanistan, c'est ravissant ! » disait une chanson. Pour être franche, j'avais peur de tout là-bas... Quand je suis arrivée, je ne savais même pas distinguer le nombre d'étoiles sur les uniformes, les grades. Je disais « vous » à tout le monde. Je ne me rappelle plus qui, mais un jour, quelqu'un m'a donné deux œufs crus, à la cuisine de l'hôpital. Parce que les médecins étaient toujours affamés. On « marchait » à l'amidon de pomme de terre, à la viande congelée, stockée pour la guerre... Dure comme du bois... Incolore et inodore... J'étais bien contente de les avoir, ces œufs ! Je les ai enveloppés dans une serviette, je voulais les manger avec des oignons. Toute la journée, j'ai pensé à ce repas. Mais soudain j'ai vu un garçon sur une table roulante qu'on allait évacuer sur Tachkent. On ne voyait pas ce qu'il y avait sous le drap, seulement sa belle tête sur l'oreiller. Il a levé les yeux :

— J'ai faim.

C'était juste avant le déjeuner, on n'avait pas encore apporté les repas, et il allait partir en avion : allez savoir quand il mangerait maintenant.

— Tiens. — Je lui ai donné mes deux œufs et je suis repartie sans avoir demandé à personne s'il avait encore ses bras et ses jambes. Je les ai posés sur son oreiller. J'aurais pu les lui casser, le faire manger. Et s'il n'avait plus de mains ?

J'ai passé deux heures dans un camion avec des corps à côté de moi... Quatre cadavres... Ils étaient en tenue de sport...

Quand je suis rentrée au pays, je ne pouvais plus écouter de musique, discuter dans la rue ou dans le trolleybus.

J'aurais voulu m'enfermer dans ma chambre avec la télévision. La veille de mon départ, le responsable médical de notre hôpital, Youri Efimovitch Jibkov, s'était tiré une balle dans la tête... En Afghanistan, j'avais trouvé cette phrase chez un officier, je l'ai recopiée : « Un étranger à qui il adviendrait de se trouver en Afghanistan, serait un élu du ciel s'il en repartait sain et sauf, avec la tête sur les épaules... » C'est Fourier, un Français.

J'ai rencontré un jeune homme dans la rue, je me suis dit que ce devait être un *Afghanets*. Mais je n'ai pas osé l'interpeller pour ne pas paraître ridicule. Je suis douce de nature, mais quand j'y pense, là-bas je suis devenue une créature agressive, dure. À l'hôpital, quand on devait prononcer la sortie des gars, ils se cachaient dans les greniers, les caves... Il fallait les attraper, les traîner dehors. Et je le faisais... Au transit, des filles toutes jeunes m'expliquaient à qui il fallait donner une bouteille de vodka pour avoir une bonne place... Elles me faisaient la leçon, elles qui avaient entre dix-huit et vingt ans, alors que j'en avais quarante-cinq.

À la douane, quand nous sommes rentrés, on m'a forcé à me déshabiller complètement, j'ai même dû enlever mon soutien-gorge.

— Qui êtes-vous ?

— Médecin bactériologiste.

— Montrez-moi vos papiers. — Ils les ont pris. — Ouvrez vos valises. On va vous fouiller...

Je rapportais un vieux manteau, une couverture, un couvre-lit, des épingles à cheveux, des fourchettes... Tout ce que j'avais pris à l'aller. Ils ont tout étalé sur la table.

— Vous êtes folle, ou quoi ? Seriez-vous poète ?

Je n'en peux plus ici. C'est encore pire que là-bas. Là-bas, quand on revient d'Urss, on rapporte quelque chose à manger ou à boire, on invite les autres. Le troisième toast se fait en silence : c'est à la mémoire de ceux qui sont morts. Pendant qu'on est à table, des souris se promènent dans la chambre, se glissent dans les pantoufles. À quatre heures du matin, on entend des hurlements... La première fois, j'ai eu peur : « Les filles, des loups ! » Elles ont ri : « Mais non, c'est un mollah qui fait sa prière. » Pendant très longtemps, je me suis réveillée à quatre heures du matin.

Je n'avais pas envie que ça s'arrête. J'ai demandé à aller au Nicaragua. Quelque part où il y aurait la guerre. Je ne peux pas me résigner à cette existence. Mon âme ne la supporte pas. À la guerre, je me sens mieux. Tout y trouve une justification. Le bien comme les choses les plus terribles. Ça vous paraît invraisemblable ? Pourtant, c'est une pensée qui me vient bien souvent... »

Un médecin bactériologiste.

« C'est moi qui l'ai choisi. Quand j'ai vu ce grand et beau garçon, j'ai dit aux filles : « Il est pour moi, celui-là. » Je l'ai abordé et je l'ai invité à la « valse des dames », quand les jeunes filles invitent leurs cavaliers... C'était mon destin.

J'avais très envie d'un fils. On s'était mis d'accord que si c'était une fille, c'est moi qui déciderais du prénom : j'ai choisi Olia ; et si c'était un garçon, ce serait lui : il a choisi Artiom ou Denis. Finalement ça a été Olia.

— Mais j'aurai quand même un fils ?

— Oui. Il faut simplement qu'Olia grandisse un peu.

J'étais d'accord pour un garçon aussi.

Et puis un jour :

— Lioudotchka, n'aie pas peur surtout, sinon tu risquerais de ne plus avoir de lait... (Parce que j'allaitais la petite.) — On m'envoie en Afghanistan...

— Pourquoi ? Tu es père d'un bébé.

— Si ce n'est pas moi, ce sera un autre. « Le parti ordonne, le Komsomol répond présent. »

C'était un homme dévoué à l'armée. Il disait souvent : « On ne discute pas les ordres. » Sa mère avait beaucoup de caractère, et il avait été habitué à obéir, à se soumettre. C'est pourquoi l'armée ne lui posait pas de problèmes.

Les adieux ? Les hommes fumaient. Sa mère ne disait rien. Moi je pleurais : qui avait besoin de cette guerre ? La petite fille dormait dans son berceau.

Dans la rue, j'ai rencontré une simple d'esprit qu'on voyait souvent au marché ou dans les magasins de notre ville-garnison. On racontait qu'elle avait été violée dans sa jeunesse et que depuis, elle ne reconnaissait plus sa propre mère. Elle s'est arrêtée en me croisant :

— Tu verras, on te rapportera ton mari dans une caisse de zinc.

Elle s'est mise à rire et elle est partie en courant.

Je ne savais pas ce qui allait se passer, mais je sentais qu'il arriverait quelque chose.

Je l'ai attendu comme chez Simonov : « Attends-moi, je reviendrai [1]... » Il m'arrivait de lui écrire et de lui envoyer trois ou quatre lettres par jour. Il me semblait qu'en pensant à lui, en l'attendant, je le protégeais. Lui, il m'écrivait qu'à la guerre chacun faisait son travail, exécutait les ordres. À chacun son destin. Ne t'inquiète pas et attends-moi.

Quand j'allais chez ses parents, on ne parlait jamais de l'Afghanistan. Pas un mot. Ni sa mère, ni son père. On ne s'était jamais mis d'accord là-dessus, mais tout le monde craignait de prononcer ce mot.

1. Konstantin Simonov, écrivain et poète soviétique qui a consacré l'essentiel de son œuvre à la Seconde Guerre mondiale. Le poème cité fut particulièrement populaire. *(N.d.T.)*

... Un jour, j'habille la petite pour l'apporter à la maternelle. Je l'embrasse. J'ouvre la porte : je vois des militaires. L'un d'eux tient à la main la valise de mon mari, une petite valise marron que je lui avais préparée. Je ne sais ce que j'ai eu... J'ai pensé que si je les laissais entrer, ils apporteraient dans la maison quelque chose de terrible... Si je les en empêchais, tout resterait comme avant. Alors ils tirent la porte vers eux, ils veulent entrer, mais moi je la tire de mon côté pour les en empêcher...

— Il est blessé ?

J'avais encore l'espoir qu'il ne soit que blessé.

Le chef du bureau de recrutement est entré le premier :

— Ludmila Iossifovna, nous avons l'immense tristesse de vous annoncer que votre mari...

Je n'ai pas pleuré. J'ai crié. J'ai aperçu son ami, je me suis jetée vers lui :

— Tolik, si toi tu me le dis, je te croirai. Pourquoi tu ne dis rien ?

Il a fait venir le *praporchtchik* qui accompagnait le cercueil :

— Dis-lui, toi...

Le gars tremblait, il n'arrivait pas à parler.

Je vois arriver des femmes que je ne connais pas, qui se mettent à m'embrasser.

— Calme-toi. Donne-nous le numéro de téléphone de ses parents.

Je me suis assise et j'ai immédiatement dicté toutes les adresses de ses proches, tous les numéros de téléphone, des dizaines, je me les rappelais tous. Ils les ont vérifiés ensuite d'après l'agenda : c'était exact.

Nous avions un petit appartement, un studio. Ils ont placé le cercueil dans le club de l'unité. J'étreignais le cercueil, je criais :

— Pourquoi ? Tu n'as jamais fait de mal à personne !

Quand la conscience me revenait, je regardais cette caisse. « On te rapportera ton mari dans une caisse... » Et je me remettais à crier :

— Je n'y crois pas, ce n'est pas mon mari qui est là-dedans. Prouvez-moi que c'est lui. Il n'y a même pas de lucarne dans ce cercueil. Qu'est-ce que vous m'avez ramené ? Qui est-ce ?

Ils ont appelé son ami :

— Tolik, jure-moi que c'est mon mari qui est là-dedans.

— Je te jure sur la tête de ma fille que c'est ton mari... Il est mort d'un seul coup, il n'a pas souffert... Je ne t'en dirai pas plus.

Il est mort comme il le voulait : « Si je dois mourir, au moins que je ne souffre pas. » Mais c'est nous qui souffrons.

Nous avons une grande photo de lui sur le mur. Ma fille me demande :

— Décroche-moi papa. Je veux jouer avec lui...

Elle entoure le portrait de jouets, elle lui parle. Le soir, je la mets au lit :

— Où ils ont tiré quand ils ont tué papa ? Pourquoi ont-ils choisi papa ?

Je l'amène à la maternelle. Le soir, je vais la chercher, elle pleure :

— Je ne veux pas partir de l'école si ce n'est pas mon papa qui vient me chercher. Où il est, mon papa ?

Je ne sais pas ce que je dois lui répondre. Comment lui expliquer ? Je n'ai que vingt et un ans... Cet été, je l'ai amenée chez ma mère à la campagne. Peut-être l'oubliera-t-elle là-bas... Je n'en peux plus de pleurer tous les jours... Quand je vois passer un homme avec sa femme et son enfant, mon cœur se déchire... Si tu pouvais te relever juste pour un instant... Voir comme ta fille a grandi !... Pour toi, cette guerre absurde est terminée... Pour moi, non... Et c'est pour notre fille qu'elle sera la plus longue... Parce qu'elle aura à vivre après nous... Nos enfants sont les plus malheureux, ils payeront pour tout... Tu m'entends ?...

Mais à qui est-ce que je crie tout cela ?... »

Une veuve.

« À une certaine époque, je me disais : j'aurai un fils... Un garçon bien à moi, que j'aimerai et qui m'aimera. Mon mari et moi, nous avons divorcé... Il m'a quittée, il est parti avec une jeune. Je l'aimais, c'est sans doute pour ça que je n'ai pas eu d'autre homme.

Mon fils, je l'ai élevé avec maman : deux femmes pour un gamin. Je me cachais dans l'entrée de l'immeuble pour voir avec qui il jouait, qui étaient ses copains. Il se fâchait :

— Maman, je suis déjà grand, arrête de me couver comme ça.

Il était petit comme une fillette. Pâlichon, fragile. Il était né au huitième mois, c'était un prématuré. Notre génération ne pouvait avoir des enfants vigoureux, nous avons grandi pendant la guerre, au milieu des bombardements, des tirs, de la famine... Il jouait tout le temps avec les filles, elles voulaient bien parce qu'il n'était pas bagarreur... Il aimait les chats, il leur mettait des rubans.

— Maman, achète-moi un hamster, ils ont un pelage si doux.

Nous avons acheté un hamster. Un aquarium avec des poissons. Quand on allait au marché, il disait :

— Achète-moi une poule... Une poule vivante... Tachetée...

Maintenant je me demande : est-ce possible qu'il ait tiré ? Mon petit garçon si doux... Il n'était pas fait pour la guerre... Nous l'avons aimé, nous l'avons choyé...

Je suis allée le voir à Achkhabad où il faisait ses classes.

— Andrioucha, je vais parler à ton chef. Je n'ai que toi... Ici on est tout près de la frontière...

— Surtout ne fais pas ça, maman. On se moquera de moi, on dira que je suis un petit garçon à sa maman. Déjà qu'on me traite de « mince, fluet et transparent ».

— Comment te sens-tu ici ?

— Le lieutenant est gentil, il nous traite en égaux. Mais le capitaine est même capable de frapper.

— Comment !! Grand-mère et moi, nous ne t'avons jamais frappé, même quand tu étais petit.

— C'est une vie d'hommes ici, maman. Grand-mère et toi, il vaut mieux ne rien vous raconter...

Il était si petit, mon garçon. Des fois je le lavais dans la baignoire, parce qu'il était noir comme un petit diable quand il sortait des flaques d'eau ; je l'enveloppais dans un drap, je l'embrassais. J'étais sûre que personne ne me le prendrait jamais. Que je ne le donnerais à personne. Mais on l'a séparé de moi...

C'est moi qui l'ai persuadé d'entrer dans une école technique du bâtiment à la fin de sa huitième. Je croyais qu'avec ce métier il aurait la vie moins dure à l'armée. Et ensuite, après le service, il pourrait continuer ses études. Il voulait devenir garde forestier. Il était toujours heureux dans la forêt. Il reconnaissait les oiseaux à leur chant, il m'expliquait les fleurs. En cela, il me rappelait son père qui venait de Sibérie et qui aimait tellement la nature qu'il nous défendait de faucher l'herbe dans la cour. Il voulait qu'on laisse tout pousser ! Andrioucha aimait bien l'uniforme, la casquette des gardes forestiers.

— Tu sais, on dirait une casquette de militaire...

Alors je me demande : comment se peut-il qu'il ait tiré ?

D'Achkhabad, il nous a écrit souvent, à grand-mère et

à moi. J'ai retenu une de ses lettres par cœur, j'ai dû la lire mille fois :

« Bonjour mes chéries, maman et grand-mère. Cela fait déjà plus de trois mois que je suis dans l'armée. Mon service se passe bien. Pour le moment, je m'acquitte de toutes mes tâches et les chefs ne me font pas d'observations. Récemment, notre compagnie a participé à des manœuvres à quatre-vingts kilomètres d'Achkhabad, dans la montagne. Là ils se sont entraînés pendant deux semaines au combat en montagne, à la tactique et au tir. Je n'y suis pas allé, trois autres soldats non plus, on nous a laissés à la disposition de l'unité. On nous a gardés ici, parce que depuis trois semaines nous travaillons à une usine de meubles, nous construisons un atelier. En échange l'usine fournit des tables à notre compagnie. Nous bâtissons des murs de briques, nous faisons du plâtre, ce sont des travaux que je connais.

Maman, tu me demandes si j'ai reçu ta lettre ; oui, je l'ai reçue. J'ai aussi reçu ton colis et les dix roubles que vous y avez mis. Cet argent nous a permis de manger au buffet et de nous acheter des bonbons à plusieurs reprises... »

Je me consolais en me disant : puisqu'il fait du plâtre et du bâtiment, c'est qu'on a besoin de lui comme maçon. Qu'il leur construise donc des villas, des garages, pourvu qu'ils ne l'envoient pas plus loin.

C'était en 81... On avait des échos... Mais il y avait très peu de gens qui savaient que l'Afghanistan était un hachoir, un abattoir... À la télévision, on nous montrait les soldats soviétiques fraternisant avec les Afghans, nos véhicules de transport de troupes décorés de fleurs, des paysans qui embrassaient la terre qu'on leur avait donnée... Une chose pourtant m'a fait peur... Quand je suis allée le voir à Achkhabad, j'ai rencontré une femme... À l'hôtel, on a commencé par me dire que c'était complet.

— Alors je passerai la nuit par terre. Je suis venue de loin, voir mon fils qui est soldat... Je ne repartirai pas d'ici.

— Bon, d'accord, on va vous mettre dans une chambre à quatre lits. Il y a déjà une autre mère qui est venue rendre visite à son fils.

C'est par cette femme que j'ai appris qu'on se préparait à envoyer un nouveau contingent en Afghanistan, et elle avait apporté une grosse somme d'argent pour sauver son fils. Elle est repartie toute contente et m'a dit avant de me quitter : « Ne sois pas si naïve... » Quand je l'ai raconté à ma mère, elle s'est mise à pleurer :

— Pourquoi n'es-tu pas allée te jeter à leurs pieds ? ! Les supplier ? Tu leur aurais donné tes boucles d'oreilles...

C'était cc que j'avais de plus précieux chez moi, ces boucles d'oreilles de trois sous. Elles n'ont pas de brillants ! Pour maman, qui a toujours vécu d'une façon plus que modeste, elles semblaient le comble de la richesse. Seigneur ! Que fait-on de nous ! Si ça n'avait pas été lui, ç'aurait été un autre à sa place. Un autre qui avait aussi une mère...

Ça l'a tout surpris d'être incorporé dans un bataillon aéroporté d'assaut et d'être envoyé en Afghanistan. Il en était tout fier et ne s'en cachait pas.

Je ne suis qu'une femme, en somme, une civile. Mais il y a des choses que je ne comprends pas. Je voudrais qu'on m'explique pourquoi on a fait travailler mon fils à des plâtrages et des murs de briques alors qu'on aurait dû lui apprendre à se battre. Ils ignoraient tout de l'endroit où on les envoyait. La presse publiait des photos de moudjaheds... Des hommes de trente ou quarante ans... Sur leur propre terre... Qui avaient leurs familles, leurs enfants à côté... Et puis dites-moi comment il se fait qu'à une semaine de son départ il se soit retrouvé dans un bataillon aéroporté d'assaut après avoir été dans une unité ordinaire ? Les régiments de parachutistes, je sais ce que c'est, il faut être costaud pour servir là-dedans. On doit les entraîner spécialement. Par la suite, le commandant de l'école d'entraînement m'a affirmé que mon fils avait été un excellent élève à l'instruction militaire et politique. Comment aurait-il pu devenir un excellent élève ? Où ça ? À l'usine de meubles ? À qui ai-je livré mon fils ? À qui l'ai-je confié ? Ils n'en ont même pas fait un soldat...

J'ai reçu une lettre de lui d'Afghanistan. Il écrivait : « Ne t'inquiète pas. Le pays est beau, tout est calme. Il y a beaucoup de fleurs, les arbres sont en fleurs, les oiseaux chantent. Il y a beaucoup de poissons. » En somme, ce n'était pas la guerre mais les jardins d'Éden. Il voulait nous tranquilliser, craignant qu'on ne fasse des démarches pour l'arracher de là-bas. Des garçons inexpérimentés, presque des enfants, qu'on a jetés dans la bataille et qui ont pris ça pour un honneur. Nous les avons élevés dans cet esprit.

Il s'est fait tuer le premier mois... Mon petit garçon... Mon petit maigrichon... Comment gisait-il là-bas ? Je ne le saurai jamais.

On l'a ramené au bout de dix jours. Pendant ces dix jours j'ai rêvé toutes les nuits que j'avais perdu quelque chose que je ne parvenais pas à retrouver. Pendant tout ce temps, la bouilloire a gémi sur tous les tons à la cuisine à chaque fois que je mettais de l'eau à bouillir. J'aime les fleurs d'appartement, j'en ai beaucoup sur les bords de fenêtres, sur mon armoire, sur les étagères. Tous les matins, quand je les arrosais, je laissais tomber les pots de fleurs. Ils me glissaient des mains et se brisaient. Une odeur de terre humide régnait dans la maison...

Plusieurs voitures se sont arrêtées près de l'immeuble : deux jeeps et une ambulance. J'ai immédiatement deviné que c'était pour nous. J'ai pu aller jusqu'à la porte et leur ouvrir :

— Ne dites rien ! Ne me dites rien ! Je vous hais ! Rendez-moi seulement le corps de mon fils... Je l'enterrerai à ma manière... Toute seule... Je ne veux pas d'honneurs militaires... »

Une mère.

« La vérité, seul un désespéré vous la racontera tout entière. Un désespéré absolu vous racontera tout. La vérité est trop effrayante, on ne la saura jamais. Personne ne voudra parler le premier, personne ne prendra ce risque. Qui racontera la drogue qu'on transportait dans les cercueils ? Les pelisses... À la place des morts... Qui vous montrera les chapelets d'oreilles humaines séchées ? Des trophées de guerre... On les gardait dans des boîtes d'allumettes vides... Elles s'enroulaient comme de petites feuilles... Impossible ? Ça choque d'apprendre ça au sujet de braves gars soviétiques ? Si, c'est possible puisque c'est vrai. C'est une vérité qu'on ne peut pas contourner, qu'on ne peut pas déguiser en la recouvrant de dorure de trois sous. Vous vous imaginez, peut-être, qu'il suffit de poser des monuments pour que le tour soit joué ?...

Je n'y suis pas allé pour tuer, j'étais un homme normal. On nous a expliqué qu'il y avait des bandits et que nous serions des héros, qu'on nous dirait merci. Je me rappelle bien les affiches : « Guerriers, renforçons les frontières méridionales de notre Patrie », « Préservons l'honneur de notre unité », « Fleuris, Patrie de Lénine », « Vive le PCUS ». Et quand je suis revenu de là-bas... Pendant tout le temps que j'étais là-bas, je n'avais qu'une petite glace de poche. Ici j'en ai une grande... La première fois que j'y ai jeté un coup d'œil, je ne me suis pas reconnu. Ce n'était pas moi, c'était quelqu'un d'autre... Avec d'autres yeux, un nouveau visage... Je ne saurais pas dire ce qui avait changé, mais j'étais un autre homme, même physiquement.

Je servais en Tchécoslovaquie. Et puis un bruit a couru comme quoi j'irais en Afghanistan.

— Pourquoi moi ?

— Tu es célibataire.

Je me suis préparé comme pour une mission ordinaire. Personne ne savait ce qu'il fallait emporter. On n'avait pas encore d'*Afghantsy* à l'époque. Quelqu'un m'a conseillé de prendre des bottes de caoutchouc ; en deux ans, je ne m'en suis pas servi une seule fois, je les ai laissées à Kaboul. On a pris un avion à Tachkent, on était assis sur des caisses de cartouches. On s'est posés à Shindand. Les *tsarandoys*, c'est leur police, avaient des PM datant de la dernière guerre. Nos soldats et les leurs étaient sales, les couleurs des uniformes étaient déteintes, comme s'ils venaient de sortir de tranchées. C'était un contraste brutal avec ce que j'avais connu en Tchécoslovaquie. On chargeait des blessés, il y en avait un qui avait un éclat dans le ventre. Les gars de l'hélico qui l'avait ramené d'un avant-poste disaient :

— Celui-là ne vivra pas, il mourra en route.

J'étais abasourdi par cette façon calme de parler de la mort.

C'est peut-être ce qu'il y a de plus inconcevable là-bas, l'attitude vis-à-vis de la mort. Là encore, si on disait toute la vérité... C'est impossible... Ce qui est inconcevable ici, là-bas c'était du quotidien. Tuer, c'est effrayant, c'est horrible. Mais très vite on commence à se dire que tuer à bout portant, si on le fait collectivement, en masse, c'est excitant. Des fois j'en ai même vu que ça amusait. En temps de paix, les armes sont dans leurs râteliers, c'est verrouillé, l'armurerie est dotée d'un signal d'alarme. Tandis que là-bas, on a toujours son arme sur soi, on s'y habitue. Le soir on tirait un coup de pistolet sur l'ampoule, parce qu'on avait la flemme de se lever de son lit et d'éteindre. Quand on n'en pouvait plus de chaleur, on déchargeait son PM en l'air, n'importe où... On encercle une caravane qui se défend, qui nous tire dessus... On reçoit l'ordre d'anéantir la caravane... On passe à l'action... On a les oreilles pleines des cris des chameaux... C'est pour ces actions-là que le peuple afghan reconnaissant nous a décorés de médailles ?

À la guerre comme à la guerre, il faut tuer. Vous croyez que c'est pour jouer à « L'Éclair[1] » avec des copains de classe qu'on nous a donné des armes ? Ou qu'on nous a envoyés là-bas pour réparer les tracteurs et les semeuses ? On se faisait tuer et on tuait. Toutes les occasions étaient bonnes. Ce n'était pas la guerre qu'on connaissait par les livres ou les films, avec la ligne du front, le no man's land, la première ligne... Ici, c'était la guerre des *kiriz*[2]... Les *kiriz*, ce sont des galeries souterraines qui avaient servi autrefois à l'irrigation... Les hommes en sortaient jour et nuit, comme des fantômes... Avec un PM chinois, avec un couteau à dépecer les moutons, ou même simplement avec une pierre. Si ça se trouve, on avait rencontré l'un de ces fantômes dans un *doukan*, on avait marchandé avec lui, mais à présent il n'était plus question d'avoir pitié. Il venait de tuer un ami qui n'était plus qu'un morceau de viande. Les derniers mots de cet ami : « N'écrivez pas à ma mère, je vous en supplie, il ne faut pas qu'elle sache... » Pour le *douch*, toi, tu es un *chouravi*, un Soviétique, pas question qu'il ait pitié de toi. Ton artillerie a détruit son *kichlak*, et il n'a presque rien retrouvé de sa mère, de sa femme, de ses enfants. Les armes modernes multiplient les crimes. Avec un couteau, je pourrais tuer un homme, mettons deux... Avec une bombe, c'est

1. Un des grands jeux militaires organisés pour les « pionniers ». *(N.d.T.)*

2. *Karez* en persan. *(N.d.T.)*

par dizaines... Mais je suis un militaire, mon métier, c'est de tuer... Comme dans le conte oriental : je suis l'esclave de la lampe magique d'Aladin... Moi, c'est pareil, je suis l'esclave du ministère de la Défense... Je tire là où on m'ordonne... Si on me dit : « tire ! » je ne vais pas me mettre à réfléchir, je tire... Mon métier, c'est de tirer...

Mais je n'y étais pas allé pour tuer... Ce n'est pas ça que je voulais... Qu'est-ce qui s'est passé ? Pourquoi le peuple afghan nous a-t-il pris pour ce que nous n'étions pas ? Les *batchas* qui restaient en plein froid avec des galoches de caoutchouc sur leurs pieds nus, nos gars leur donnaient leurs rations ! Je l'ai vu de mes propres yeux. Un gamin déguenillé s'est approché du BTR en courant, il ne mendiait pas comme les autres, il ne faisait que regarder. J'avais vingt afghanis dans la poche : je les lui ai donnés. Il s'est mis à genoux dans le sable et il ne s'est pas relevé avant qu'on ne soit reparti. Mais à côté de ça, il y avait autre chose... Nos patrouilles qui prenaient l'argent des gamins porteurs d'eau... De l'argent, tu parles... Quelques sous. Non, je ne voudrais même pas y retourner en touriste. Jamais. Je vous l'ai dit : la vérité est trop terrible, on ne la saura jamais. Personne n'en veut... Ni vous qui êtes restés ici. Ni nous qui étions là-bas. C'est vous qui avez fait de nous ce que nous sommes devenus. Quand nos enfants seront grands, ils tairont que nous y avons été.

J'ai déjà rencontré des imposteurs : moi, je viens d'Afghanistan, et patati, et patata...

— Où étais-tu ?

— À Kaboul...

— Quelle unité ?

— Dans un *spetsnaz*[1]...

1. Détachements spéciaux chargés de missions particulièrement délicates. *(N.d.T.)*

Dans les camps de la Kolyma, dans les baraquements où on enfermait les fous, il y en avait qui criaient : « Je suis Staline. » Maintenant on voit des gars normaux prétendre qu'ils sont allés en Afghanistan. Parce qu'il y en a plus d'un. Je les ficherais bien dans une maison de fous, moi...

Les souvenirs, je les évoque tout seul. Je bois un coup, je reste comme ça... J'aime bien écouter les chansons afghanes. Mais tout seul. C'est du réel... Ces pages... Elles ont beau être souillées, on ne peut pas les ignorer... Il y a des jeunes qui se rassemblent, ils sont aigris parce que personne n'a besoin d'eux ici. Ils ont du mal à retrouver une identité, à se construire de nouvelles valeurs morales. Il y en a un qui m'a avoué : « Si j'étais sûr que je n'aurais pas à en répondre, je pourrais tuer un homme. Comme ça, sans raison. Aucune pitié. » L'Afghanistan, maintenant c'est fini. On ne va quand même pas passer sa vie en prières et repentirs... Moi, je veux me marier... Je veux un fils... Plus vite nous nous tairons, mieux ça vaudra pour tout le monde. Qui a besoin de cette vérité ? Des petits-bourgeois pour qu'ils nous crachent dessus après : « Ah, les salauds, ils ont assassiné, pillé, et maintenant on leur donne des avantages ici ? » Et bien sûr nous serons les seuls coupables. Tout ce qu'on a vécu, ç'aura été pour rien.

Quand on y pense : à quoi ça a servi tout ça ?

À Moscou, je suis allé aux toilettes dans une gare. C'était privé. Il y avait un gars qui faisait payer les gens. Une pancarte au-dessus de lui : « Entrée gratuite pour les enfants de moins de sept ans, les invalides, les anciens de la Grande Guerre patriotique et les combattants internationalistes. »

Je n'en revenais pas :

— C'est toi qui as eu cette idée ?

Et lui, fièrement :

— Oui. Montre-moi ta carte et vas-y.

— Alors mon père a fait toute la guerre et moi, j'ai bouffé du sable étranger pendant deux ans pour venir uriner chez toi gratis ?

En Afghanistan, je n'avais jamais éprouvé autant de haine que pour ce gars... Il voulait nous récompenser, voyez-vous ça... »

Un lieutenant, chef d'équipe.

« Je suis rentrée en Urss pour un congé. Je suis allée aux bains. À l'étuve, les gens se prélassaient sur les châlits et gémissaient de plaisir. Mais moi, je croyais entendre les gémissements des blessés.

Chez moi, j'ai senti que mes amis d'Afghanistan me manquaient. Mais une fois revenue à Kaboul, je me suis remise à rêver de la maison. Je suis originaire de Simferopol. J'ai fait une école de musique. Les gens heureux ne viennent pas ici. Nous sommes des femmes seules, des femmes frustrées. Allez vivre avec un salaire de cent vingt roubles par mois comme le mien, quand vous avez envie de vous habiller, de passer des vacances intéressantes ! On nous lance que nous sommes venues chercher un mari. Et même si c'était vrai ? Pourquoi le cacher ? J'ai trente-deux ans et je suis seule.

J'ai appris ici que la mine la plus terrible, c'est « l'italienne ». Après, il faut un seau pour ramasser ce qui reste d'un homme. Un gars est venu me parler un jour... Il parlait, parlait... J'ai cru qu'il ne s'arrêterait jamais. J'ai eu peur. Alors il m'a dit :

— Excusez-moi, je m'en vais...

Un garçon que je ne connaissais pas... Il avait simplement envie de parler à une femme... Il avait vu de ses propres yeux son ami se transformer en un tas de viande dépecée... J'ai cru qu'il ne pourrait plus s'arrêter. Où est-il allé ensuite ?...

Nous avons ici deux foyers pour les femmes. L'un a été surnommé « La maison de la chatte ». Il est habité par celles qui sont en Afghanistan depuis deux ou trois ans. L'autre, c'est la « Marguerite » ; ce sont les nouvelles, encore pures si vous voulez : il m'aime un peu, beaucoup, passionnément, pas du tout... Tous les samedis, c'est le jour des bains pour les soldats ; tous les dimanches, c'est le jour des bains pour les femmes. Les femmes n'ont pas droit aux bains des officiers... Elles sont trop sales... Et ces mêmes officiers n'ont qu'une idée en tête quand ils s'adressent à nous... Sur leurs murs ils accrochent les photographies de leurs enfants, de leurs femmes... Ils nous les montrent...

Un bombardement commence... Les obus, c'est un sifflement insupportable... Quelque chose se déchire en vous... Ça fait mal... Deux soldats et un chien sont partis en mission. Le chien est revenu, pas eux... Ici, tout le monde fait la guerre. Les uns sont blessés, les autres malades. Et il y a ceux qui ont mal à l'âme. Personne n'est indemne. Un bombardement commence... Nous courons nous abriter dans les tranchées... Tandis que les enfants afghans dansent de joie sur les toits... Impossible de rester indemne ici... On ramène un de nos morts... Eux, ils dansent et ils chantent... Je veux dire, les enfants... Nous leur apportons des cadeaux dans les *kichlaks*... De la farine, des matelas, des jouets en peluche... Des nounours, des lapins... Mais ils dansent et ils rient... Impossible de rester indemne...

La première question qu'on vous pose en Urss, c'est si on s'est mariée, et à quels avantages on aura droit. Notre seul avantage (pour les employés) c'est mille roubles à la famille si on est tué. Lorsqu'il y a un arrivage de marchandises au magasin de garnison, les hommes vous passent devant :

— Qu'est-ce que vous êtes, vous ? Nous, on doit acheter des cadeaux pour nos femmes.

Et la nuit venue, ils viennent frapper à nos portes...

Ici on accomplit son « devoir international » et on se fait de l'argent. C'est normal. Au magasin de la garnison, on achète des bonbons, des biscuits, des conserves et on les revend au *doukan*. Il y a un tarif : une boîte de lait en poudre, c'est cinquante afghanis ; une casquette de l'armée, quatre cents afghanis... Un rétroviseur, mille afghanis ; une roue de camion, dix-huit à vingt mille afghanis ; un pistolet Makarov, trente mille ; un Kalachnikov, cent mille ; une cargaison de détritus sortant de la garnison, de sept cents à deux mille, selon qu'il y a des boîtes de conserve vides ou non... Parmi les femmes, ce sont celles qui couchent avec les *praporchtchiks* qui vivent le mieux. Et pendant ce temps-là, aux avant-postes, les gars souffrent du scorbut, ils n'ont que du chou pourri à manger.

Les filles racontent que dans la salle des culs-de-jatte, on parle de tout sauf du futur. Ici on n'aime pas parler de l'avenir. Pour un homme heureux, ça doit être terrible de mourir. Moi, c'est pour maman que ça me ferait mal au cœur...

Les chats rôdent parmi les morts... Ils cherchent à manger... Ils ont peur... Comme si les garçons étaient encore en vie...

Arrêtez-moi parce que je risque de parler pendant des heures. Moi, je n'ai tué personne... »

Une employée.

« Je me demande parfois ce qui se serait passé si je n'avais pas été jeté dans cette guerre. Je serais heureux. Je n'aurais jamais été mécontent de moi-même et je n'aurais jamais appris sur mon compte ces choses qu'il vaut mieux ne pas connaître. Comme dit Zarathoustra : quand tu plonges ton regard dans l'abîme, l'abîme voit le fond de ton âme...

Je faisais mes études dans un institut de radioélectronique en deuxième année, mais c'est la musique, les livres sur l'art qui m'attiraient. Ce monde m'était plus proche. J'hésitais justement entre ces deux voies lorsque j'ai reçu ma convocation du bureau de recrutement. Or, je suis un homme sans volonté, je ne cherche pas à modifier mon destin. Si on veut s'en mêler, on est perdant de toute façon, tandis qu'avec ma façon de faire, on n'est jamais responsable... Bien sûr, je n'étais pas prêt pour l'armée. La première chose que j'ai comprise en arrivant, c'est qu'on y était un esclave, mais qu'on n'y était pas seul. Jusqu'alors, j'avais cru posséder ma propre identité.

On ne nous le disait pas en face, mais c'était clair que nous partions pour l'Afghanistan. Je ne me mêlais pas de mon destin... On nous a rassemblés sur la place d'armes, on nous a lu l'ordre de l'état-major qui faisait de nous des combattants internationalistes... Tout ça, on l'a écouté calmement, on ne pouvait quand même pas dire : « Je ne veux pas y aller, j'ai peur ! » Nous partions accomplir notre devoir international, tout était clair, bien classé dans les cases qu'il fallait. Mais au transit à Gardez, ça a commencé : les anciens nous prenaient tout ce qui pouvait avoir de la valeur, nos bottes, nos maillots, nos bérets. Chaque chose avait son prix : un béret coûtait dix bons, la collection d'insignes (les parachutistes doivent en avoir cinq : celui de la garde, celui de l'armée de l'air, celui du parachutiste, celui du conducteur et l'insigne sportif) était évaluée à vingt-cinq bons. Ils nous confisquaient les chemises de la tenue de parade qu'ils échangeaient contre de la drogue chez les Afghans. On voyait arriver plusieurs anciens : « Où est ton sac ? » Ils fouillaient dedans, et prenaient ce qui leur convenait, tout simplement. Dans notre compagnie, on nous a repris tout notre équipement neuf et nous n'avons reçu que du vieux en échange. On nous convoquait à l'habillement : « Tu n'as pas besoin de tenue neuve ici. Par contre, il y a des gars qui rentrent en Urss. » Dans les lettres à ma famille, j'écrivais qu'en Mongolie, le ciel était très beau, qu'on était bien nourris, qu'il y avait du soleil. Alors que nous étions en pleine guerre...

La première fois que nous sommes allés dans un *kichlak*, le commandant du bataillon nous a expliqué comment il fallait se comporter avec la population locale :

— Tous les Afghans, quel que soit leur âge, ne sont que des *batchas*. Compris ? Le reste, je vous l'expliquerai sur place.

On rencontre un vieillard en chemin. On nous commande :

— Stop ! Regardez tous !

Le commandant s'approche du vieillard, lui arrache son turban, lui fouille dans sa barbe.

— Bon, tu peux y aller, *batcha*.

On ne s'attendait pas à ça.

Au *kichlak*, on lançait aux enfants des paquets d'orge perlé déshydraté. Ils s'enfuyaient, croyant qu'on leur jetait des grenades.

Ma première sortie de combat a consisté à escorter une colonne. J'étais tout excité : c'était la guerre ! J'avais des armes, des grenades dans les mains, à la ceinture, alors que jusqu'à présent je n'en avais vu que sur les affiches. On approchait de la zone verte... Moi j'étais pointeur, je regardais attentivement dans l'œilleton... Je vois un turban... Je crie :

— Serioja (c'était le servant du canon), il y a un turban, qu'est-ce que je fais ?

— Tire.

— Comme ça, carrément ?

— Qu'est-ce que tu crois.

Et il tire de son côté.

— Je vois encore un turban... Blanc... Qu'est-ce que je dois faire ?

— Tu tires !!!

On a tiré la moitié de nos munitions du bord. On tirait au canon, à la mitrailleuse.

— Où as-tu vu un turban blanc ? C'est une congère.

— Serioja, ta « congère » se déplace un peu vite... Et elle est armée d'un PM...

On est descendu du blindé, on s'est mis à tirer avec nos PM.

On ne se posait pas la question de savoir s'il fallait ou non tuer un homme. On n'avait qu'une envie permanente : manger et dormir, et qu'un seul désir : que ça finisse au plus tôt. Qu'on finisse de tirer et qu'on s'en aille... On était assis sur des blindages brûlants... On respirait du sable brûlant, cuisant... Les balles nous sifflaient au-dessus de la tête, mais nous, on dormait... Tuer ou non, c'est une question qu'on se pose après la guerre. La psychologie de la guerre est plus simple. À nos yeux, les Afghans n'étaient pas des hommes, et nous n'en étions pas non plus pour eux. Nous ne pouvions pas nous permettre de voir des êtres humains en face de nous. Sinon nous n'aurions pu les tuer. On encercle un *kichlak* de *douchmans*... On reste là pendant un jour, deux jours... La chaleur, la fatigue, ça finit par vous transformer en bêtes sauvages... Nous devenions encore plus féroces que les

« verts »... Eux, ils étaient quand même chez eux, ils avaient grandi dans ces *kichlaks*... Nous, on n'hésitait pas... C'était une vie différente, incompréhensible, elle ne ressemblait pas à la nôtre... Il était plus simple pour nous de tirer, de lancer une grenade...

Un jour on rentrait avec sept gars blessés et deux contusionnés. Sur la route, tous les *kichlaks* étaient comme morts : les uns étaient partis dans les montagnes, les autres restaient terrés dans leur *douval*[1]. Soudain on voit surgir une vieille Afghane qui crie, qui pleure, qui se jette à coups de poing sur notre blindé... Son fils avait été tué... Elle nous maudissait... Nous avons tous pensé la même chose : qu'est-ce qu'elle avait à crier, celle-là, à nous menacer de ses poings ? Il fallait la tuer. Nous ne l'avons pas fait, mais nous aurions très bien pu le faire. On l'a repoussée et on a continué notre route. On transportait sept mourants... Alors qu'est-ce qu'elle nous voulait, à crier ainsi ?

Nous ne savions rien, nous étions des soldats à la guerre. Notre vie de soldats était soigneusement isolée de celle des Afghans ; il leur était interdit de pénétrer sur le territoire de la garnison. Nous savions qu'ils cherchaient à nous tuer. Or, nous voulions tous vivre. J'admettais que je puisse être blessé, j'aurais même bien voulu être légèrement blessé pour me reposer, dormir tout mon soûl. Mais personne ne voulait mourir. Un jour, deux de nos soldats sont entrés dans un *doukan*, ils ont abattu toute la famille du *doukanier*, pris tout ce qu'ils ont trouvé. Il y a eu une enquête. Au début, ils refusaient d'avouer. Alors on a produit les balles extraites des corps des victimes. Pour finir, on a trouvé trois coupables, un officier, un *praporchtchik* et un soldat. Mais je me rappelle que quand notre compagnie a

1. Maison, dans l'argot des *Afghantsy* (sans doute du persan *diwal*, le mur). *(N.d.T.)*

été fouillée et qu'on cherchait l'argent volé, nous nous sentions humiliés : comment, on nous fouillait pour quelques malheureux Afghans descendus ? Vous parlez d'une perte ! Il y a eu un procès. Deux d'entre eux ont été condamnés à mort, le *praporchtchik* et le soldat. Tout le monde les plaignait. On disait qu'ils étaient morts pour une sottise. On appelait ça une sottise, pas un crime. C'était comme si la famille exterminée n'avait jamais existé... Nous accomplissions notre devoir international, tout était classé... C'est seulement aujourd'hui, après la révision des idées toutes faites, que j'ai commencé à réfléchir. Et dire que je n'ai jamais pu lire *Moumou* de Tourgueniev sans pleurer[1] !

À la guerre, les hommes subissent une transformation, ils sont les mêmes et ils ne sont plus les mêmes. Après tout, on ne nous a jamais appris « tu ne tueras point » ! À l'école, à l'institut, d'anciens combattants venaient nous raconter comment ils avaient tué. Ils arboraient tous leur uniforme de parade et leurs décorations. Je n'ai jamais entendu dire qu'il ne fallait pas tuer à la guerre. Je savais qu'on jugeait seulement ceux qui tuaient en temps de paix. Ceux-là, c'étaient des assassins, tandis qu'à la guerre, ça s'appelait « le devoir filial envers la Patrie », « une cause sacrée et virile », « la défense de la Patrie ». On nous a expliqué que nous recommencions l'exploit des soldats de la Grande Guerre patriotique. Comment aurais-je pu en douter ? On nous répétait que nous étions les meilleurs. Alors, puisque nous étions les meilleurs, inutile de se poser des questions, tout allait comme il fallait. Par la suite, j'ai beaucoup réfléchi. Mes amis m'ont dit que j'étais fou ou que je voulais le devenir. Mais moi, je n'ai pas cherché à

1. Une des nouvelles des *Récits d'un chasseur*, évoquant le sort pitoyable d'un serf et de son petit chien. *(N.d.T.)*

modifier mon destin, j'ai été élevé par ma mère qui est une femme forte et autoritaire...

À l'instruction, des éclaireurs du *spetsnaz* nous ont raconté comment un jour ils avaient fait irruption dans un *kichlak*, comment ils avaient égorgé tout le monde. Un vrai récit d'aventures. On avait envie d'être forts, nous aussi, de n'avoir peur de rien. Je dois sans doute souffrir d'un complexe d'infériorité : j'aime la musique, les livres, mais j'aurais bien voulu aussi descendre dans un *kichlak*, égorger tout le monde et pouvoir m'en vanter. Pourtant je me rappelle autre chose aussi... La peur panique que j'ai pu éprouver... On avançait... On a essuyé des tirs... Les blindés se sont arrêtés... On nous a donné l'ordre de nous mettre en position défensive. Les gars ont commencé à sauter des véhicules... Je me suis mis debout... Mais pendant ce temps un autre a pris ma place... Et reçu une grenade de plein fouet... J'ai senti que je tombais de mon blindé, à plat ventre... Je planais lentement, comme dans un dessin animé... Les morceaux du corps de l'autre tombaient plus vite... J'étais plus lent, je ne sais pas pourquoi... La conscience fixe tout, c'est ça qui est terrible... On peut se rappeler ainsi sa propre mort, sans doute... La voir comme dans un film... C'est drôle... Je suis tombé... J'ai rampé à quatre pattes dans l'*aryk*[1]... Je me suis couché et j'ai levé mon bras blessé... Par la suite il s'est avéré que ma blessure était légère... Mais je tendais mon bras et ne bougeais plus...

Non, je ne suis pas devenu un homme fort... Du genre à aller égorger tout le monde dans un *kichlak*... Un an après, j'ai atterri à l'hôpital... Pour cause de dystrophie... Dans ma section, j'étais le seul « bleu » pour dix « anciens »... Je dormais trois heures par jour... Je faisais la

1. Canal d'irrigation en Asie centrale. *(N.d.T.)*

vaisselle de tout le monde, je m'occupais du bois, je nettoyais, je portais l'eau.... On était à vingt mètres de la rivière. Un matin, j'y vais et je sens qu'il ne faut pas y aller, qu'il y a des mines... Mais j'avais tellement peur qu'on me tabasse... Il n'y avait plus d'eau, pas de quoi se laver au réveil... Alors, j'y suis allé quand même et ça a explosé... Dieu merci, ce n'était qu'une fusée éclairante... Je suis tombé, je me suis reposé, j'ai continué à ramper... Avec une seule idée en tête : ramener un seau d'eau... Il n'y avait même pas de quoi se laver les dents... Parce que les « anciens » tapaient sans chercher à comprendre...

Des histoires de camps classiques... En un an, du garçon normal que j'étais, je suis devenu un dystrophique, je ne pouvais pas traverser la salle d'hôpital sans l'aide d'une infirmière, j'étais en nage. Quand je suis rentré dans mon unité, ils ont recommencé à me taper dessus. Ils m'ont tellement tapé qu'ils m'ont esquinté la jambe, il a fallu m'opérer. Le commandant du bataillon est venu me voir, il a cherché à savoir :

— Qui t'a cogné dessus ?

On me frappait la nuit, mais de toute façon je savais très bien qui c'était. Seulement, impossible de les nommer : je serais passé pour un mouchard. C'étaient les mêmes lois que dans les camps, et il n'était pas question de les enfreindre.

— Pourquoi tu ne réponds pas ? Dénonce-les, que j'envoie ces salauds au tribunal...

Je n'ai rien dit. Le pouvoir extérieur ne peut rien contre le pouvoir intérieur de la vie militaire et ce sont ces lois internes qui décidaient de mon sort. Ceux qui essayaient de leur résister avaient toujours le dessous, je l'ai constaté... Je ne cherchais pas à modifier mon sort... À la fin du service, j'ai même tenté de frapper un nouveau... Mais je n'y suis pas arrivé... Les brimades, ça ne dépend pas d'un individu, c'est l'instinct grégaire. D'abord, c'est toi qu'on tabasse, ensuite, c'est toi qui tabasses les autres. Je cachais aux « libérables » que je ne touchais à personne, sans quoi on m'aurait méprisé, même les victimes. Quand je suis rentré chez moi, je suis allé me présenter au bureau du recrutement. On venait juste d'y amener un cercueil de zinc... C'était notre lieutenant... Dans son avis de décès, c'était formulé ainsi : « tombé en accomplissant son devoir international ». Mais moi je me suis rappelé que lorsqu'il était soûl, il allait casser les mâchoires à tous les plantons qu'il croisait dans les couloirs... C'était sa distraction, une fois par semaine... Quand on n'avait pas eu le temps de se cacher, on était bon pour cracher ses dents... À la guerre, j'ai compris qu'il n'y a pas grand-chose d'humain dans un homme. S'il n'a rien à manger, il devient cruel. S'il en bave, il est cruel. Alors que lui reste-t-il d'humain ? Je ne suis allé au cimetière qu'une fois ici... Sur les plaques, c'est écrit : « mort en héros », « a fait preuve de courage et de bravoure », « a accompli son devoir international ». Bien sûr il y a eu des héros, dans le sens étroit du terme, par exemple dans les conditions du combat : ceux qui ont protégé leurs amis de leur corps, qui ont transporté leur commandant blessé dans un abri... Mais j'en connais un qui est mort d'une overdose, un autre qui a été abattu par une sentinelle alors qu'il essayait de pénétrer dans le magasin de vivres... Nous l'avons tous fait... Notre rêve, c'était du lait condensé avec des petits gâteaux. Je suis sûr que vous ne voudrez pas que ça figure dans votre livre, vous allez rayer tout ça. Personne ne dira plus la vérité sur ceux qui reposent en terre. Les vivants ont droit aux décorations, les morts aux légendes, et tout le monde est content.

Cette guerre, c'est comme notre vie en Urss : elle n'a rien à voir avec ce qui est écrit dans les livres. Heureusement que j'ai mon univers à moi, celui des livres et de la musique, qui m'a sauvé parce qu'il a caché l'autre. C'est seulement ici que j'ai commencé à y voir clair, à comprendre où j'étais allé, ce qui m'est arrivé. Mais j'y pense tout seul, je ne fréquente pas les clubs « afghans ». Je ne me vois pas aller parler de la guerre dans les écoles, raconter aux gamins comment l'homme immature que j'étais a été dressé pour devenir même pas un tueur, mais une créature qui ne pensait qu'à manger et à dormir. Je déteste les *Afghantsy*. Leurs clubs ressemblent beaucoup à l'armée. Ce sont les mêmes trucs : on n'aime pas les « métallos [1] », venez les gars, on va leur casser la gueule. C'est un morceau de ma vie dont je voudrais me dissocier au lieu de l'assumer. Notre société est très cruelle, je ne l'avais jamais remarqué autrefois.

Un jour, à l'hôpital nous avons volé des neuroleptiques... On les utilisait pour soigner les malades mentaux, à raison d'un ou deux comprimés par jour... Quelques-uns en ont absorbé jusqu'à dix ou vingt... À trois heures du matin certains sont allés faire la vaisselle à la cuisine... Alors qu'elle était déjà faite... D'autres sont restés assis à jouer aux cartes d'un air sinistre... Un autre encore s'est mis à uriner sur son oreiller... Le monde de l'absurde... L'infirmière a eu très peur, elle est partie chercher les hommes de garde...

C'est ce que ma mémoire a retenu de cette guerre... Le monde de l'absurde... »

Un soldat, artilleur-pointeur.

« J'ai eu deux jumeaux, mais Kolia est le seul à avoir survécu. Jusqu'à l'âge de dix-huit ans, jusqu'à sa majorité,

1. Groupes de jeunes en URSS, adeptes du « heavy Metal ». *(N.d.T.)*

jusqu'à ce qu'il ait reçu sa convocation pour l'armée, il figurait sur les listes de l'Institut de protection de la maternité. Fallait-il vraiment envoyer des soldats comme lui en Afghanistan ? Une voisine a bien eu raison de me le reprocher : « Tu n'aurais pas pu réunir deux mille roubles et les donner à qui de droit ? » Certains ont graissé des pattes et sauvé leurs fils. Le mien a été envoyé à leur place. Moi, je ne comprenais pas qu'il fallait sauver mon fils avec de l'argent, je voulais le faire avec mon âme.

Je suis venue le voir au moment du serment. J'ai réalisé qu'il n'était pas prêt pour la guerre, qu'il se sentait perdu. Lui et moi, nous avons toujours été francs entre nous.

— Tu n'es pas prêt, Kolia. Je vais demander qu'on ne t'envoie pas là-bas.

— Maman, ne va pas t'humilier, ne fais aucune démarche. Tu crois que ça peut toucher quelqu'un, que je ne sois pas prêt ? Tout le monde s'en fiche.

J'ai tout de même obtenu d'être reçue par le commandant du bataillon.

— C'est mon fils unique... S'il lui arrive quelque chose, je ne pourrai plus vivre... Or, il n'est pas prêt... Je vois bien qu'il n'est pas prêt...

Il m'a écoutée avec sympathie.

— Adressez-vous à votre bureau de recrutement. S'ils me font un papier officiel, j'enverrai votre fils dans une région d'Urss.

Mon avion a atterri en pleine nuit, mais à neuf heures du matin j'étais déjà au bureau de recrutement. Son chef s'appelle le camarade Goriatchev. Je le vois qui parle au téléphone. Moi je reste debout et j'attends...

— Qu'est-ce que vous voulez ?

Je raconte mon histoire. À ce moment-là, le téléphone sonne encore. Il décroche et me jette :

— Je n'écrirai aucun papier.

Je le supplie, je me mets à genoux. Je suis prête à lui baiser les mains.

— Mais c'est mon fils unique.

Il ne s'est même pas levé.

En partant, je lui demande quand même :

— Notez mon nom...

J'avais malgré tout l'espoir qu'il changerait d'avis, qu'il examinerait notre cas, il n'était tout de même pas fait de pierre.

Au bout de quatre mois... Ils passent une instruction accélérée en trois mois là-bas. Toujours est-il qu'au bout de quatre mois, je reçois déjà une lettre de mon fils d'Afghanistan. Seulement quatre mois... À peine plus qu'un été...

Un matin, je pars au travail. Je descends l'escalier et je les vois venir à ma rencontre. Trois militaires et une femme. Les militaires devant, chacun portant sa casquette sur la main gauche. Je savais, je ne sais comment, que c'était signe de deuil chez les officiers. Alors je monte en courant... Ils me suivent, comprenant sans doute que j'étais la mère... Je descends en ascenseur... Je voulais me sauver dans la rue... Ne rien entendre. Le temps d'arriver au rez-de-chaussée, l'ascenseur s'ouvre, et ces gens entrent : ils m'attendaient déjà en bas. J'appuie sur le bouton de mon étage... Je m'engouffre dans l'appartement, mais dans ma panique, j'oublie de refermer ma porte... Je les entends entrer... Je me cache dans ma chambre... Ils me suivent... Avec toujours les casquettes sur les mains...

En l'un d'eux j'ai reconnu Goriatchev... Je me suis jetée sur lui comme une chatte en criant, tant que j'avais des forces :

— Vous êtes couvert du sang de mon fils !

Il faut dire qu'il ne répondait rien, je voulais même le frapper. Il se taisait. Ensuite je ne me souviens plus de rien...

C'est seulement au bout d'un an que j'ai eu envie de revoir les gens. Jusque-là, je restais toujours seule, comme une pestiférée. J'avais tort : ce n'était pas la faute des gens. Mais à ce moment-là, j'avais l'impression qu'ils étaient tous responsables de la mort de mon fils. La vendeuse de la boulangerie, le chauffeur de taxi, Goriatchev, tous. Ensuite, j'ai eu envie de fréquenter des gens comme moi. Nous faisons connaissance au cimetière, près des tombes. Le soir, une mère arrive après le travail, une autre est déjà devant sa pierre à pleurer, une autre encore repeint la grille de la tombe. Nous ne parlons que de nos enfants... Nous n'avons qu'eux à la bouche, comme s'ils étaient encore en vie. Ces conversations, je me les rappelle par cœur :

— Je sors sur le balcon : je vois arriver deux officiers et un médecin. Ils entrent dans l'immeuble. Je regarde par le judas : où vont-ils se diriger ? Ils s'arrêtent sur mon palier. Vont à droite... C'est peut-être pour les voisins, qui ont aussi un fils à l'armée ?... Ils sonnent... J'ouvre la porte : « — Mon fils est mort ? — Courage, mère... »

— Moi, ils y sont allés carrément : « Le cercueil est dans l'entrée, la mère. Où voulez-vous qu'on le mette ? » Nous étions en train de nous préparer à partir au travail, mon mari et moi... Les œufs étaient encore sur le feu... L'eau bouillait pour le thé...

— Ils me l'ont pris, ils lui ont coupé les cheveux... Cinq mois après ils me l'ont rapporté dans son cercueil...

— Le mien aussi, c'était cinq mois après...

— Le mien, ça a été neuf mois...

— Je demande à l'homme qui accompagne le cercueil : « Il y a quelque chose là-dedans ? — Je l'ai vu mettre dans le cercueil. Il y est. » Je le fixe intensément et il finit par baisser les yeux : « Il y a quelque chose là-dedans... »

— Est-ce qu'il y avait l'odeur ? Chez nous oui...

— Nous aussi. Il y avait même des petits vers blancs qui tombaient par terre...

— Moi, il n'y avait aucune odeur. Ça sentait seulement le bois vert. Les planches étaient toutes fraîches...

Quand un hélicoptère brûle, on les rassemble morceau par morceau : on retrouve un bras, une jambe... On les identifie grâce aux montres, aux chaussettes...

— Chez nous, le cercueil est resté toute une heure dans la cour. Mon fils faisait deux mètres, c'était un parachutiste. Ils ont apporté le sarcophage, un cercueil de bois et dedans un autre de zinc... Impossible de se retourner avec ça dans nos entrées d'immeubles... Sept hommes ont à peine pu le soulever...

— Le mien, ils ont mis dix-huit jours pour l'amener... Ils remplissent tout un avion avec les cercueils... Ils appellent ça la tulipe noire... D'abord ils ont amené des cercueils dans l'Oural... Ensuite à Leningrad... Et enfin à Minsk...

— Ils ne m'ont rien rendu de ses affaires. Pas un souvenir... Il fumait, ils auraient pu au moins me laisser son briquet...

— Heureusement qu'on n'ouvre pas le cercueil... Pour qu'on ne voie pas ce qu'on a fait de nos fils... Je le vois toujours vivant devant moi...

Que nous reste-t-il à vivre ? On ne peut pas vivre vieux avec une telle douleur dans l'âme. Avec de telles blessures.

Au soviet de l'arrondissement ils m'ont promis un nouvel appartement, dans un immeuble de mon choix.

J'ai choisi : dans le centre ville, un immeuble de briques et non en préfabriqué, une maison de conception récente. Je leur ai dit l'adresse :

— Vous n'êtes pas folle ? C'est un immeuble du Comité central du parti.

— Le sang de mon fils vaut donc si peu ?

Le secrétaire du parti de notre institut est un brave

homme, honnête. Je ne sais pas comment il a réussi à obtenir l'accès du Comité central, mais il y est allé pour appuyer ma demande. Il m'a raconté comment on l'a reçu :

— Tu aurais entendu ce qu'ils m'ont dit : la mère, on la comprend, elle est tuée par le chagrin, mais toi, de quoi te mêles-tu ? Ils ont failli me vider du parti.

J'aurais dû y aller moi-même. Que m'auraient-ils répondu ?

Aujourd'hui, j'irai sur sa tombe... Au moins là-bas il y a mon garçon... et de braves gens dans mon cas... »

Une mère.

« J'ai des trous de mémoire... Je songe même à abandonner ma deuxième année d'études à l'institut... Je ne me souviens plus de certains visages, de certains mots... De mes propres sensations... Il ne reste que des bribes, des éclats... Comme s'il ne m'était jamais rien arrivé...

Je me rappelle ce passage du serment militaire :

« ... Sur l'ordre du gouvernement soviétique, je serai toujours prêt à combattre pour la défense de ma Patrie, l'Union des Républiques Socialistes Soviétiques, et je jure, en tant que combattant des Forces armées de l'URSS, de la défendre avec courage, compétence, dignité et honneur, sans épargner mon propre sang ni ma vie pour obtenir une victoire complète sur l'ennemi... »

Je me souviens de mes premiers jours en Afghanistan...

Je me suis cru au paradis. Je voyais des orangers pour la première fois de ma vie. Plus tard j'ai appris qu'on pouvait suspendre des mines sur les arbres comme des oranges (il suffisait qu'une antenne accroche l'arbre pour qu'il y ait explosion). Quand le vent « afghan » se levait, on ne voyait pas plus loin que l'extrémité de sa main tendue, tellement il faisait noir ; on était comme des aveugles. Nos gamelles étaient à moitié remplies de sable à cause de cet « afghan ». Mais quelques heures après, on revoyait le soleil, les montagnes, et aucune trace de la guerre. Puis ça recommençait : une rafale de mitrailleuse, un tir de lance-grenades, le claquement d'un snipper : deux morts. On restait à tirer par-ci par-là, on repartait. Le soleil, la montagne. Deux hommes en moins. Un éclair dans les sables : un serpent qui file. Il brille comme un poisson...

Même lorsque les balles vous sifflent aux oreilles, on ne peut s'imaginer la mort. On voit un homme couché dans le sable, on l'appelle, on n'a pas encore compris... Une voix intérieure vous dit que c'est ça, la mort. J'ai été blessé à la jambe : il m'a semblé que ce n'était rien. Je me suis dit : « J'ai l'impression que je suis blessé. » Je l'ai pensé calmement, avec étonnement. J'avais mal à la jambe, mais je ne pouvais pas croire que ça m'arrivait à moi. J'étais encore nouveau, j'avais envie de tirer, de rentrer en héros. Ils ont pris un couteau, ils ont découpé ma botte : la veine était touchée. Ils m'ont posé un garrot. Ça faisait mal, mais je ne voulais pas le montrer : je me serais méprisé. Quand il faut courir d'un char à un autre dans un espace découvert, cent mètres au milieu des balles et des pierres qui s'effritent, on ne peut pas refuser, car on cesserait de se respecter. On se signe, et on y va... J'avais du sang dans les bottes, du sang partout. Le combat a duré encore plus d'une heure. Nous étions partis à quatre heures du matin, et il ne s'est terminé qu'à quatre heures de l'après-midi, sans que nous ayons rien mangé. Mes mains étaient couvertes de mon propre sang, ça ne me faisait rien, je mangeais du pain avec. Ensuite on m'a fait savoir que mon ami était mort à l'hôpital, il avait reçu une balle dans la tête. J'avais lu beaucoup de livres, j'essayais de m'imaginer, maintenant qu'il était mort, comment ça se passerait à l'appel du soir, quelques jours après ; quelqu'un répondrait à sa place : « Igor Dachko, mort en accomplissant son devoir international. » C'était un garçon tranquille, ce n'était pas un Héros de l'Union Soviétique[1]. Mais quand même, on n'aurait pas dû l'oublier si vite, le rayer des listes...

De qui je vous parlais à l'instant ? Ah oui, d'Igor Dachko... Je l'ai vu dans son cercueil... Je n'éprouvais plus de compassion... Je l'ai regardé longuement et fixement pour me rappeler son visage...

Je vais vous raconter mon retour, les premiers jours...

On arrive à Tachkent, on va à la gare : pas de billets. Le soir, nous nous sommes mis d'accord avec les employés des wagons, on leur a donné cinquante roubles chacun, et nous sommes partis. Nous étions quatre dans le wagon avec ces deux employés qui avaient reçu cent roubles chacun. Ils faisaient des affaires, les gars, mais nous, on s'en fichait. On passait notre temps à rire sans raison, parce qu'on était vivants.

Arrivé chez moi, j'ai ouvert la porte, j'ai pris un seau et je suis allé chercher de l'eau dans la cour : j'étais un homme heureux !

Ma décoration, une médaille, on me l'a remise à l'institut. Le lendemain il y avait un article dans le journal : « La médaille trouve le héros. » C'était comique, comme si quarante ans après la guerre, des éclaireurs rouges[2] retrouvaient enfin ma trace. Je n'ai jamais dit que nous étions allés là-bas pour voir l'aurore de la Révolution d'avril embraser la terre afghane, mais c'est pourtant ce qu'on m'a fait dire dans cet article.

1. La plus haute distinction militaire en URSS. *(N.d.T.)*
2. Organisation de jeunes rappelant les scouts. *(N.d.T.)*

Avant l'armée, j'aimais la chasse. Mon rêve, c'était de partir comme chasseur en Sibérie après le service. Mais à présent quelque chose a changé en moi. Je suis allé à la chasse avec un ami, il a tué une oie et en a blessé une autre. J'ai couru après elle, mais mon ami a tiré... Moi, je courais pour l'avoir vivante, je ne voulais pas la tuer... Je ne veux plus tuer...

J'ai des trous de mémoire. Il ne me reste plus que des bribes, des éclats... Comme s'il ne m'était rien arrivé... »

Un soldat, pilote de char.

« À en juger par ma mine, personne ne pouvait savoir ce qui se passait en moi. Seuls mes parents m'interdisaient de retourner toujours les mêmes pensées dans ma tête.

... Je suis parti en Afghanistan avec mon chien Tchara. Si on lui criait « Fais le mort ! », il tombait. « Ferme les yeux ! » — il se couvrait la gueule et les yeux avec sa patte. Si j'avais le cafard, il s'asseyait à côté de moi et gémissait... Au cours des premiers jours qui ont suivi mon arrivée là-bas, j'étais muet de bonheur. J'avais toujours été malade, j'ai été déclaré inapte au service militaire. Mais un gars qui n'a pas fait son service, c'est la honte, on se moque de vous. L'armée est l'école de la vie, elle forme les hommes. J'ai donc fini par me faire incorporer. Ensuite j'ai écrit demande sur demande pour qu'on m'envoie en Afghanistan. On a tenté de m'en dissuader :

— Tu vas crever au bout de deux jours là-bas.

— Non, il faut que j'y aille.

Je voulais démontrer que j'étais comme tout le monde.

Je l'ai caché à mes parents. Depuis l'âge de douze ans, j'ai un cancer des ganglions lymphatiques et ils ont passé toute leur vie à me soigner. Je leur ai juste indiqué le numéro du secteur postal en leur racontant que c'était une unité secrète et qu'on n'avait pas le droit de nommer la ville.

J'ai pris avec moi mon chien et ma guitare. À la section spéciale, on m'a demandé :

— Comment t'es-tu retrouvé ici ?

— Eh bien, voilà...

Et je leur raconte toutes mes démarches.

— Impossible que tu l'aies demandé toi-même. Tu es dingue ou quoi ?

Je n'avais jamais fumé, mais cette fois j'ai eu envie de fumer.

Quand j'ai vu mes premiers morts — ils avaient les jambes arrachées, juste sous l'aine, un trou dans la tête —, j'ai fait quelques pas et je suis tombé. En moi, tout criait : « Je veux rester vivant. »

La nuit venue, quelqu'un a volé le PM d'un mort. On l'a trouvé, c'était un soldat de notre unité. Il l'avait vendu dans un *doukan* pour quatre-vingt mille afghanis. Il avait acheté deux magnétophones, des jeans... Nous l'aurions tué, mis en pièces s'il n'avait pas été gardé. À son procès, il ne disait rien, il pleurait. Les journaux parlaient d'« exploits » militaires. Nous, on riait, on s'indignait, on emportait ces journaux aux toilettes. Mais c'est étrange : je suis rentré depuis deux ans et quand je lis un journal, je cherche les « exploits », et j'y crois.

Là-bas, je croyais que je serais heureux de rentrer. Que je changerais ma vie. Beaucoup reviennent, divorcent, se remarient, partent en Sibérie pour construire des oléoducs, ou à Tchernobyl, ou dans des régiments de pompiers... Là où il y a du risque. On ne peut plus se contenter d'exister, on a besoin de vivre. J'ai vu là-bas des brûlés... D'abord ils sont tout jaunes, on ne voit que leurs yeux qui brillent, puis la peau s'en va et ils deviennent tout roses... Et une ascension en montagne ? Ça se passait ainsi : on emportait le PM naturellement, le double de munitions, c'est-à-dire une dizaine de kilogrammes de cartouches et quelques kilos de grenades, plus une mine par soldat — encore une dizaine de kilos —, le gilet pare-balles, la ration, bref on portait une quarantaine de kilos sur le dos si ce n'est pas plus. Je voyais des hommes se couvrir instantanément de sueur, comme s'ils étaient trempés par une averse. J'ai vu le visage d'un mort couvert d'une croûte orange. Oui, orange, je ne sais pas pourquoi. J'ai vu l'amitié, la lâcheté... Mais ce que nous avons fait était nécessaire. Ne touchez jamais à ça, s'il vous plaît. Aujourd'hui tout le monde se croit malin.

Pourquoi à l'époque personne n'a-t-il rendu sa carte du parti, personne ne s'est-il envoyé une balle dans la tête ? Non, nos sacrifices n'ont pas été vains.

Quand je suis rentré, ma mère m'a déshabillé comme un petit enfant, elle m'a examiné de partout : « Tu es entier, mon petit. » Extérieurement j'étais entier, mais intérieurement ça me brûlait. Tout me fait souffrir, un soleil trop vif, une chanson trop gaie, quelqu'un qui rit... Dans ma chambre, il y a les mêmes livres, les mêmes photos, le magnétophone, la guitare. Mais moi, j'ai changé... Je ne peux pas traverser un parc sans passer mon temps à me retourner. Au café, si un serveur se met derrière moi pour prendre la commande, je suis prêt à m'enfuir, parce que je ne supporte pas d'avoir quelqu'un derrière le dos. Quand je vois un salaud, je n'ai qu'une idée, c'est de le descendre. À la guerre, on est contraint de faire exactement le contraire de ce qu'on nous a enseigné dans la vie civile. Je tire très bien, je lance mes grenades au but. Qui a besoin de ça ici ?

Là-bas, il nous semblait qu'il y avait quelque chose à défendre. Nous défendions notre Patrie, notre vie. Alors qu'ici un ami ne peut pas me prêter trois roubles parce que sa femme ne veut pas. Un ami, ça ? J'ai compris qu'on n'avait pas besoin de nous ici. Pas besoin de notre expérience. C'est de trop, ça gêne. Nous aussi, nous sommes de trop, nous gênons. J'ai travaillé comme mécanicien dans un garage, puis instructeur au Komsomol. Je suis parti : c'est un vrai marécage. Les gens ne pensent qu'à leurs revenus, leurs villas, leurs voitures, leur saucisson fumé. Nous n'intéressons personne. Si nous ne pensions pas à défendre nos droits, cette guerre serait totalement inconnue. Si nous n'étions pas si nombreux, des centaines de milliers, on nous passerait sous silence comme on l'a fait pour le Viêt-nam et l'Égypte... Là-bas, nous étions soudés par la haine des *douchs*. Qui est-ce que je pourrais haïr maintenant, pour avoir des amis ?

Je suis allé au bureau de recrutement, je leur ai demandé de retourner là-bas, en Afghanistan. Ils ne m'ont pas pris, ils m'ont dit que la guerre serait bientôt finie. Ceux qui reviendront seront comme moi. Nous serons encore plus nombreux.

Quand je me réveille le matin, je suis heureux de ne pas me rappeler mes rêves. Je ne les raconte à personne. Mais ce qu'on n'a pas pu ou pas voulu raconter, ça reste quand même...

Je dors, je vois une marée humaine. Et tout ce monde est devant notre maison. Je regarde autour de moi, je me sens à l'étroit, mais je ne peux pas me lever sans savoir pourquoi. Alors je réalise que je suis couché dans un cercueil de bois. Je me rappelle très bien ce détail. Je suis vivant, je sais que je suis en vie, et pourtant je suis dans un cercueil. La porte s'ouvre, tout le monde sort dans la rue et on m'emporte aussi. Des foules de gens, ils ont tous l'air d'avoir du chagrin et aussi d'éprouver une sorte d'excitation que je ne comprends pas. Qu'est-ce qui s'est passé ?

Pourquoi suis-je dans un cercueil ? Soudain la procession s'arrête, et j'entends une voix qui dit : « Donnez-moi le marteau. » Alors je parviens à comprendre que je rêve. Et puis quelqu'un répète : « Donnez-moi le marteau. » Comme si c'était à la fois en rêve et dans la réalité. Et enfin une troisième fois : « Donnez-moi le marteau. » J'entends le couvercle se fermer, les coups de marteau ; un clou me transperce le doigt. Je donne des coups de tête dans le couvercle, je tambourine avec mes pieds. Le couvercle est arraché, il tombe. Les gens regardent : je me soulève, je m'assieds. J'ai envie de crier que j'ai mal, qu'ils ne devraient pas enfoncer ces clous, que je ne peux pas respirer là-dedans. Ils pleurent, mais ne me disent rien. Comme s'ils étaient tous muets. Et moi, je ne sais comment leur parler pour qu'ils m'entendent. J'ai l'impression de crier, mais mes lèvres sont serrées et je ne parviens pas à les décoller. Alors je me recouche dans le cercueil. Je m'allonge et je me dis : ils veulent que je sois mort, peut-être que je suis mort en effet, et qu'il vaut mieux se taire. J'entends de nouveau : « Donnez-moi le marteau. »

Un soldat.

TROISIÈME JOUR

« Ne vous tournez pas vers ceux qui interrogent les morts. Ne vous adressez pas aux nécromants... »

L'auteur. « Au commencement Dieu créa le ciel et la terre... Dieu appela la lumière Jour et il appela les ténèbres Nuit. Il y eut un soir, il y eut un matin : premier jour.

Et Dieu dit : Qu'il y ait un firmament au milieu des eaux et qu'il sépare les eaux d'avec les eaux...

Et Dieu appela le firmament Ciel. Il y eut un soir, il y eut un matin : deuxième jour.

Et Dieu dit : Que les eaux de dessous le ciel s'amassent en un seul lieu et qu'apparaisse la Sèche. Et il en fut ainsi...

Et la terre fit sortir du gazon, de l'herbe émettant de la semence selon son espèce et des arbres faisant du fruit, qui ont en eux leur semence selon leur espèce...

Il y eut un soir, il y eut un matin : troisième jour. »

Que vais-je chercher dans les Écritures ? Des questions ou des réponses ? Lesquelles ? Qu'y a-t-il d'humain dans l'homme ? Les uns croient que cette part est grande, d'autres pensent que non. Quelle est-elle en réalité ?

Il aurait pu m'aider, mon héros principal. Depuis ce matin je guette la sonnerie du téléphone, mais rien. Le soir venu, enfin...

Mon héros principal. C'était bête, hein ? Ça donne cette impression ? Mais tu comprends ce que ça représente pour moi ? Pour nous ? Quand j'y suis allé, j'étais un garçon soviétique ordinaire. La Patrie ne nous trahira pas, la Patrie ne nous trompera pas... On ne peut empêcher un fou de suivre sa folie... Les uns disent que nous sommes sortis d'un purgatoire, les autres, d'une décharge... Que la peste vous emporte tous ! Je veux vivre, moi ! Je veux aimer, moi ! J'aurai bientôt un fils... Je l'appellerai Aliocha. C'est le nom de mon ami... Je me souviendrai toujours comment je l'ai porté... La tête, les bras, les jambes, tout ça séparément... La peau aussi... Si j'ai une fille, ce sera quand même Aliocha...

C'était bête, hein ? Mais nous n'avons pas flanché, nous ne vous avons pas trompés. Je ne vous téléphonerai plus... Un homme qui a les yeux sur la nuque ne peut pas avancer. J'ai tout oublié... Tout... Tout... On ne peut empêcher un fou de suivre sa folie... Non, non, je ne vais pas me suicider... J'aurai un fils... Aliocha... Je veux vivre, moi ! C'est tout !!! Adieu !...

L'auteur. Il a raccroché. Mais je poursuis cette conversation avec lui. J'écoute...

« Il y eut un soir, il y eut un matin... »

« Il y en a beaucoup qui disent maintenant que tout ça, c'était pour rien. Ils voudraient nous le faire croire, à nous aussi. Allez donc le graver sur les plaques, sur les pierres tombales, que c'était pour rien !

Nous nous faisions encore tuer là-bas que déjà, ici, on nous jugeait. Les blessés qu'on ramenait en Urss, on les déchargeait dans des coins reculés des aéroports pour que personne ne les voie. Ne me dites pas que c'est le passé, parce que c'est tout récent. En 86, je suis venu en permission et les questions que j'entendais, c'était : vous vous dorez au soleil là-bas, vous allez à la pêche, vous gagnez des sommes folles ? Comment voulez-vous que les gens sachent la vérité ? Les journaux ne disaient rien.

... Là-bas, même l'air est différent, il m'arrive d'en rêver... La presse écrit maintenant que nous sommes des occupants. Si nous avons été des occupants, pourquoi leur avons-nous donné à manger, pourquoi leur avons-nous distribué des médicaments ? Quand on entrait dans un *kichlak,* ils étaient tous contents... Quand on s'en allait, ils étaient contents aussi... Je n'ai jamais compris pourquoi ils étaient toujours contents...

Un autocar qui passe... Nous l'arrêtons pour le fouiller. Un coup de pistolet... Un de mes soldats tombe face contre terre dans le sable... Nous le retournons : il a été frappé au cœur... J'étais prêt à les canarder tous au lance-grenades... On fouille : on ne trouve aucun pistolet, aucune arme... Des paniers de fruits... Des bouilloires de cuivre qui partaient pour le marché... Et il n'y avait que des femmes... Et mon soldat, la tête dans le sable...

Allez donc le graver sur les plaques, sur les pierres tombales, que c'était pour rien !

On marchait comme d'habitude... En quelques minutes, j'ai perdu le don de la parole... Je voulais crier ; « Stop ! », mais je ne pouvais pas. Et je continuais à avancer... Soudain un éclair... Je suis resté sans connaissance pendant quelques instants, puis je me suis vu au fond d'un trou... Je me suis mis à ramper... Je ne ressentais aucune douleur... Seulement je manquais de forces pour ramper, ils me dépassaient tous... On a rampé sur quatre cents mètres puis quelqu'un a dit : « On peut s'arrêter. On est en sécurité. » J'ai voulu m'asseoir comme tout le monde... et c'est là que je me suis aperçu que je n'avais plus de jambes... J'attrape mon PM, pour en finir, mais on me l'a arraché... Quelqu'un a dit : « Le commandant a perdu ses jambes... Pauvre commandant... » Dès que j'ai entendu le mot

« pauvre » j'ai senti la douleur se répandre dans mon corps... Une douleur si terrible que je me suis mis à hurler...

J'ai gardé l'habitude, même maintenant, de marcher sur le bitume, de ne pas quitter la route. On ne m'emmènera pas sur un sentier en forêt. L'herbe me fait toujours peur. Autour de notre maison, il y a de l'herbe bien fraîche, bien douce, mais j'ai peur.

À l'hôpital, les culs-de-jatte ont demandé qu'on les mette dans la même salle... Nous étions quatre... Près de chaque lit, il y avait deux jambes de bois, ça faisait huit jambes de bois en tout... Le 23 février, pour la fête de l'Armée soviétique, une institutrice nous a amené des petites filles avec des fleurs... Pour qu'elles nous souhaitent bonne fête... Elles sont restées là à pleurer... Nous n'avons rien pu manger pendant deux jours... On se taisait...

L'un de nous a reçu la visite de quelqu'un de sa famille ; le type nous a offert du gâteau.

— Tout ça, c'était pour rien, les gars ! Pour rien ! Mais ne vous en faites pas : on vous donnera une pension, vous pourrez passer des journées entières devant la télé.

— Va te faire... !

Il a reçu quatre béquilles dans la gueule.

Il y en a un, je l'ai décroché dans les toilettes... Il s'était mis un drap autour du cou et voulait se pendre sur la poignée de la fenêtre... Il venait de recevoir une lettre de sa petite amie : « Tu sais, les *Afghantsy* ne sont plus à la mode... » Et lui qui avait perdu ses deux jambes...

Écrivez-le sur les plaques, gravez-le sur les pierres tombales, que tout ça, c'était pour rien ! »

Un commandant, chef d'une compagnie
de chasseurs alpins.

« Je rentre avec l'envie de rester éternellement devant mon miroir à me peigner les cheveux. Je veux avoir un enfant, laver ses couches, l'entendre pleurer. Mais les médecins me l'ont interdit : « Votre cœur ne supporterait pas cette épreuve. » Pour ma petite fille, l'accouchement avait été difficile. On m'avait fait une césarienne parce que j'avais eu un malaise cardiaque. Une amie me dit dans sa lettre : « Personne ne comprendra que nous avons contracté nos maladies en Afghanistan. On nous dira que ce ne sont pas des blessures... »

Personne ne me croira non plus sans doute si je raconte qu'en 82, alors que j'étais étudiante par correspondance de troisième année à la faculté des lettres, j'ai été convoquée au bureau de recrutement :

— On a besoin d'infirmières en Afghanistan. Qu'en pensez-vous ? Vous toucherez un salaire et demi. Plus les bons.

— Mais je fais mes études.

Après avoir terminé l'école de médecine je travaillais comme infirmière, mais je rêvais de devenir enseignante. Certains trouvent tout de suite leur vocation, moi je me suis trompée.

— Vous êtes membre du Komsomol ?

— Oui.

— Alors réfléchissez.

— Je veux poursuivre des études.

— On vous conseille de réfléchir. Sinon on téléphonera à l'université et on leur dira ce que vous valez comme jeune communiste. Quand la Patrie l'exige...

... Dans l'avion Tachkent-Kaboul, ma voisine était une jeune fille qui rentrait de congé. Elle m'a demandé :

— Tu as pris un fer à repasser ? Non ? Et une plaque électrique ?

— Je vais à la guerre...

— Ah, je comprends, encore une idiote romantique qui a lu trop de livres sur la guerre...

— Justement, je n'aime pas les livres sur la guerre...

— Alors pourquoi y vas-tu ?

Ce maudit « pourquoi » m'a poursuivie pendant les deux années que j'ai passées là-bas.

C'est vrai, pourquoi ?

Ce qu'on appelait « transit » était une longue rangée de tentes. Dans la tente intitulée « réfectoire », on nous a donné de la bouillie de blé noir, introuvable en Urss, et des vitamines allemandes.

Un officier âgé m'a demandé :

— Tu es une jolie fille. Pourquoi es-tu ici ?

J'ai fondu en larmes.

— Qui t'a fait de la peine ?

— Vous.

— Moi ? !

— Vous êtes le cinquième aujourd'hui à me demander pourquoi je suis ici.

Pour aller de Kaboul à Kunduz, j'ai pris l'avion, de Kunduz à Feyzabad, l'hélicoptère. Quand je parlais de Feyzabad, on s'étonnait que j'y aille. C'était un endroit où on tirait, où on tuait ; bref, je pouvais faire mes adieux à la vie ! J'ai pu voir l'Afghanistan d'en haut, c'est un beau pays, montagneux comme chez nous, avec des torrents comme chez nous (je connais le Caucase), des grands espaces comme chez nous. Je me suis mise à aimer ce pays !

À Feyzabad, j'ai été affectée à la chirurgie. Mon domaine, c'était une tente intitulée « Salle d'opération ». Les tentes abritaient la totalité du bataillon sanitaire. On plaisantait en disant qu'il suffisait de descendre les pieds de son lit pliant pour être au travail. La première opération que j'ai assistée, c'était celle d'une vieille Afghane qui avait été blessée à l'artère sous-clavière. On manquait de pinces, on comprimait la veine avec ses doigts. Les bobines de fil tombaient en poussière dès que je les touchais. Elles devaient dater de 1945.

Mais nous avons sauvé cette Afghane. Le soir, le chirurgien et moi, nous sommes allés voir comment elle allait. Elle avait les yeux ouverts. Quand elle nous a aperçus, elle s'est mise à remuer les lèvres... Je croyais qu'elle voulait nous dire quelque chose... Mais elle voulait nous cracher dessus... À l'époque, je ne comprenais pas qu'elle avait le droit de nous haïr. Je suis restée pétrifiée : cracher sur ceux qui venaient de la sauver !

Les blessés, on les amenait en hélicoptère. Dès qu'on entendait le bruit du moteur, on accourait...

Le thermomètre restait fixé à quarante degrés. La salle d'opération était étouffante. J'avais à peine le temps d'éponger la sueur qui coulait sur le visage des chirurgiens penchés sur des plaies ouvertes. Un de nos aides-soignants « non stériles » leur donnait à boire avec un tube de perfusion qu'ils passaient sous leurs masques. On manquait de sang. Parfois on faisait venir un soldat qui donnait le sien sur-le-champ. Il y avait deux chirurgiens qui opéraient, et moi j'étais la seule instrumentiste... Nous nous faisions assister par des soignants qui n'avaient aucune idée des exigences de la stérilité. Moi je courais d'une table à l'autre... Une fois la lumière s'est éteinte au-dessus de l'une des tables... Un aide a saisi l'ampoule avec ses gants stériles et s'est mis à la dévisser...

— Dehors !

— Qu'est-ce qui te prend ?

— Dehors, j'ai dit !!

L'homme sur la table d'opération avait sa cage thoracique ouverte.

— Dehors !!!

On passait parfois vingt-quatre heures ou même quarante-huit heures devant la table d'opération. Tantôt on ramenait des blessés après les combats, tantôt c'était une épidémie d'automutilations : les soldats se tiraient des coups de feu dans les genoux, dans les doigts... Tout cela faisait une mer de sang... On manquait d'ouate...

Ceux qui allaient jusqu'à se mutiler étaient méprisés. Même nous, le personnel soignant, on leur faisait la morale. Moi aussi :

— Tes copains se font tuer et toi tu as voulu revoir maman ? Il s'est blessé au genou, voyez-vous ça... Il a un bobo à son petit doigt... Tu espères qu'on te renverra en Urss ? Pourquoi n'as-tu pas visé ta tempe ? Moi, c'est ce que j'aurais fait à ta place...

Je vous jure que je leur parlais comme ça ! À l'époque, je les prenais tous pour de méprisables lâches. Ce n'est que maintenant que je comprends : c'était peut-être de leur part une protestation ou un refus de tuer. Mais ce n'est que maintenant...

Je suis rentrée chez moi en 84. Un garçon de ma connaissance m'a demandé d'un air indécis :

— Qu'est-ce que tu en penses : avons-nous raison d'être là-bas ?

J'étais indignée :

— Si ce n'était nous, ce seraient les Américains ! Nous sommes des internationalistes...

Comme si je pouvais prouver ce que j'avançais.

C'est étonnant comme nous nous posions peu de questions. Nous refusions d'ouvrir les yeux. Et pourtant, nous voyions nos camarades esquintés, brûlés. Mais en les regardant, nous apprenions à haïr, non à réfléchir. Nous montions en hélicoptère, en bas on pouvait voir les montagnes couvertes de pavots ou d'autres fleurs que je ne connaissais pas, mais je ne pouvais plus jouir de ce spectacle. Je préférais le mois de mai, quand la chaleur avait déjà tout brûlé. Alors je regardais cette terre sèche, déserte, avec un sentiment de joie mauvaise : bien fait pour vous ! C'est à cause de vous que nous mourons, que nous souffrons ici. Je les haïssais !

Des blessures causées par les armes à feu, des blessures causées par les mines... La ronde des hélicoptères... Les brancards qui défilent... Les blessés, couverts de draps...

— Il est blessé ou il est mort ?

— Non, il n'est pas blessé...

— Alors qu'est-ce qu'il a ?

Je soulève un coin du drap et j'aperçois un homme qui n'a plus que la peau et les os. Des garçons dans cet état nous arrivaient des postes les plus lointains.

— Qu'as-tu ?

— Il y avait une mouche dans le thé.

— Quel thé ?

— Celui que j'ai servi à un ancien. Une mouche est tombée dedans. Pendant deux semaines, ils m'ont tabassé et ils m'ont empêché de m'approcher de la cuisine...

Seigneur ! Et tout cela au milieu de ce sang !... De ces sables étrangers...

À Kunduz, deux « anciens » ont forcé un « bleu » à creuser un trou... Ensuite ils l'ont forcé à descendre dedans. Puis ils l'ont enterré jusqu'au cou... Et pendant toute la nuit ils lui ont uriné dessus... Le lendemain matin, quand on l'a déterré, il les a abattus tous les deux... Cette affaire a fait l'objet d'un rapport qu'on a fait lire dans toutes les unités...

Seigneur ! Et tout cela au milieu de ce sang ! De ces sables étrangers...

Tandis que je vous parle, je me dis que ce que je vous raconte est terrible. Pourquoi ne pas se rappeler des histoires d'amitié, d'entraide, d'héroïsme ? C'est peut-être cette vieille Afghane qui m'en empêche. Nous l'avons sauvée et elle voulait nous cracher dessus... Mais je ne vous ai pas raconté toute l'histoire... On l'avait ramenée d'un *kichlak* qui avait été ratissé par nos *spetsnaz*... Ils n'ont laissé personne en vie, la seule survivante, c'était cette femme... Et s'il faut tout reprendre depuis le début, c'est de ce *kichlak* qu'étaient partis les coups de feu qui avaient abattu deux de nos hélicoptères... Les pilotes avaient été achevés à coups de fourche... Mais en fait, s'il faut vraiment tout dire, nous ne nous posions pas la question de savoir qui avait tiré le premier... Nous ne pensions qu'aux nôtres...

Un jour, on a affecté un de nos médecins aux opérations de combat. La première fois qu'il en est revenu, il pleurait :

— Toute ma vie j'ai appris à soigner. Aujourd'hui j'ai tué... Pourquoi les ai-je tués ?

Un mois après, il analysait calmement ses sentiments :

— On tire et on se prend au jeu : tiens, attrape ça !

La nuit, des rats nous tombaient dessus. Nous tendions de la gaze au-dessus de nos lits. Les mouches étaient grosses comme des cuillers à café. Nous avons fini par nous y faire. Il n'y a pas d'animal moins exigeant que l'homme !

Les filles faisaient sécher des scorpions comme souvenirs. Ils étaient grands et gros, on les piquait sur des épingles ou on les accrochait sur un fil comme un pendentif. Moi je faisais du « tissage ». Je prenais des suspentes de parachutes, j'en retirais des fils que je stérilisais et avec lesquels nous faisions nos points de suture. Quand je rentrais de congé, je rapportais une valise pleine d'aiguilles, de pinces, de fil ! Quelle folle ! J'ai rapporté un fer à repasser pour sécher ma blouse mouillée, en hiver, et aussi un réchaud électrique.

Le soir, nous confectionnions des boules d'ouate, nous lavions et faisions sécher des morceaux de gaze. Nous vivions comme une grande famille. Nous sentions déjà qu'après notre retour nous serions une génération perdue, nous serions de trop. Par exemple, comment pourrons-nous expliquer qu'il ait fallu envoyer tant de femmes à cette guerre ? Quand les femmes de ménage, les bibliothécaires, les administratrices des hôtels se sont mises à arriver les unes après les autres, nous étions perplexes : pourquoi fallait-il une femme de ménage pour deux ou trois modules, ou une bibliothécaire pour deux douzaines de livres dépenaillés ? Pourquoi, à votre avis ?... Nous-mêmes évitions ces femmes qui ne nous avaient pourtant rien fait.

Moi, j'ai été amoureuse là-bas... J'ai aimé un homme... Il est toujours en vie d'ailleurs... Mais j'avais mal agi vis-à-vis de mon mari, je lui ai menti : je lui ai dit que cet homme avait été tué...

On m'a demandé chez moi si j'avais déjà rencontré un *douch* vivant, s'ils avaient bien des têtes de bandits et un couteau entre les dents.

— Oui, j'en ai vu un. Un beau jeune homme. Il avait fait ses études à l'Institut polytechnique de Moscou.

Parce que mon petit frère imaginait quelque chose entre les *basmatchi* de la guerre civile et les montagnards caucasiens, comme dans *Hadji-Mourat* de Tolstoï[1].

— Pourquoi faisiez-vous quarante-huit heures de travail d'affilée ? Vous auriez pu faire des journées de huit heures et prendre du repos.

— Comment ! Vous ne comprenez pas ? !

Non, ils ne comprennent pas. Mais moi, je sais que nulle part je ne serai aussi utile que je l'ai été là-bas. Vous ne me croirez pas si je vous raconte cet arc-en-ciel que j'ai vu là-bas après la pluie : de véritables colonnes multicolores qui occupaient le ciel entier. Je ne reverrai jamais cela... Elles occupaient le ciel entier... »

Une infirmière.

1. Œuvre posthume de Léon Tolstoï, évoquant les guerres caucasiennes des années 1840-1850. *(N.d.T.)*

« J'étais heureuse : j'ai eu deux fils, deux garçons que j'aimais beaucoup. Un grand et un petit. Sacha, l'aîné, a été appelé quand Youra, le cadet, était en sixième.

— Sacha, où est-ce qu'on va t'envoyer ?

— J'irai là où la Patrie me commandera d'aller.

Je dis au plus jeune :

— Tu vois, Youra, quel frère tu as !

Le facteur nous apporte une lettre de l'armée. Youra me l'apporte en courant.

— Sacha va partir à la guerre ?

— À la guerre, il y a des morts, mon petit.

— Tu ne comprends pas, maman. Il reviendra avec la médaille militaire « Pour actes de courage ».

Le soir, Youra et ses amis jouent dans la cour à faire la guerre aux *douchs* :

— Ta-ta-ta ! ta-ta-ta !...

Et quand il rentre à la maison :

— Qu'est-ce que tu en penses, maman, la guerre sera finie quand j'aurai dix-huit ans ?

— J'aimerais bien.

— Il a de la chance, notre Sacha, il sera un héros. Tu aurais dû m'avoir avant lui.

... On m'a apporté la petite valise de Sacha, avec son maillot de bain, sa brosse à dents, un morceau de savon dans sa boîte. Et une attestation de décès.

— Votre fils est mort à l'hôpital.

Moi, j'avais comme un disque dans la tête : « J'irai là où la Patrie me commandera d'aller... J'irai là où la Patrie me commandera d'aller... »

Ils ont apporté, puis emporté une caisse, comme si elle ne contenait rien.

Quand ils étaient petits, je criais : « Sacha ! » et ils accouraient tous les deux, ou j'appelais : « Youra ! », et ils arrivaient.

Cette fois j'appelais :

— Sacha !

La caisse ne répondait pas.

— Youra, où étais-tu ?

— Maman, quand tu cries, j'ai envie de m'enfuir à l'autre bout du monde.

Il s'est enfui du cimetière, on a eu du mal à le retrouver.

On m'a apporté les décorations de Sacha : trois ordres et la médaille « Pour actes de courage ».

— Youra, regarde cette médaille !

— Je la vois, maman, mais Sacha ne la voit pas...

Ça fait trois ans que j'ai perdu mon fils et je ne l'ai pas vu une seule fois en rêve. Je mets pourtant son pantalon ou son maillot sous mon oreiller :

— Viens-moi en rêve, mon petit. Viens voir ta maman.

Il ne vient pas. Que lui ai-je fait pour qu'il m'en veuille ?

De la fenêtre de notre immeuble, on peut voir l'école et la cour de l'école. Youra joue avec ses amis, il fait la guerre aux *douchs*. J'entends toujours :

— Ta-ta-ta ! ta-ta-ta !...

La nuit, je reste couchée à supplier Sacha :

— Viens-moi en rêve, mon petit. Viens voir ta maman.

Et je rêve d'un cercueil... Il y a une grande lucarne... Je me baisse pour l'embrasser... Mais qui est-ce ? Ce n'est pas mon fils... C'est quelqu'un de noiraud... Un garçon afghan qui ressemble à Sacha... D'abord je me dis :

— C'est lui qui a tué mon fils...

Et puis je devine : mais non, il est mort lui aussi... Lui aussi, quelqu'un l'a tué... Je me penche et je l'embrasse par la lucarne... Je me réveille terrorisée... Qu'est-ce que je fais, qu'est-ce qui m'arrive ? »

Une mère.

« Deux ans, ça suffit... J'en ai soupé... Ça ne se répétera plus... Plus jamais... Je ne veux pas m'en souvenir... Je veux oublier ce cauchemar ! Je n'y suis pas allé...

Et pourtant si, j'y suis allé.

Après l'école militaire, j'ai pris mes vacances comme j'y avais droit. Puis, en été 86, je suis arrivé à Moscou et je me suis présenté, conformément aux ordres que j'avais reçus, à l'état-major d'un important établissement militaire. Il n'avait pas été facile à trouver. J'entre au bureau des laissez-passer, je compose le numéro d'un poste :

— J'écoute. Colonel Sazonov.

— À vos ordres, camarade colonel ! Je suis venu me mettre à votre disposition. Je suis en ce moment au bureau des laissez-passer.

— Ah oui, je sais... Vous savez déjà où on vous envoie ?

— En République démocratique d'Afghanistan. Dans la ville de Kaboul.

— Et vous ne vous y attendiez pas.

— Si, camarade colonel.

Pendant cinq ans, on nous avait enfoncé dans la tête que nous y passerions tous. Je n'ai donc pas triché lorsque j'ai dit au colonel que j'attendais ce moment depuis cinq ans. Il ne faut pas se représenter le départ d'un officier en Afghanistan comme s'il faisait son sac au premier signal, prenait congé très virilement et rapidement de sa femme et de ses enfants et sautait à bord d'un avion vrombissant aux premières lueurs de l'aube. Ce voyage vers la guerre a eu droit, lui aussi, à la « régularisation bureaucratique » :

outre l'ordre de départ, le PM et la ration, il fallait se procurer des attestations, des appréciations (« Untel comprend correctement la politique du parti et du gouvernement »), des passeports, des visas, des certificats, des prescriptions, des certificats de vaccination, des déclarations de douane, des talons d'embarquement. Ce n'est qu'après que vous pouviez monter dans l'avion, décoller et entendre un capitaine ivre gueuler : « En avant ! Sur les mines ! »

Les journaux écrivaient : « La conjoncture militaire et politique en République démocratique d'Afghanistan demeure complexe et contradictoire. » Les militaires soutenaient que le retour des six premiers régiments n'était qu'une opération de propagande, et qu'il ne pourrait être question d'un rapatriement de l'ensemble des troupes soviétiques. Personne à bord ne doutait que son séjour en Afghanistan soit suffisamment long. Et le capitaine continuait à crier dans un demi-sommeil : « En avant ! Sur les mines ! »

Je suis un parachutiste. On m'a expliqué ici que l'armée se partage en paras et en morbacs. Beaucoup de soldats, de *praporchtchiks* et une partie des officiers se font des tatouages sur les bras, qui ne brillent pas par la variété : le plus souvent c'est « IL-76 » avec un parachute. Mais il y a des variantes. Par exemple j'ai pu voir un tatouage lyrique : des nuages, des petits oiseaux, un parachutiste en plein saut et cette inscription touchante : « Aimez le ciel. » Le code non écrit des parachutistes commande : « Un para ne s'agenouille que dans deux cas : devant le cadavre d'un ami et pour se désaltérer dans un torrent. »

Ce qu'a été cette guerre pour moi...

— En colonne... Fixe ! Ordre de marcher selon l'itinéraire suivant : du point de stationnement permanent au bureau régional du parti de Baghran, puis au *kichlak* Chiwani. Vitesse : se régler sur le véhicule de tête. Distance entre les blindés : selon la vitesse. Indicatif : Ici Fraise, et les numéros des blindés. Rompez.

C'était là le rituel avant chaque départ de notre détachement de propagande. Mais il pouvait y avoir une suite :

— J'interdis formellement d'ôter les casques et les gilets pare-balles. Gardez votre PM à la main...

Je saute sur mon BRDM, petit véhicule blindé très mobile. Nos conseillers l'ont baptisé « bali-bali » (*bali* en afghan signifie « oui [1] »). Quand les Afghans testent le micro, ils disent « bali-bali ». En ma qualité d'interprète, je m'intéresse à tout ce qui concerne la langue.

— Salto, salto, ici Fraise. En avant...

Par-delà un petit mur de pierre, on aperçoit des maisons de briques sans étage, recouvertes de chaux à l'extérieur. Une pancarte rouge : bureau régional du parti. Sur le perron nous sommes accueillis par le camarade Laghman, vêtu d'un uniforme d'été soviétique.

— *Salam aleikum, rafiq* Laghman.

— *Salam aleikum. Tchetour asti ? Khub asti ? Jour asti ? Kheir asti ?* — Il dit rapidement les saluts traditionnels afghans, qui signifient tous que votre interlocuteur s'intéresse à votre santé. Inutile de répondre à ces questions, on peut simplement répéter la même chose.

Le commandant ne peut manquer l'occasion de placer son mot favori :

— *Tchetour asti ? Khub asti ?* L'Afghanistan, c'est pour les ouistitis.

Troublé par cette phrase incompréhensible, le camarade Laghman me regarde d'un air perplexe. J'explique :

— C'est un proverbe russe.

On nous invite au bureau. On apporte sur un plateau du thé dans des théières métalliques. Chez les Afghans, le

1. Exactement *bale*. *(N.d.T.)*

thé est un élément indispensable de l'hospitalité. On ne peut commencer un travail ni avoir une conversation d'affaires sans le thé ; refuser une tasse de thé équivaut à refuser une main tendue.

Au *kichlak*, nous sommes accueillis par les doyens du village et par les *batchas*, toujours sales (conformément à la Sharia — c'est-à-dire leur religion — on ne lave pas du tout les bébés car la crasse protège contre le mauvais sort), et ils sont habillés n'importe comment. Puisque je parle en persan, chacun se sent obligé de contrôler mes connaissances. Suit immanquablement la question : « Quelle heure est-il ? » Je réponds, ce qui soulève une tempête d'enthousiasme : puisque j'ai répondu, c'est que je connais réellement le persan, je ne fais pas semblant.

— Tu es musulman ?

Je réponds en plaisantant :

— Mais bien sûr.

Il leur faut des preuves.

— Tu sais dire la *kalima* ?

C'est une formule spéciale qu'il faut prononcer pour devenir musulman.

— *La illah il Allah wa Mohammad rasul Allah.* (Il n'y a pas d'autre dieu qu'Allah et Mahomet est son prophète.)

— *Dost ! Dost !* (ami) disent les *batchas* en me tendant leurs bras maigres en signe d'adoption.

Plus tard, ils me demandent encore de répéter cette phrase à plusieurs reprises, à chaque fois qu'ils amènent des amis, auxquels ils chuchotent d'un air ravi : « Il sait dire la *kalima*. »

Déjà le haut-parleur, que les Afghans ont surnommé eux-mêmes « Alla Pougatcheva [1] », diffuse des mélodies populaires afghanes. Les soldats accrochent sur les blin-

1. Chanteuse populaire soviétique. *(N.d.T.)*

dés le matériel de propagande par l'image : des drapeaux, des slogans, des affiches. Ils déroulent un écran pour la projection du film qui va suivre. Les médecins dressent des petites tables sur lesquelles ils disposent des boîtes de médicaments.

Le meeting commence. Un mollah s'avance. Il porte une longue pèlerine blanche et un turban blanc. Il lit une sourate du Coran. Puis il demande à Allah de protéger tous les fidèles contre le mal universel. Les bras pliés, il lève les paumes vers lui. Tout le monde, nous aussi, répète ce geste. Après le mollah, le camarade Laghman prend la parole. Son discours est très long. C'est là une des particularités des Afghans. Ils aiment tous parler et ils savent le faire. On évoque, en linguistique, la notion de « coloration émotionnelle ». Chez les Afghans, le discours n'est pas seulement coloré, il est bariolé de métaphores, d'épithètes, de comparaisons. Plus d'une fois, j'ai entendu des officiers afghans s'étonner de voir nos responsables politiques faire des cours en lisant des notes. Aux réunions du parti afghan, j'ai entendu nos conférenciers utiliser les mêmes petits papiers, le même vocabulaire : « À l'avant-garde du mouvement communiste », « être un modèle permanent », « appliquer sans relâche », « malgré les succès, certains aspects n'ont pas été assez travaillés », et même : « certains camarades ne comprennent pas ». Au moment de mon arrivée en Afghanistan, des meetings comme le nôtre étaient devenus depuis longtemps une corvée de routine. Les gens venaient pour bénéficier d'une visite médicale ou recevoir un sac de farine. Il n'y avait plus d'ovations, de clameurs « *Zendabâd !* » (« longue vie ») accompagnées de poings levés qui avaient immanquablement ponctué les discours à l'époque où le peuple croyait encore ce qu'on essayait de lui faire croire à propos des cimes radieuses de la révolution d'avril ou de l'avenir radieux.

Les *batchas* n'écoutent pas les discours, ça ne les intéresse pas, ils voudraient connaître le titre du film. Comme toujours, nous avons des dessins animés en anglais et deux documentaires en persan et en pachto. Ici, on aime les films indiens ou bien ceux où il y a beaucoup de bagarres et de coups de feu.

Après le cinéma, distribution des cadeaux. Nous avons apporté des sacs de farine et des jouets. Nous donnons tout cela au président du *kichlak* pour qu'il partage entre les familles les plus pauvres et celles des hommes tués à la guerre. Il jure devant tout le monde qu'il en sera bien ainsi et, aidé par son fils, transporte les sacs chez lui.

Le commandant du détachement s'inquiète.

— Qu'en penses-tu ? Il fera la distribution ?

— Je crois que non. Les gens d'ici sont déjà venus se plaindre de lui. Demain tout sera dans les *doukans*.

On nous commande :

— En colonne. Préparez-vous à partir.

— La 112e est prête, la 305e est prête, la 307e est prête, la 308e...

Les *batchas* accompagnent notre départ d'une grêle de pierres. J'en reçois une, et me dis :

— De la part du peuple afghan reconnaissant.

Nous rentrons dans notre unité en passant par Kaboul. Les vitrines de certains *doukans* sont ornées d'inscriptions en russe : « La vodka la moins chère », « Tout, à tous les prix », « Magasin "Frérot" pour les amis russes ». Les commerçants attirent le client en russe : « des jeans », « des jeans délavés », « un service pour six personnes », « des tennis avec des boutons à pression », « des foulards rayés blanc et bleu avec des fils d'argent ». Sur les comptoirs, on peut voir nos boîtes de lait concentré et de petits pois, nos Thermos, nos bouilloires électriques, nos matelas, nos couvertures...

Chez moi, je rêve surtout de Kaboul. Des maisonnettes de glaise accrochées sur les parois des montagnes... Les feux qui s'allument... De loin, on croirait voir un gigantesque gratte-ciel. Si je n'y étais pas allé je ne saurais pas que c'est une illusion d'optique...

Après mon retour, j'ai démissionné de l'armée au bout d'un an. Vous avez déjà vu une baïonnette briller sous la lune ? Non ? Et cette photo : un officier russe à côté d'un Afghan pendu ? Intéressant, non ?... Tenez, c'est un souvenir... Le plus terrible, c'était d'assister aux interrogatoires... Quand on plaçait un prisonnier sur une mine : parle, sinon... Ou le « téléphone » : on fixe des fils électriques sur les organes sexuels du prisonnier et on envoie le courant...

J'ai quitté l'armée... Je fais des études à la faculté de journalisme... J'écris un livre... Mais je suis victime d'une illusion d'optique...

— Tu sais dire la *kalima* ?

— *La illah il Allah...*

— *Dost ! Dost !*

Notre officier auprès de l'Afghan pendu... Il sourit... J'y étais, moi aussi... Je l'ai vu, mais a-t-on le droit de parler de ces choses-là ? Personne ne le fait... Donc il ne faut pas le faire. Si on n'en parle pas, c'est comme si ça n'avait pas existé. Alors, pour finir, ça a existé, oui ou non ? »

Un lieutenant, interprète.

« Je ne me rappelle rien de précis de mon existence là-bas. Dans l'avion nous étions deux cents hommes. Un homme en groupe et un homme seul sont deux personnes différentes. En y allant, je songeais à ce que j'aurais à vivre là-bas...

Je me souviens des instructions de notre commandant :

— Dans une ascension en montagne, si vous dévissez, ne criez pas. Il faut tomber en silence, comme une pierre « vivante ». C'est le seul moyen de sauver vos camarades.

Lorsqu'on est en altitude, le soleil paraît si près qu'on a l'impression de pouvoir l'attraper avec ses mains.

Avant mon service, j'avais lu le livre d'Alexandre Fersman, *Mémoires sur la pierre*. J'avais été frappé par les expressions qu'il employait : la vie de la pierre, la mémoire de la pierre, la voix de la pierre, l'âme de la pierre, le corps de la pierre, le nom de la pierre... Je ne comprenais pas comment on pouvait parler d'une pierre comme d'un être animé. Mais là-bas j'ai découvert qu'on peut contempler la pierre aussi longtemps que l'eau ou le feu.

Les instructions :

— Il faut toujours tirer un peu en avant d'une bête quand elle court, pour ne pas la manquer. Quand un homme court, c'est pareil...

Si j'avais peur ? Oui. Les sapeurs ont peur les cinq premières minutes. Les pilotes d'hélicoptères, quand ils courent vers leur appareil. Chez nous, dans l'infanterie, c'est avant le premier coup de feu.

L'ascension... C'était toute la journée, du matin jusqu'à tard le soir... On était tellement fatigués qu'on en avait des nausées. D'abord on a du plomb dans les jambes, ensuite ce sont les bras qui flanchent, qui se crispent aux articulations.

L'un de nous est tombé :

— Tuez-moi ! Je ne peux plus marcher...

Nous l'attrapons à trois, nous le traînons.

— Laissez-moi, les gars, achevez-moi !

— Salaud, on t'aurait bien descendu... Mais ta maman t'attend...

— Tuez-moi !!!

On souffre de la soif. Nous n'avons fait que la moitié du chemin, mais nos gourdes sont déjà vides. On tire la langue littéralement, on ne peut plus la rentrer dans la bouche. Je ne sais pas comment nous faisions pour fumer encore. Une fois que nous atteignons les névés, nous buvons dans les flaques d'eau, nous suçons la glace. Tout le monde a oublié les tablettes désinfectantes. Ne parlons pas des ampoules de permanganate : on ne pense qu'à ramper jusqu'à la neige... Derrière, ça tire à la mitrailleuse, mais ça ne nous empêche pas de boire dans la flaque d'eau... On boit très vite, de crainte de se faire tuer avant qu'on soit désaltéré. Un mort. Il a la tête dans l'eau et on dirait qu'il continue de boire.

À présent je me sens comme un observateur extérieur... Je regarde ce passé du point de vue d'aujourd'hui... Quelle allure j'avais là-bas ? Mais je n'ai pas répondu à votre question essentielle : comment je me suis retrouvé en Afghanistan. Eh bien, c'est moi qui ai demandé qu'on m'envoie secourir le peuple afghan. À l'époque, la télévision, la radio en parlaient, la presse évoquait la révolution... On disait qu'il fallait les aider... Je me suis préparé à la guerre... J'ai appris le karaté... Ce n'est pas facile de frapper le premier quelqu'un au visage. Un coup à faire craquer les os. Pour cela, il faut franchir une sorte de frontière qu'on a en soi, et vlan !

Le premier mort... Un garçonnet afghan qui avait peut-être sept ans... Il était étendu les bras en croix, comme s'il dormait... Et à côté, un cheval éventré... En quoi les enfants sont-ils coupables ? Et les animaux ?

C'est comme dans cette chanson « afghane » :

Dis-moi pour quoi et pour qui nous avons donné notre vie.
Pourquoi la section est partie à l'assaut, se faire faucher par
[la mitrailleuse.

Après mon retour, j'ai rêvé pendant deux ans de mon enterrement... Ou encore je me réveillais paniqué : je n'avais pas d'arme pour me suicider !

Mes amis voulaient savoir si j'avais été décoré, blessé, si je m'étais battu. Moi, j'essayais de raconter ce que j'avais vécu, mais ça ne suscitait aucun intérêt.

Je me suis mis à boire... Tout seul... Le troisième toast, toujours en silence... À la mémoire des morts... De Youra... Alors que j'aurais pu le sauver... Nous étions ensemble à l'hôpital de Kaboul... Moi, j'avais une égratignure à l'épaule et une commotion, lui avait perdu ses jambes... Ils fumaient, blaguaient... Là-bas, ils tenaient le coup. Mais ils ne voulaient pas rentrer en Urss et suppliaient qu'on les garde... Ça leur faisait trop peur... En Urss, ils auraient à recommencer leur vie... Le jour du départ, Youra s'est ouvert les veines dans les toilettes.

Pourtant j'avais essayé de lui remonter le moral (c'était le soir, en jouant aux échecs) :

— Youra, ne te laisse pas abattre. Pense à Alekseï Meressiev. Tu as dû lire *Le Récit d'un homme véritable*[1] ?

— Il y a une très belle fille qui m'attend...

Il m'arrive parfois de haïr tous les gens que je rencontre dans la rue ou que j'aperçois par la fenêtre... J'ai même peine à me retenir... Heureusement qu'à la douane on nous prend nos armes, nos grenades... Maintenant que nous avons fait notre boulot, on peut donc nous oublier ? Et Youra aussi ?

Je me réveille en pleine nuit et je mets du temps à réaliser si je suis ici ou là-bas. Qui a dit que les fous n'étaient que des effarés ? Je vis comme si j'étais un observateur extérieur... J'ai une femme, un enfant... Autrefois

1. Roman patriotique de Boris Polevoï sur un pilote de guerre qui, ayant perdu l'usage de ses deux jambes, poursuit le combat... *(N.d.T.)*

j'aimais les pigeons... J'aimais les matins... Maintenant je suis comme un observateur étranger... Je donnerais n'importe quoi pour retrouver ma joie de vivre... »

Un soldat.

« Ma fille rentre de l'école et me dit :

— Maman, personne ne me croit quand je raconte que tu es allée en Afghanistan.

— Pourquoi ?

Ils s'étonnent :

— Qui a envoyé ta maman là-bas ?

Quant à moi, je ne suis pas encore habituée au sentiment de sécurité et j'en jouis. Je ne me suis pas encore faite à l'idée qu'ici on ne tire pas, on ne bombarde pas, qu'on peut ouvrir le robinet et boire un verre d'eau sans avoir l'impression de boire de l'eau de Javel. Là-bas tout sent l'eau de Javel, le pain, les petits pains, les pâtes, le blé noir, la viande, les fruits au sirop. Je n'ai rien retenu des deux années que je viens de passer chez moi. Je me souviens du moment où j'ai retrouvé ma fille, mais le reste ne s'est pas fixé dans ma mémoire, c'est trop petit, mesquin, insignifiant, par rapport à ce que j'ai vécu là-bas. Bon, on a acheté une nouvelle table de cuisine, un poste de télévision... Sinon, il n'y a rien à raconter. Ma fille qui grandit... Elle écrivait des lettres au commandant de mon unité, en Afghanistan : « Rendez-moi vite ma maman, elle me manque beaucoup... » À part ma fille, il n'y a rien qui m'intéresse après l'Afghanistan.

Là-bas, les rivières sont d'un bleu de rêve. Je n'aurais jamais cru que l'eau puisse avoir cette couleur céleste. Les pavots poussent comme chez nous des pâquerettes, ce sont de véritables incendies de pavots au pied des montagnes. Des chameaux imperturbables qui regardent tout de haut, comme des vieux. Un âne a sauté une fois sur une mine antipersonnelle. Il tirait une charrette d'oranges, pour le marché.

Maudit sois-tu, Afghanistan !

Depuis que je suis rentrée, je ne peux plus vivre en paix. Vivre comme tout le monde... Les premiers jours, mes voisines, mes copines voulaient toujours se faire inviter :

— Valia, on fera un saut chez toi. Raconte-nous comment est la vaisselle là-bas ? Et les tapis ? C'est vrai qu'il y a des nippes à gogo et des vidéos en veux-tu, en voilà ? Qu'est-ce que tu as rapporté ? Tu n'aurais rien à nous vendre ?

On a ramené plus de cercueils que de magnétophones d'Afghanistan. Mais ça, on l'a oublié...

Maudit sois-tu, Afghanistan !

Ma fille grandit. Je n'ai qu'une pièce bien petite. Là-bas on m'avait promis qu'une fois rentrée, je serais bien récompensée. Je me suis adressée au soviet de l'arrondissement, ils m'ont pris ma demande.

— Vous avez été blessée ?

— Non, je suis rentrée entière. Entière extérieurement, mais on ne voit pas ce qu'il y a à l'intérieur.

— Eh bien, vous n'avez qu'à vivre comme tout le monde. On ne vous a pas forcée à y aller.

Quand je fais la queue pour le sucre, j'entends :

— Elles reviennent les valises pleines et se permettent encore de demander des passe-droits...

Il y avait six cercueils alignés : le commandant Yachenko, un lieutenant et des soldats... Ils étaient là, couverts de draps blancs... On ne pouvait pas voir leurs visages... Je n'aurais jamais cru que des hommes puissent autant crier, sangloter... J'ai gardé des photos... Aux endroits où ils se faisaient tuer, on dressait des obélisques avec de gros éclats de bombes et on gravait leurs noms sur des pierres. Mais les *douchs* jetaient tout cela dans le précipice, ils tiraient sur nos monuments, les faisaient sauter pour que nous ne laissions aucune trace...

Maudit sois-tu, Afghanistan !

Ma fille a grandi sans moi. Elle a passé deux ans dans un internat. Quand je suis rentrée, sa maîtresse s'est plainte d'elle : une si grande fille et elle n'avait que des trois[1].

— Maman, qu'est-ce que vous avez fait là-bas ?

— Les femmes aidaient les hommes. J'ai connu une femme qui a dit à un homme : « Tu vivras. » Et il est resté en vie. « Tu marcheras. » Et il a marché. Auparavant, elle lui avait confisqué une lettre qu'il avait écrite à sa femme et où il disait : « Qui aura besoin de moi, maintenant que je suis un cul-de-jatte ? ! Oubliez-moi. » Elle lui a dit : « Écris : Bonjour, ma chère femme et mes chers Alionka et Aliochka... »

Comment j'y suis allée ? Mon chef m'a convoquée et m'a dit qu'il le fallait. C'est le mot sur lequel a été construite toute notre éducation, toutes nos habitudes. Au transit, j'ai vu une fille toute jeune qui était couchée sur un matelas et pleurait :

— Chez moi, j'ai tout ce qu'il me faut ; un appartement de quatre pièces, un fiancé, des parents qui m'aiment.

— Pourquoi es-tu venue ?

— On m'avait dit qu'ici c'était dur. Qu'il le fallait !

Je n'ai rien rapporté de là-bas, que des souvenirs.

Maudit sois-tu, Afghanistan !

Cette guerre ne se terminera jamais, nos enfants la feront encore. Ma fille m'a répété hier :

— Maman, personne ne me croit quand je dis que tu es allée en Afghanistan... »

Un *praporchtchik*, chef d'un service secret.

1. En URSS les notes s'échelonnent de 1 à 5. *(N.d.T.)*

« Ne dites pas en ma présence que nous sommes des victimes et que ça a été une erreur. Ne prononcez pas ces mots devant moi, je vous l'interdis.

Nous nous sommes bien battus, courageusement. Qu'est-ce que vous avez contre nous ? J'ai baisé le drapeau à genoux, j'ai prêté serment. Nous avons été éduqués ainsi : c'est une cause sacrée puisqu'on a baisé le drapeau. Nous aimons notre Patrie, nous croyons en elle. Je l'aime en dépit de tout. Je suis encore à la guerre, je n'en suis pas revenu... Dès que j'entends une « explosion » de gaz d'échappement je suis pris d'une peur animale. Même chose pour un bruit de verre brisé... Ma tête est toute vide... Un vide lancinant... Quand j'entends la sonnerie du téléphone interurbain, c'est comme une rafale de mitraillette... Je ne permettrai pas qu'on efface tout cela. Je ne supporterais pas qu'on piétine mes nuits d'insomnie, mes souffrances. Je ne peux pas oublier la sensation du froid dans le dos quand il fait une chaleur de cinquante degrés...

... On roulait dans nos camions en braillant des chansons à tue-tête. On hélait les filles, on les provoquait : vues du haut des camions, elles étaient toutes belles. Nous étions joyeux. Parfois il y avait des lâches.

— Je ne veux pas y aller... Mieux vaut la prison que la guerre...

— Tiens, attrape ça !

On les battait, on les tournait en dérision. Il y en avait même qui s'enfuyaient de l'unité.

Mon premier mort. On a dû le sortir de la trappe. Il a eu le temps de dire : « Je veux vivre... » et il est mort. Après les combats, le spectacle de la beauté était insupportable !

Les montagnes, le défilé dans la lumière mauve. On avait envie de mitrailler tout ça ! Ou bien au contraire on devenait tout doux, gentil. Un autre garçon a mis longtemps à mourir. Il nommait tout ce qu'il voyait, comme un petit enfant qui apprend à parler : « Les montagnes... Un arbre... Un oiseau... Le ciel... » Et comme ça jusqu'à la fin.

Un jeune *tsarandoy* (c'est leur milicien) m'a dit :

— Quand je mourrai, Allah me prendra au ciel. Et toi, où iras-tu ?

Où j'irai ? !

Je suis allé à l'hôpital, à Tachkent. Mon père est venu me voir :

— Comme tu as été blessé, tu pourras rester en Urss maintenant.

— Que je reste ici quand mes amis sont là-bas ?

Il est communiste mais ça ne l'a pas empêché d'aller à l'église pour y brûler un cierge.

— Pourquoi tu fais ça, père ?

— J'ai besoin de mettre ma foi dans quelque chose. Il faut bien que je prie quelqu'un pour que tu reviennes...

À côté de moi, il y avait un gars que sa mère est venue voir de Douchanbé. Elle lui a apporté des fruits, du cognac.

— Je veux garder mon fils à la maison. À qui m'adresser ?

— Tu sais, la mère, nous allons plutôt boire du cognac à ta santé.

— Je veux garder mon fils...

Nous avons bu son cognac. Toute une caisse. Le dernier jour, nous avons appris qu'on avait découvert à l'un des gars un ulcère de l'estomac et qu'on l'emmenait à l'infirmerie. Espèce de planqué ! Nous l'avons effacé de nos mémoires.

Pour moi, il n'y a que du blanc ou du noir... Le gris n'existe pas... Pas de demi-teintes...

Il était difficile de s'imaginer qu'il y avait des endroits sur terre où il pouvait pleuvoir toute la journée, que nos moustiques d'Arkhangelsk volaient au-dessus de l'eau... Autour de nous, rien que des montagnes brûlées et râpées... Du sable cuit et piquant... Et sur ce sable, comme sur un drap immense, nos soldats ensanglantés... On les avait châtrés... Avec une note en souvenir : « Vos femmes n'auront jamais d'enfants d'eux... »

Et vous voudriez que j'oublie ça ? !

Certains rentraient avec un magnétophone japonais, d'autres s'amusaient avec des briquets à musique, mais il y avait ceux qui ne possédaient rien d'autre que leur tenue d'été usée jusqu'à la corde et un attaché-case vide.

Pourquoi n'y a-t-il pas de livres sur l'Afghanistan ? Ni de poèmes ? Ni de chansons que tout le monde pourrait chanter ? Nous nous sommes bien battus, courageusement. Nous avons été décorés... Il paraît que nous autres, les *Afghantsy*, on nous reconnaît même sans nos décorations, à nos yeux.

— Dis donc, mon gars, tu ne viens pas d'Afghanistan ?

Et pourtant, j'ai un manteau et des chaussures soviétiques... »

Un soldat.

« Peut-être est-elle encore en vie, ma petite fille, mais quelque part très loin... Je serais heureuse si elle était vivante, même si je ne peux pas la voir. J'y pense tellement, je le voudrais tellement ! J'ai fait un rêve justement... Elle rentre à la maison... Elle prend une chaise, s'assied au milieu de la pièce... Elle a les cheveux longs, très beaux, ils lui tombent sur les épaules... Elle les rejette en arrière et me dit : « Voyons, maman, pourquoi m'appelles-tu tout le temps, tu sais bien que je ne peux pas venir te voir. J'ai un mari, deux enfants... J'ai ma famille. »

Dans mon rêve, je me suis rappelé qu'un mois après son enterrement, je m'étais dit qu'elle n'avait pas été tuée, qu'on me l'avait volée... Autrefois, quand nous passions dans la rue, les hommes se retournaient pour la regarder, elle était élancée, avec de longs cheveux... Mais personne ne m'avait cru... Tandis que maintenant, avec ce rêve, je recevais une confirmation de ma supposition : elle était toujours en vie...

Je suis dans la médecine et j'ai toujours considéré que cette profession était sacrée. J'aimais beaucoup mon métier, c'est pourquoi j'ai entraîné ma petite fille là-dedans. À présent, je me maudis de l'avoir fait. Sans cette profession, elle serait restée chez nous et serait toujours en vie. Aujourd'hui nous sommes seuls, mon mari et moi, nous n'avons plus personne. C'est vide, c'est terriblement vide. Le soir, nous regardons la télévision. Nous nous taisons, parfois nous n'échangeons pas un seul mot de toute la soirée. Mais si je commence à chanter, je me mets à pleurer, mon mari à gémir, et c'est parti. Vous ne pouvez pas vous imaginer ce que j'ai là dans ma poitrine... Le matin, il faut aller au travail, impossible de me lever. Ça fait trop mal ! Parfois je me dis que je n'irai pas, que je resterai couchée à attendre qu'on m'emmène auprès d'elle. Qu'on m'appelle...

J'ai un penchant à imaginer des choses et je me vois toujours avec elle. Elle n'est jamais la même. Je lis même avec elle... Il faut dire que je m'intéresse maintenant aux livres sur les plantes, sur les animaux, sur les étoiles, je n'aime plus les histoires sur les hommes... Je croyais que la nature, le printemps m'aideraient... Nous sommes allés à la campagne... Il y avait des violettes, des petites feuilles toutes jeunes sur les arbres... Mais moi, je me suis mise à crier… La beauté de la nature, la joie de ce qui vivait m'ont bouleversée… Je me suis mise à craindre le temps, parce qu'il me prenait ma fille, parce qu'il effaçait le souvenir qu'on avait d'elle… Certains détails disparaissent… Ses paroles, ses sourires… J'ai trouvé des cheveux d'elle sur son tailleur, je les ai déposés dans une petite boîte. Mon mari m'a demandé :

— Qu'est-ce que tu fais ?

— Ça restera. Elle, elle n'est plus là.

Parfois je suis seule à la maison, je rêve de choses et d'autres et tout à coup j'entends très distinctement : « Maman, ne pleure pas. » Je me retourne : personne. Je continue à évoquer des souvenirs. La voici couchée… La fosse a déjà été creusée, la terre est déjà prête à la recevoir… Moi, je suis à genoux et je l'appelle : « Ma petite fille chérie… Ma petite fille gentille… Qu'est-ce qui s'est passé ? Où es-tu ? Où es-tu partie ? » Mais elle est encore avec moi, bien qu'elle soit dans son cercueil…

… Je me rappelle ce jour-là. Elle est rentrée de son travail et m'a dit :

— J'ai été convoquée par le médecin-chef.

Puis plus rien.

— Eh bien ?

Avant d'avoir la réponse, j'étais déjà très inquiète.

— Notre hôpital a reçu l'ordre d'envoyer une personne en Afghanistan.

— Eh bien ?

— Il leur faut justement une instrumentiste.

Or elle était instrumentiste en cardiologie.

— Eh bien ?

J'avais oublié tous les autres mots et ne pouvais que répéter la même chose.

— J'ai accepté.

— Eh bien ?

— De toute façon, il faut bien que quelqu'un y aille. Moi, j'ai envie d'aller là où c'est dur.

Tout le monde savait déjà, et moi aussi, qu'il y avait la guerre là-bas, que le sang coulait, qu'il fallait des infirmières. Je me suis mise à pleurer mais je n'ai pas pu lui dire « non ». Elle m'aurait regardée sévèrement et m'aurait dit :

— Maman, nous avons prêté le serment d'Hippocrate, toi et moi...

Il lui a fallu plusieurs mois pour préparer ses papiers. Elle m'a montré son appréciation, qui contenait ceci : « Comprend correctement la politique du parti et du gouvernement. » Mais moi je refusais toujours d'y croire.

Je vous raconte tout cela... Et ça me soulage... Comme si ça me la rendait... Je l'enterrerai demain... Le cercueil est dans la pièce... Elle est encore avec moi... Mais peut-être vit-elle encore quelque part ailleurs ? Je voudrais seulement savoir comment elle est maintenant. A-t-elle les cheveux longs ? Quel corsage porte-t-elle ? Tout m'intéresse...

Pour être franche avec vous, je ne veux pas voir les gens. J'aime être seule... Je suis avec elle, avec ma Svetotchka, alors je peux parler. Il suffit que quelqu'un entre pour que tout s'interrompe. Je ne veux laisser entrer personne dans notre monde à nous. Maman vient me voir de son village... Même avec elle, je ne veux pas partager mes sentiments... Une fois seulement, une femme est venue me voir... Une collègue... Eh bien, je ne la laissais plus repartir, nous sommes restées ensemble jusqu'à la nuit... Nous avions même peur qu'elle manque son dernier métro... Son mari s'inquiétait... Son fils était revenu d'Afghanistan... Il était devenu très différent de ce qu'il était avant d'y aller... « Maman, je vais t'aider à faire les pâtés... Maman, allons ensemble à la blanchisserie... » Il a peur des hommes, il ne fréquente que les filles. Elle est allée voir le médecin qui lui a dit : « Patience, ça lui passera. » Ces gens-là me sont plus proches, plus compréhensibles. J'aurais pu me lier d'amitié avec cette femme. Mais elle n'est pas revenue. Elle n'avait pas cessé de pleurer en regardant la photo de Svetotchka...

Mais je voulais vous raconter autre chose... Qu'est-ce que c'était donc ? Ah ! La première fois qu'elle est venue en congé... Non, je voulais aussi vous parler du moment où elle est partie... Ses amis d'école sont venus l'accompagner à la gare, et aussi ses collègues. Un vieux chirurgien s'est incliné devant elle et lui a baisé les mains en disant :

— Je ne trouverai jamais des mains comme celles-ci.

Elle est donc venue en congé. Toute maigrichonne, toute menue. Elle a dormi pendant trois jours. Elle ne se levait que pour manger et se recouchait aussitôt.

— Svetotchka, comment te sens-tu là-bas ?

— Tout va bien, maman, tout va bien.

Elle n'a plus rien dit, elle restait là à se sourire doucement à elle-même.

— Svetotchka, qu'est-ce qu'elles ont, tes mains ?

Je ne reconnaissais pas ses mains qui lui donnaient l'air d'avoir cinquante ans.

— Il y a beaucoup de travail là-bas, maman. Comment veux-tu que je pense à mes mains ? Tu te rends compte : quand on se prépare pour une opération, je me lave les mains à l'acide formique. Et le médecin qui m'a dit : « Vous croyez que vous avez des reins de rechange ? » Parce qu'il pense à ses reins, lui, alors qu'à côté il y a des gens qui meurent... Mais ne t'en fais pas... Je suis contente, je suis utile là-bas...

Elle est partie trois jours avant la fin de son congé.

— Pardon, maman, mais il n'y a plus que deux infirmières dans notre unité. Les médecins sont en nombre suffisant, mais les infirmières manquent. Les filles vont se crever. Je ne peux pas ne pas y aller.

Elle a dit à sa grand-mère, qu'elle aimait beaucoup et qui aura bientôt quatre-vingt-dix ans :

— Surtout ne meurs pas, attends-moi.

Nous étions allées voir grand-mère dans sa maison à la campagne. Elle était devant un grand buisson de roses quand Svetotchka lui a dit :

— Surtout ne meurs pas, attends-moi.

Sa grand-mère a coupé des roses et les lui a offertes...

Elle devait se lever à cinq heures du matin. Je la réveille, et elle :

— Maman, je n'ai pas pu récupérer vraiment. J'ai l'impression que je vais toujours manquer de sommeil à présent.

Dans le taxi, elle a ouvert son sac à main et s'est aperçue qu'elle avait oublié les clés de notre appartement :

— Je n'ai pas les clés. Et si je rentre et que vous n'êtes pas là ?

Par la suite, j'ai retrouvé ses clés dans une poche de sa vieille jupe... Je voulais les lui envoyer dans un colis pour qu'elle ne s'inquiète pas... Pour qu'elle ait les clés de sa maison...

Et si elle était vivante... Elle est peut-être quelque part à rire, à se promener... Elle est contente de voir des fleurs... Elle aimait les roses... Maintenant, je vais voir sa grand-mère, qui est toujours en vie. Elle me rappelle :

— Sveta m'a dit de ne pas mourir avant son retour...

Je me lève en pleine nuit... Sur la table il y a un bouquet de roses qu'elle a coupées la veille... Et deux tasses de thé...

— Pourquoi ne dors-tu pas ?

— Svetlanka et moi (elle l'appelait toujours ainsi), nous prenons le thé.

Moi, je la vois en rêve et je me dis à moi-même, toujours en rêvant : je vais m'approcher d'elle, je vais l'embrasser ;

si elle est chaude, c'est qu'elle est en vie. Je m'approche, je l'embrasse, elle est chaude. Donc elle est vivante !

Et si elle vivait quelque part... Ailleurs...

Un jour au cimetière que j'étais près de sa tombe, j'ai aperçu deux militaires... L'un d'eux s'est arrêté.

— Oh ! C'est notre Sveta. Regarde...

Puis il m'a vue :

— Vous êtes sa maman ?

Je me suis précipitée vers lui.

— Vous avez connu Svetotchka ?

Il s'est tourné vers son ami pour lui expliquer :

— Elle a eu ses deux jambes arrachées pendant un bombardement d'artillerie. Elle en est morte.

Je me suis mise à hurler. Il a pris peur :

— Vous ne saviez pas ? Pardon ! Pardon !

Et il s'est enfui.

Je ne l'ai pas revu ni n'ai cherché à le revoir.

Je reste près de la tombe... Je vois passer une mère avec ses enfants... Et j'entends :

— Qu'est-ce que c'est que cette mère ! Comment a-t-elle pu laisser partir à la guerre sa fille unique (en effet sur la pierre c'est gravé : « À notre fille unique ») ? Donner ainsi sa fille ?...

Comment osent-ils ? ! Comment peuvent-ils parler ainsi ? ! Elle qui avait prêté serment, elle qui était infirmière, même que les chirurgiens lui ont baisé les mains. Elle qui est allée sauver des gens, leurs fils peut-être...

Je crie dans mon âme : braves gens, ne vous détournez pas de moi ! Recueillez-vous avec moi près de sa tombe. Ne me laissez pas seule... »

Une mère.

« Je croyais qu'ils deviendraient tous plus cléments... Après tout le sang versé... Je croyais que personne n'en voudrait plus... Mais lorsqu'il a lu dans le journal que des prisonniers rentraient de captivité, il s'est mis à jurer.

— Qu'est-ce que tu as ?

— Je les collerais tous au mur si je le pouvais... Je les flinguerais de mes propres mains...

— Nous n'avons pas assez nagé dans le sang ? Tu en reveux ?

— Aucune pitié pour les traîtres. Nous, on se faisait arracher bras et jambes... Pendant que ceux-là se promenaient à New York et admiraient les gratte-ciel[1]...

C'était mon ami là-bas... Je pensais que nous ne devrions jamais plus nous séparer parce que je ne pourrais pas être seul. Je veux être seul à présent... La solitude est ce qui me sauve. J'aime dialoguer avec moi-même :

— Je déteste cet homme. Je le déteste.

— Qui ?

— Moi.

... J'ai peur de sortir de chez moi... J'ai peur de toucher à une femme... J'aurais mieux fait d'être tué... On aurait accroché une plaque commémorative dans mon école... On aurait fait de moi un héros... Chez nous, on parle tellement des héros, de l'héroïsme, toujours de l'héroïsme. Tout le monde veut devenir héros. Moi, je ne le voulais pas. Nous avions déjà des troupes en Afghanistan, pourtant je n'en savais rien, ça ne m'intéressait pas. À l'époque je vivais mon premier amour... Alors que maintenant j'ai peur de toucher aux femmes... Même dans un trolleybus bondé, aux heures de pointe... Je ne l'ai encore avoué à personne... Mais je n'y arrive pas avec les femmes... Ma femme m'a quitté... Ça s'est passé si bizarrement... J'ai fait

1. Allusion aux prisonniers et aux déserteurs soviétiques. *(N.d.T.)*

brûler la bouilloire. Pendant qu'elle brûlait, je la regardais noircir... Quand ma femme est rentrée du travail, elle m'a demandé :

— Qu'est-ce que t'as encore brûlé ?

— La bouilloire.

— C'est déjà la troisième...

— J'aime l'odeur du feu.

Elle a fermé la porte à clé et elle est partie... C'était il y a deux ans... Depuis j'ai peur des femmes... On ne peut pas s'ouvrir à elles... Il ne faut rien leur raconter... Même si elles vous écoutent, elles vous condamneront de toute façon...

— Ah, ce réveil ! Tu as encore crié. Tu as encore passé toute ta nuit à tuer je ne sais qui.

C'est ce que me disait ma femme.

Et moi qui lui parlais de la joie qu'éprouvaient les pilotes d'hélicoptères quand ils bombardaient. La joie que peuvent éprouver des hommes en regardant la mort.

« Ah, ce réveil ! Tu as encore crié... »

Elle ne sait pas, elle, comment notre lieutenant est mort. On a vu de l'eau, on s'est arrêté. Il a crié :

— Halte ! Que personne ne bouge !

Et il a montré un paquet sale qui se trouvait près du torrent.

— C'est une mine ? !

Les sapeurs sont partis devant : quand ils ont soulevé la « mine », elle s'est mise à gémir. C'était un enfant.

Qu'est-ce qu'on allait en faire ? Le laisser, le prendre avec nous ? Le lieutenant s'est proposé, et pourtant personne ne l'y a forcé :

— On ne peut pas le laisser là. Il mourrait de faim. Je vais l'emmener au *kichlak*. C'est à côté.

Nous l'avons attendu une heure, alors qu'il ne lui fallait pas plus d'une vingtaine de minutes pour l'aller et le retour.

Ils étaient morts... Le lieutenant et le conducteur... En plein *kichlak*... Sur la place... Les femmes les avaient tués à coups de pioche...

« Ah, ce réveil ! Tu as encore crié. Tu as encore passé toute ta nuit à tuer je ne sais qui. »

Ou bien cette scène... Un de nos soldats, blessé... Il agonise... Il appelle sa maman, sa fiancée... Et à côté un *douch* blessé... Qui agonise... Qui appelle sa maman, sa fiancée... L'un en russe, l'autre en afghan... On entend tantôt un nom afghan, tantôt un nom russe...

Il m'arrive de ne plus me rappeler mon nom, mon adresse, mon passé. Ensuite je retrouve mes esprits... Et alors c'est comme si je revivais... Mais c'est fragile... Je sors de chez moi et je me demande tout de suite si j'ai fermé la porte à clé, si j'ai fermé le gaz... Quand je vais me coucher, je me relève pour vérifier si j'ai mis mon réveil. Le matin, quand je vais au travail, je ne sais plus si j'ai dit « bonjour » aux voisins.

Je me rappelle ce poème de Kipling :

Oh, l'Est, c'est l'Est, et l'Ouest, c'est l'Ouest, et jamais ils ne
[se mêleront tous deux,
Tant que Ciel et Terre ne seront jugés devant le grand Trône
[de Dieu ;
Mais il n'est plus ni Est ni Ouest, ni frontière, ni race, ni
[naissance,
Quand deux hommes forts se dressent face à face, venant des
[deux bouts du monde !

Quand nous nous sommes mariés, elle me disait :

— Tu es sorti de l'Enfer, du Purgatoire... Je te sauverai...

En fait, je suis sorti d'un cloaque... Et maintenant, j'ai peur de toucher aux femmes... Quand je suis parti en Afghanistan, elles portaient des robes longues, mais depuis que je suis rentré, la mode est au mini. Je ne les reconnais plus. J'ai demandé à ma femme de mettre des robes longues... Au début ça la faisait rire, ensuite elle a pris ça mal... Enfin elle s'est mise à me haïr :

Mais il n'est plus ni Est ni Ouest, ni frontière, ni race, ni
[naissance,
Quand deux hommes forts se dressent face à face, venant des
[deux bouts du monde !

Qu'est-ce que je disais déjà ? Hein ? Ah oui, les robes longues de ma femme... Elles sont restées dans la penderie, elle les a laissées...

Il y a une chose que je n'ai pas eu le temps de lui raconter... »

Un sergent, éclaireur.

« J'ai toujours été militaire, je ne connaissais la vie civile que par ouï-dire. Les vrais militaires ont une psychologie à part. Ils se moquent de savoir si une guerre est juste ou injuste. Si on vous y envoie, c'est qu'elle est juste, c'est qu'il la faut. Quand on nous a expédiés en Afghanistan, c'était forcément une guerre juste. Nous y croyions. Moi-même, je parlais aux soldats de défendre nos frontières méridionales, je leur bétonnais les idées. Il y avait des cours politiques deux fois par semaine. Je ne pouvais quand même pas leur dire que j'avais des doutes. L'armée ne supporte pas la liberté de pensée. On vous a mis en colonne, désormais vous agissez sur ordre, du matin jusqu'au soir.

Au commandement :

— Réveil ! Debout !

On se lève.

Au commandement :

— Pas de gymnastique ! À gauche, gauche !

On court.

Au commandement :

— Dispersion dans la forêt. Cinq minutes pour faire vos besoins.

On se disperse.

Au commandement :

— En colonne !

Je n'ai jamais vu dans une caserne un portrait de... Qui, par exemple ?... Mettons de Tsiolkovski[1] ou de Tolstoï. Jamais. On trouve ceux de Nikolaï Gastello ou d'Alexandre Matrossov qui sont des héros de la Grande Guerre patriotique... Un jour, j'étais encore un lieutenant frais émoulu, j'ai accroché dans ma chambre une photo de Romain Rolland que j'avais découpée dans un magazine. Le commandant de l'unité m'a demandé qui c'était.

— Romain Rolland, c'est un écrivain français, camarade colonel.

— Retirez-moi immédiatement ce Français ! Nous n'avons donc pas assez de héros bien à nous ?

— Mais, camarade colonel...

— En avant, marche au magasin du corps et rapportez-moi un portrait de Karl Marx.

— Mais c'est un Allemand...

— Silence ! Deux jours d'arrêts !

Qu'est-ce que Karl Marx venait faire là-dedans ? Mais moi aussi, j'ai tenu ce genre de discours aux soldats. Du style : cette voiture ne vaut rien, elle est étrangère. Ou bien : nous n'avons rien à faire de ce camion étranger, il tomberait en morceaux sur nos routes. Tout ce qu'il y a de mieux au

1. Savant et inventeur autodidacte (1857-1935). *(N.d.T.)*

monde est fabriqué dans notre pays : les voitures, les camions, les hommes. C'est seulement aujourd'hui que je me suis mis à réfléchir. Pourquoi la meilleure voiture ne serait-elle pas japonaise, pourquoi les meilleurs bas de nylon ne seraient-ils pas français, pourquoi les plus belles filles ne seraient-elles pas à Taïwan... Or, j'ai cinquante ans...

... Je vois en rêve que je tue un homme. Il se met à genoux... À quatre pattes... Il ne lève pas la tête... Je ne vois pas son visage (d'ailleurs ils ont tous le même visage dans mes rêves)... Je tire tranquillement... Je regarde tranquillement le sang couler... C'est seulement en me réveillant et en repensant à mon rêve que je me mets à crier...

Ici, on parle déjà d'erreur politique, on qualifie cette guerre d'« aventure brejnevienne », de « crime ». Nous, nous n'avions qu'à nous battre et à mourir. Et à tuer. Ici on faisait des phrases, là-bas, on mourait. Ne jugez pas, et vous ne serez pas jugés ! Que faisions-nous là-bas ? Nous défendions la révolution ? Non, je n'y croyais plus, j'étais déjà déchiré intérieurement. Mais je me persuadais que nous défendions nos garnisons, nos hommes.

On voyait brûler des champs de riz... C'étaient les balles traçantes qui y avaient mis le feu... Ça craque, ça flambe vite... La chaleur est l'alliée de la guerre... Les *dehqans* courent dans tous les sens, et tentent de sauver ce qu'ils peuvent... Je n'ai jamais vu des enfants afghans pleurer... Ils sont petits, légers, impossible de deviner leur âge... Avec des culottes très larges, et des jambes toutes fines.

J'avais en permanence le sentiment que quelqu'un cherchait à me tuer... Il n'y a rien de plus bête que le plomb... Je ne saurais dire, même maintenant, si on peut s'y habituer. Là-bas, les pastèques, les melons sont grands comme des tabourets. Ils tombent en morceaux quand on les pique avec la baïonnette. C'est si simple de mourir... Il est plus difficile de tuer... Les morts, on n'en parlait pas... C'était la règle du jeu, si je peux m'exprimer ainsi... Quand on se préparait pour un raid, on écrivait une lettre d'adieux à sa femme. Je lui ai recommandé de limer les rayures du canon de mon pistolet et de le donner à mon fils.

En plein combat, on entend un magnétophone qui braille, parce qu'on a oublié de l'arrêter. C'est la voix de Vyssotski :

Dans l'Afrique jaune et chaude,
Dans sa partie centrale,
Un jour un malheur est arrivé,
En dépit du planning.
L'éléphant qui n'a pas bien saisi, déclare :
« Eh bien, qu'il en soit ainsi !... »
Bref, voilà : c'est une girafe
Qui est tombée amoureuse d'une antilope...

Les *douchmans* aussi passaient du Vyssotski... La nuit, on entendait, pendant les embuscades :

Mon ami est parti à Magadan.
Ôtez votre chapeau ! Ôtez votre chapeau !
Il y est allé tout seul, tout seul,
Pas pour faire du camp.

Dans les montagnes, ils voyaient nos films... Sur Kotovski, sur Kovpak[1]. Des films de guerre, de partisans... Dans les grottes, il y avait des postes de télévision, des magnétophones... Ils apprenaient à se battre contre nous en profitant de notre expérience.

Dans les poches de nos garçons tués je trouvais des

1. Respectivement héros de la guerre civile et chef partisan de la Seconde Guerre mondiale. *(N.d.T.)*

lettres... Des photographies... Tania de Tchernigov... Macha de Pskov... Olia de Saratov... Ania d'Odessa ou de Mahatchkala... Des photos faites par des photographes de province... Toutes pareilles... Avec des inscriptions naïves : « J'attends ta réponse comme un rossignol attend l'été », « Porte-lui mes pensées, rapporte sa réponse... » Je les avais sur mon bureau, comme un jeu de cartes... Ces visages de filles russes toutes simples...

Je n'arrive pas à revenir dans ce monde-ci... J'ai pourtant essayé, mais je ne peux pas... Je fais de l'hypertension... Je n'ai pas assez d'occupations... J'ai l'adrénaline qui fait des siennes... Je manque de sensations fortes, de mépris pour la vie... Les médecins ont diagnostiqué un rétrécissement des vaisseaux... J'ai besoin d'un rythme, du rythme de l'attaque... Même maintenant je voudrais bien y retourner, mais j'ignore ce que j'y ressentirais... Tout ce matériel brûlé, brisé sur les routes... Ces tanks, ces BTR... Est-ce vraiment tout ce qui est resté de nous là-bas ?

Je suis allé au cimetière... Je voulais regarder les tombes « afghanes »... Je suis tombé sur une mère...

— Va-t'en, commandant... Tu as les cheveux gris... Tu es vivant... Tandis que mon petit garçon qui est là, il ne s'était encore jamais rasé...

Récemment, j'ai perdu un ami qui s'était battu en Éthiopie. Il s'était esquinté les reins dans cette chaleur. Tout ce qu'il avait appris est parti avec lui. Un autre camarade m'a raconté comment il s'était retrouvé au Viêt-nam... J'en ai rencontré qui étaient allés en Angola, en Égypte, en Hongrie en 56, en Tchécoslovaquie en 68... Nous discutons... À la campagne, nous faisons pousser des radis ensemble... Nous allons à la pêche... Parce que je suis retraité maintenant... On m'a enlevé un poumon à l'hôpital de Kaboul... À Khmelnitski, il y a un hôpital où on soigne ceux dont les familles ne veulent plus... Ou bien ceux qui ne veulent pas rentrer chez eux... J'ai reçu une lettre d'un garçon qui s'y trouve : « Je n'ai plus de bras, plus de jambes... Quand je me réveille le matin, je ne sais pas si je suis un homme ou un animal. Des fois, j'ai envie de miauler ou d'aboyer. Je serre les dents... »

J'ai besoin d'un rythme, du rythme de l'attaque. Mais je n'ai personne avec qui me battre. Je ne peux plus me planter devant mes gars et les chauffer en leur disant que nous sommes les meilleurs, les plus justes. Mais j'affirme que nous voulions vraiment être ainsi. Seulement, ça a raté. Pourquoi ?... »

Un commandant, chef de bataillon.

« Nous n'avons rien à nous reprocher vis-à-vis de la Patrie. J'ai fait honnêtement mon devoir de soldat. J'ai déjà entendu dire, j'ai lu que certains qualifient cette guerre de « sale guerre ». Alors que faire de sentiments comme le patriotisme, l'attachement au peuple, le sens du devoir ? La Patrie serait-elle pour vous un mot creux ? Nous n'avons rien à nous reprocher vis-à-vis d'elle...

On nous traite d'occupants. Qu'avons-nous pris là-bas, qu'en avons-nous rapporté ? Le « fret deux cents », les cercueils avec nos camarades ? Qu'avons-nous acquis ? Des maladies, depuis l'hépatite jusqu'au choléra, des blessures, des infirmités ? Je n'ai pas à me repentir. J'ai aidé le peuple frère afghan. J'en suis persuadé ! Mes compagnons étaient aussi des gars honnêtes et sincères. Ils croyaient qu'ils étaient venus sur cette terre avec de bonnes intentions, qu'ils n'étaient pas des « combattants fourvoyés » d'une « guerre erronée ». Mais certains voudraient voir en nous des jobards crédules, de la chair à canon. Pourquoi ? Dans quel but ?

Ils cherchent la vérité ? Mais n'oubliez pas l'Évangile. Quand Pilate interroge Jésus, celui-ci lui répond :

— Je suis né et ne suis venu dans le monde que pour attester la vérité.

Et Pilate lui demande :

— Qu'est-ce que la vérité ?

La question est restée sans réponse...

J'ai ma propre vérité. C'est que, dans cette foi que nous avions et qui était peut-être en effet naïve, nous étions purs, virginaux. Nous croyions que, puisque le nouveau pouvoir distribuait les terres, tout le monde les prendrait avec joie. Et voilà qu'on découvre... que les paysans refusent ces terres ! Nous étions persuadés que si nous construisions des MTS (des stations de machines et de tracteurs), si nous leur donnions des tracteurs, des moissonneuses-batteuses, des faucheuses, toute leur vie changerait. Et voilà qu'on découvre... qu'ils détruisent les MTS ! Nous croyions qu'au siècle de la conquête de l'espace, l'idée de Dieu était ridicule, absurde. Nous avons envoyé un garçon afghan dans le cosmos... Histoire de leur dire : regardez, il est allé là où vous imaginez qu'est votre Allah. Et voilà que la religion musulmane s'avère invincible... Bref nous avions cru en beaucoup de choses. Et c'est un fait. Ça a été une portion importante de notre vie... Je la garde précieusement dans mon âme, je ne veux pas la détruire. Et je ne permettrai pas qu'on la noircisse. Il nous arrivait au combat de nous couvrir mutuellement de nos corps. Faites l'expérience : livrez-vous aux balles destinées à un autre ! Ce sont des choses qu'on n'oublie pas. Ou encore cet épisode. Je voulais rentrer chez moi par surprise, mais j'ai eu peur pour maman. Je lui ai téléphoné :

— Maman, je suis vivant, et à l'aéroport.

Et j'ai entendu tomber le combiné, à l'autre bout du fil.

Qui vous a dit que nous avons perdu cette guerre ?

Nous l'avons perdue ici, en Urss. Alors que nous aurions pu la gagner en beauté, ici aussi. Des braves qui reviennent endurcis par la guerre... Mais on ne nous a rien donné... Ni droits, ni travail... Tous les matins quelqu'un accroche une pancarte sur l'obélisque (il n'y a pas encore ici de monument aux Morts de la guerre d'Afghanistan, ça va venir) : « Emmenez-le dans votre région militaire de Biélorussie... » Mon cousin, qui a dix-huit ans, ne veut pas faire son service :

— Je ne veux pas exécuter les ordres stupides et criminels de n'importe qui.

Qu'est-ce que la vérité ?

Dans notre immeuble habite une femme, un vieux médecin. Elle a soixante-dix ans. Après tous ces articles, ces révélations, ces discours... après toute cette vérité qui nous est tombée dessus, elle a perdu la raison... Elle ouvre sa fenêtre, au rez-de-chaussée, et elle crie : « Vive Staline ! », ou bien « Vive le communisme, avenir radieux de l'humanité ! ». Je la vois tous les matins... On la laisse tranquille, elle ne gêne personne... Moi, ça me fait froid dans le dos, parfois...

Mais nous n'avons rien à nous reprocher vis-à-vis de la Patrie... »

Un soldat, artilleur.

« J'entends la sonnette. Je cours ouvrir : personne. Je me demande : et si c'était mon fils qui était revenu ?...

Deux jours après, des militaires viennent frapper à ma porte :

— Alors, votre fils n'est pas là ?

— Non, maintenant, il n'est plus là.

C'est devenu tout silencieux. Dans l'entrée je m'agenouille devant le miroir :

— Mon Dieu, mon Dieu ! Mon petit Jésus !

Sur ma table, il y a encore une lettre que j'avais commencé à lui écrire :

« Bonjour, mon petit garçon !

J'ai reçu ta lettre et j'en suis très heureuse. Elle ne contient pas une seule faute de grammaire. Seulement deux fautes de syntaxe, comme dans la précédente : "selon moi" est une incise et "pour autant que" une locution conjonctive qui ne prend pas de virgule, tandis que, après "selon moi", il faut une virgule. Il ne faut pas que tu en veuilles à ta maman.

... En Afghanistan, il fait chaud, mon petit. Tâche de ne pas t'enrhumer, toi qui attrapes toujours des refroidissements... »

Au cimetière tout le monde se taisait, et pourtant il y avait beaucoup de monde. Je tenais un tournevis, ils n'avaient pas pu me le prendre.

— Laissez-moi voir mon fils... Laissez-moi ouvrir...

Je voulais ouvrir le cercueil de zinc avec ce tournevis.

Mon mari a tenté de mettre fin à ses jours :

— Je ne vivrai pas. Pardon, la mère, mais je ne veux plus vivre.

Moi, j'essayais de le dissuader :

— Il faut lui faire un monument, il faut carreler la tombe...

Il ne pouvait plus dormir. Il disait :

— Quand je m'endors, notre garçon revient. Il m'embrasse, il m'étreint...

On a suivi la coutume ancienne et on a gardé un pain pendant quarante jours après l'enterrement... Au bout de trois semaines, il s'est complètement effrité. Cela signifie que la famille est perdue...

J'ai accroché ses photos partout dans la maison. Cela me soulage, mais pour mon mari, c'était trop dur.

— Enlève-les. Il me regarde...

Nous lui avons fait un monument. Un beau, en marbre coûteux, avec tout l'argent que nous avions réuni pour son mariage. La tombe, nous l'avons carrelée en rouge et nous avons planté des fleurs rouges. Des dahlias. Mon mari a peint la grille.

— J'ai tout fait comme il fallait. Notre fils sera content.

Le matin, il m'a accompagnée à mon travail. Il m'a dit au revoir. Je rentre le soir, je le vois pendu à une serviette, à la cuisine, juste en face de la photographie de notre fils, de celle que je préférais.

— Mon Dieu, mon Dieu ! Mon petit Jésus !

... Dites-moi donc enfin, ce sont des héros, oui ou non ? Pourquoi dois-je souffrir un tel malheur ? Des fois je me dis : oui, ce sont des héros ! Il n'est pas tout seul à reposer au cimetière de la ville... Il y en a des rangées entières... Mais d'autres fois, je maudis le gouvernement, le parti... Moi-même je lui avais appris : « Le devoir est le devoir, mon petit. Le devoir, c'est sacré. » Je jette des malédictions contre le monde entier, mais le lendemain matin, je cours sur sa tombe, je m'agenouille et je lui demande pardon :

— Pardon, mon petit, pour ce que j'ai dit... Pardon... »

Une mère.

« J'avais reçu une lettre : « Ne t'inquiète pas si tu ne reçois pas de lettres de moi. Écris toujours à mon ancienne adresse. » Et puis deux mois de silence. Je ne pouvais pas m'imaginer qu'il soit en Afghanistan. Nous avons fait notre valise pour lui rendre visite à cette première adresse.

Il ne nous disait pas qu'il faisait la guerre. Il racontait qu'il bronzait, qu'il allait à la pêche. Il nous a envoyé une photo où on le voyait sur un âne, les genoux traînant par terre. Je ne savais pas qu'il y avait des morts là-bas. Avant de partir, il ne jouait jamais avec notre fille, il n'avait pas de sentiment paternel, peut-être parce qu'elle était encore petite. Mais quand il est revenu en permission, il a passé des heures entières à la regarder avec une telle tristesse dans les yeux que ça me faisait peur. Le matin, il l'emmenait à l'école maternelle, il aimait la porter sur ses épaules. Le soir, il allait la rechercher. Nous sommes allés au théâtre, au cinéma, mais il avait surtout envie d'être à la maison.

En amour, il devenait insatiable ; si je partais au travail ou si je faisais à manger, ça lui semblait trop de temps perdu :

— Reste avec moi encore un peu. Aujourd'hui on se passera de boulettes de viande. Demande-leur un congé pendant que je suis là.

Quand ce fut le moment pour lui de repartir, il a fait exprès de manquer son avion pour que nous puissions passer encore deux jours ensemble.

La dernière nuit... Nous étions si bien que je me suis mise à pleurer... Moi, je pleurais, lui se taisait, il ne faisait que me regarder. Et puis le voilà qui me dit :

— Tamara, si tu prends un autre homme un jour, n'oublie pas ça.

Et moi :

— Tu n'es pas fou ! Tu ne te feras jamais tuer ! Je t'aime tellement que tu ne te feras jamais tuer.

Il s'est mis à rire.

Il ne voulait pas d'autres enfants :

— Attends que je revienne... Alors tu en auras... Sinon qu'est-ce que tu ferais toute seule avec eux ?...

J'ai appris à attendre. Mais quand je voyais un fourgon funéraire, je me sentais mal, j'étais prête à crier, à pleurer. Je rentrais à la maison dare-dare et, pourvu qu'il y ait une icône, je m'agenouillais pour prier :

— Sauvez-le-moi ! Sauvez-le !

Ce jour-là, je suis allée au cinéma. Je regardais sans voir. Je sentais une inquiétude incompréhensible : c'était comme si on m'attendait quelque part, comme si je devais aller quelque part. J'ai eu de la peine à rester jusqu'à la fin de la séance. C'était vraisemblablement au moment du combat...

Pendant une semaine, je n'ai rien su de ce qui s'était passé. J'ai même reçu deux lettres de lui. D'habitude, j'étais tout heureuse, je les embrassais, mais cette fois je me suis mise en colère : combien de temps devrais-je encore l'attendre ? !

Le neuvième jour, à cinq heures du matin j'ai reçu un télégramme : on me l'a fourré sous la porte. C'était un télégramme de ses parents : « Viens vite. Petia est mort. » Je me suis mise à crier. J'ai réveillé l'enfant. Que faire ? Où aller ? Je n'avais pas d'argent. Je devais justement recevoir son mandat ce jour-là. Je me rappelle que j'ai enveloppé ma fille dans une couverture rouge et que je suis partie sur la route. À cette heure-là, les autobus ne marchaient pas encore. J'ai arrêté un taxi.

— À l'aéroport.

— Je rentre au garage.

Et il referme sa portière.

— Mon mari a été tué en Afghanistan...

Il est descendu sans rien dire, m'a aidée à monter. Je suis passée chez une amie, je lui ai emprunté de l'argent. À l'aéroport il n'y avait plus de billet pour Moscou et moi, je n'osais pas leur montrer le télégramme, de peur que ce ne soit une erreur : si je continuais à croire qu'il était vivant, il le serait peut-être. Je me suis mise à pleurer, tout le monde me regardait. Finalement ils m'ont mise dans un vieux coucou jusqu'à Moscou et je suis arrivée la nuit suivante à Minsk, à Starye Dorogui. Les chauffeurs de taxi ne voulaient pas y aller, c'était trop loin : cent cinquante kilomètres. Je les suppliais. L'un d'eux a accepté :

— Donne-moi cinquante roubles et je t'emmène.

À deux heures, j'arrive chez mes beaux-parents. Tout le monde pleure.

— Ce n'est peut-être pas vrai ?

— Si, c'est vrai, Tamara.

Le matin, nous allons au bureau de recrutement. On nous donne une réponse à la militaire :

— Quand on l'amènera ici on vous le fera savoir.

Nous attendons encore deux jours. Nous téléphonons à Minsk. On nous répond :

— Venez le chercher vous-mêmes.

Nous y allons, mais au bureau de recrutement régional on nous dit :

— On l'a emmené par erreur à Baranovitchi.

Or c'est à cent kilomètres de Minsk ; nous n'avions pas assez d'essence dans notre fourgonnette. À Baranovitchi, il n'y avait plus personne à l'aéroport, leur journée de travail était finie. Juste un gardien dans sa guérite.

— Nous sommes venus pour...

— Là-bas (il montre du doigt). Il y a une caisse. Regardez voir. Si c'est le vôtre, vous pouvez l'embarquer.

Sur le champ d'aviation, il y avait en effet une caisse sale, sur laquelle on avait écrit à la craie : « Lieutenant Dovnar ». J'ai arraché une planche à l'endroit où il y avait une lucarne dans le cercueil : son visage était intact, mais il n'était pas rasé, pas lavé, le cercueil était trop petit pour lui. Et puis l'odeur... Impossible de se pencher, de l'embrasser... Voilà comment on m'a rendu mon mari...

Je me suis agenouillée devant ce que j'avais eu de plus cher au monde.

C'était le premier cercueil dans le village de Yazyl du district de Starye Dorogui, dans la région de Minsk. Les yeux des gens n'exprimaient qu'une chose : la terreur. Personne ne comprenait ce qui se passait. On l'a descendu dans sa tombe. À peine ont-ils remonté les courroies qu'un orage terrible nous est tombé dessus, une pluie de grêle sur les lilas en fleur : ça nous crissait sous les pieds comme du gravier blanc. La nature était contre, en quelque sorte. J'ai eu du mal à quitter sa maison parce que son âme se trouvait là. Son père, ma mère... Nous parlions peu. J'avais l'impression que sa mère me haïssait parce que j'étais en vie alors que son fils était mort, parce que je pourrais me remarier alors qu'il ne serait plus là. Maintenant, elle me dit :

— Tamara, remarie-toi.

Mais à l'époque, j'avais peur de rencontrer son regard. Son père, lui, a failli devenir fou. Il criait :

— Dire qu'ils ont envoyé à la mort un gars pareil ! Ils l'ont tué !

Sa mère et moi, nous lui expliquions que Petia avait été décoré, que nous avions besoin de l'Afghanistan, qu'il fallait défendre nos frontières méridionales... Mais lui ne nous écoutait pas :

— Les salauds !...

Le plus terrible est venu ensuite. Le plus terrible... c'est de s'habituer à l'idée que je ne dois plus attendre, que je n'ai plus personne à attendre. Le matin je me réveille couverte de sueur froide, je me dis :

— Petia va rentrer et nous qui avons changé d'adresse !...

Il m'a fallu du temps pour comprendre que désormais je serais seule avec ma fille Oleska. J'allais regarder la boîte aux lettres trois fois par jour... On me retournait mes lettres qui étaient arrivées après sa mort, avec le tampon : « Le destinataire n'habite plus à l'adresse indiquée. » Je n'aime plus les fêtes. J'ai cessé de fréquenter les amis. Il ne me reste que des souvenirs. Les meilleurs.

Le premier jour, nous avons dansé ensemble. Le lendemain, nous nous sommes promenés au parc. Le surlendemain, il m'a proposé de m'épouser. J'avais un fiancé, nous avions même déposé des papiers au bureau d'état civil. Je le lui ai dit. Il est parti et m'a écrit des lettres, avec, en gros caractères sur toute la page : « A-a-a-a-ah !! » En janvier, il m'a promis le mariage dès son retour. Mais moi, je ne voulais pas me marier en janvier. Je voulais que ce soit au printemps ! Au palais des mariages, avec de la musique, des fleurs.

On s'est mariés en hiver, dans mon village. C'était du vite fait, et plutôt comique. Le Jour des Rois, quand on dit la bonne aventure, j'avais fait un rêve. Le matin je l'avais raconté à ma mère :

— Maman, j'ai rêvé d'un beau garçon. Il se tenait sur le pont et m'appelait. Il était en uniforme. Mais quand je me suis approchée de lui, il s'est éloigné de plus en plus et a fini par disparaître.

— Ne te marie pas avec un militaire, tu risques de te retrouver seule.

Il avait une permission de deux jours. À peine a-t-il franchi le seuil qu'il a dit :

— Allons à l'état civil.

Au soviet du village, quand ils nous ont vus, ils ont dit :

— Pourquoi attendre les deux mois ? Allez chercher du cognac.

Une heure après, nous étions mari et femme. Dehors, c'était la tempête de neige.

— Quel taxi tu vas prendre pour emmener la jeune mariée ?

— Attendez, vous allez voir !

Il lève le bras et arrête un tracteur « Belarous ».

Pendant des années, j'ai rêvé de nos premières rencontres, de ce voyage sur le tracteur. Ça fait huit ans qu'il n'est plus... Je rêve souvent de lui. Je le supplie tout le temps en rêve de m'épouser encore une fois.

Mais il me repousse :

— Non, non !

Je ne le regrette pas seulement parce que c'était mon mari. Mais quel bonhomme ! Un corps si grand, si fort. Je regrette de n'avoir pas eu un fils de lui. La dernière fois qu'il est rentré en permission, il a trouvé l'appartement fermé : il ne m'avait pas avertie par télégramme et je ne savais pas qu'il viendrait, j'étais allée à l'anniversaire d'une amie. Il est venu, il a ouvert la porte, il a entendu la musique, les rires... Il s'est assis sur un tabouret et s'est mis à pleurer. Tous les jours, il allait me prendre à la sortie du travail. Il me disait :

— Quand je vais te chercher, j'en ai les genoux qui tremblent. Comme si c'était notre premier rendez-vous.

Je revois nos baignades, le feu qu'on a fait sur la berge... Il me disait :

— Si tu savais comme je n'ai pas envie de mourir pour une patrie étrangère.

Et la nuit venue :

— Tamara, ne te remarie pas.

— Pourquoi tu dis ça ?

— Parce que je t'aime beaucoup. Je ne peux pas m'imaginer que tu sois avec quelqu'un d'autre...

Parfois j'ai l'impression d'avoir vécu très, très longtemps, bien que j'aie toujours les mêmes souvenirs.

Ma fille était encore petite ; un jour elle rentre de l'école maternelle et me dit :

— Aujourd'hui nous avons parlé de nos papas. Moi, j'ai dit que mon papa était militaire.

— Pourquoi ?

— Ils ne m'ont pas demandé si j'en avais un, ils m'ont demandé ce qu'il faisait.

Elle a grandi. Quand je me fâche après elle, elle me conseille :

— Tu devrais te remarier, maman.

— Quel papa tu voudrais ?

— Moi, je voudrais mon papa...

— Et un autre papa, tu le voudrais comment ?

— Un qui lui ressemble...

J'avais vingt-quatre ans quand je suis devenue veuve. Les premiers mois, j'aurais épousé n'importe quel homme. J'étais folle ! Je ne savais pas à quoi me raccrocher. Autour de moi la vie continuait comme avant : les uns se faisaient construire une maison de campagne ou s'achetaient une voiture, d'autres emménageaient dans un nouvel appartement et il leur fallait un tapis, du carrelage rouge pour la cuisine... La vie normale des autres me rappelait tout le temps que la mienne ne l'était pas. Des meubles, c'est seulement maintenant que j'ai commencé à en acheter. Je n'avais pas la force de faire des gâteaux. Comment pourrait-il y avoir une fête chez moi ? Dans l'autre guerre, tout le monde était dans le malheur, le pays tout entier. Chacun avait perdu un proche. On savait pourquoi. Les femmes se lamentaient en chœur. À l'école de cuisine où je travaille, nous sommes cent. Je suis la seule à avoir perdu mon mari à la guerre, une guerre que les autres ne connaissent que par les journaux. Quand j'ai entendu pour la première fois la télévision expliquer que l'Afghanistan était une guerre honteuse, j'ai failli casser le poste. Ce jour-là, j'ai enterré mon mari pour la deuxième fois... »

Une veuve.

« On nous a amenés à Samarkand. Il y avait là deux tentes. Dans la première, nous devions nous débarrasser de tous nos vêtements civils. Les plus malins avaient déjà vendu leurs vestes, leurs pulls en cours de route, ils s'étaient fait des réserves d'alcool. Dans la deuxième tente, on nous délivrait nos tenues : des vestes datant de 1945, des bottes, des bandes pour les pieds. Si on montrait ces bottes à un Noir habitué à la chaleur, il tomberait dans les pommes. Dans les pays africains sous-développés, les soldats ont des chaussures légères, des tenues adéquates, tandis que nous, on doit marcher en colonne, en chantant, par une chaleur de quarante degrés, avec les pieds qui cuisent. Le premier jour, on nous a envoyés décharger des récipients dans une usine de réfrigérateurs. Ensuite nous avons transbahuté des caisses de limonade dans un dépôt. On nous envoyait bosser chez les officiers. J'ai dû faire des cloisons de briques chez l'un d'eux. Ensuite, j'ai passé deux semaines à refaire un toit sur une porcherie : pour trois ardoises qui allaient sur le toit, j'en troquais deux contre une bouteille de vodka. On vendait des planches, à raison d'un rouble le mètre. Avant le serment, on nous a quand même emmenés deux fois au champ de tir. La première fois, on nous a donné neuf cartouches chacun, la seconde nous avons lancé une grenade.

Puis on nous a alignés sur la place d'armes et on nous a lu l'ordre de l'état-major : nous partions en République démocratique d'Afghanistan pour accomplir notre devoir international. Ceux qui ne voulaient pas y aller, devaient faire deux pas en avant. Trois hommes sont sortis du rang. Le commandant les a remis en ligne à coups de genou au cul : en fait, a-t-il expliqué, il n'avait voulu que tester notre combativité. On nous a donné des rations pour deux jours, un ceinturon, et en route. Pendant tout le chemin nous nous sommes tus. Ça a paru long. Par le hublot, j'ai aperçu les montagnes. C'était beau ! Avant, je n'avais jamais vu de montagnes, je suis originaire de Pskov, chez nous il n'y a que de la forêt et des clairières. On a atterri à Shindand. Je me rappelle même le jour : c'était le 19 décembre 1980...

Ils m'ont jeté un coup d'œil, et tout de suite :

— Un mètre quatre-vingts... À la compagnie de reconnaissance... Il en faut, des comme lui là-bas...

De Shindand nous avons été emmenés à Hérat. J'ai retrouvé des chantiers : il fallait construire un polygone de tir, creuser la terre, faire des fondations. J'ai fait le couvreur, le charpentier. Certains n'avaient jamais tiré avant leur premier combat. À la cuisine, il y avait deux bacs de cinquante litres. Le premier, c'était l'entrée : du chou à l'eau, et on ne voyait pas la couleur de la viande ; le deuxième, c'était le plat de résistance : une purée de pommes de terre séchées, ou de la bouillie d'orge perlé, sans beurre. On nous donnait aussi une boîte de maquereaux pour quatre. On pouvait lire sur l'étiquette : mis en boîte en 1956, peut se garder pendant dix-huit mois. En un an et demi, la seule fois où je n'ai pas eu faim, c'est quand j'ai été blessé. Autrement, je passais mon temps à me demander où j'allais trouver ou voler quelque chose à manger. On allait pirater dans les jardins des Afghans, ils nous tiraient dessus. On risquait de sauter sur une mine. Mais on avait tellement envie de pommes, de poires, de fruits quelconques. On demandait de l'acide ascorbique, les familles nous en envoyaient dans leurs lettres. Nous en faisions fondre dans l'eau pour le boire. Ça piquait. On s'esquintait l'estomac.

... Avant notre premier combat, on nous a fait entendre l'hymne de l'Union soviétique. Puis le responsable politique nous a fait un discours. Ce que j'en ai retenu, c'est que nous avions devancé les Américains d'une heure en Afghanistan et que chez nous, nous serions reçus comme des héros.

Je ne pouvais pas m'imaginer comment je tuerais un homme. Avant l'armée, j'avais fait du cyclisme, je me suis fabriqué des muscles impressionnants, personne n'osait s'attaquer à moi. Je n'avais même jamais vu de bagarre au couteau. Cette fois, nous étions sur des BTR. Auparavant, de Shindand à Hérat, nous avions fait de l'autocar et une fois j'avais roulé en camion pour sortir de la garnison. Nous étions sur les BTR, sur les blindages, avec nos armes, les manches retroussées... C'était pour moi un sentiment nouveau. Une sensation de pouvoir, de force et de sécurité. Du haut du BTR, les *kichlaks* paraissaient petits, les *aryks* peu profonds, les arbres rares. Au bout d'une demi-heure j'étais devenu si tranquille que je me sentais comme un touriste. Je pouvais regarder ce pays étranger. L'exotisme, quoi ! Tous ces arbres, ces oiseaux, ces fleurs. Je voyais leurs épines, pour la première fois. J'avais oublié qu'il y avait une guerre.

Nous avons traversé un *aryk* sur un pont de glaise qui, à mon étonnement, a supporté plusieurs tonnes de métal. Et soudain on a entendu une explosion : on venait de tirer à bout portant au lance-grenades dans le BTR de tête. Et je voyais déjà des gars que je connaissais bien portés par d'autres... Sans tête... Comme des cibles de carton... Les bras ballants... Ma conscience ne parvenait pas à se brancher si vite dans cette vie nouvelle et effrayante... On nous a ordonné de déployer les mortiers (les « bleuets » comme nous les appelions) et de tirer cent vingt obus à la minute. Tous dirigés vers le *kichlak* d'où était partie la grenade : plusieurs obus par maison. Après le combat, nous avons assemblé les corps des nôtres, morceau par morceau, il fallait parfois les décoller du blindage. Ils ne portaient pas de médaillons. Nous avons étendu une bâche, et en avant pour la fosse commune... Allez donc vous retrouver dans les jambes et les morceaux de crânes... On ne donnait pas de médaillons, de crainte qu'ils ne tombent dans des mains ennemies... Donc pas de nom, ni de prénom, ni d'adresse... C'est comme dans la chanson : « Notre adresse, ce n'est ni une maison ni une rue, notre adresse, c'est l'Union soviétique... » Cette guerre, on ne l'avait même pas déclarée. Nous avons fait une guerre qui n'a jamais existé...

Nous sommes rentrés en silence. On semblait revenir d'un autre monde. Nous avons mangé. Nettoyé nos armes. C'est seulement ensuite que les bouches se sont ouvertes. Les « anciens » proposaient :

— Tu ne veux pas un joint ?

— Non merci.

Je ne voulais pas fumer, j'avais peur de ne plus pouvoir m'arrêter. On s'accoutume aux drogues, il faut avoir beaucoup de volonté pour s'arrêter. Mais par la suite, tout le monde s'y est mis, sans quoi on n'aurait pas tenu le coup. Ah, si on avait eu les cent grammes de vodka réglementaire, comme dans l'autre guerre... Mais on n'y avait pas droit... C'était la prohibition... Or on avait besoin de décompresser, de compenser la tension... De se déconnecter... On en mettait dans le pilaf, dans la bouillie de blé noir... Ça dilatait les pupilles, comme des grosses pièces de cinq kopecks... La nuit, on voyait comme des chats. On se sentait légers comme des chauves-souris.

Quand les éclaireurs tuent, ce n'est pas en combattant, c'est au corps à corps. Et ce n'est pas avec un PM, mais avec un couteau, une baïonnette pour que ça ne s'entende pas. J'ai appris rapidement à le faire. Mon premier mort ? Au corps à corps ? Oui, je m'en souviens... Nous nous sommes approchés d'un *kichlak* et à la jumelle de nuit, nous avons vu une lampe de poche près d'un arbre, un fusil, et un homme qui déterrait quelque chose. J'ai confié mon PM à un camarade, je me suis approché tout doucement de l'homme, puis je lui ai sauté dessus, je l'ai fait tomber. Pour éviter qu'il ne crie, je lui ai fourré son turban dans la bouche. Nous n'avions pas pris de poignard, ç'aurait été trop lourd à porter. J'avais avec moi un canif qui nous servait à ouvrir les boîtes de conserve ou à couper le pain. Un canif ordinaire. Le gars était déjà à terre. Je l'ai tiré par la barbe — ses poils étaient solides — et je lui ai coupé la gorge... La peau était tendue, c'était facile... Si j'avais voulu voir du sang, j'étais servi...

J'étais éclaireur en chef. Nous partions habituellement de nuit. Je m'embusquais derrière un arbre avec un poignard... Les voilà qui s'avancent... Le premier est le patrouilleur, c'est lui qu'il faut éliminer. On le faisait à tour de rôle, cette fois-ci c'était mon tour... Le patrouilleur arrive à mon niveau, je le laisse passer et je lui saute dessus par-derrière. Le tout, c'est de lui serrer la gorge avec le bras gauche et de le tirer vers le haut pour éviter qu'il ne crie. Et avec la main droite, je lui enfonce le poignard dans le dos... Sous le foie... Il fallait le transpercer complètement... Par la suite, j'ai récupéré un trophée, un poignard japonais de trente et un centimètres. Il pénétrait facilement dans les corps. Ils se débattaient un peu et tombaient, sans crier. On s'y habituait. C'était moins difficile moralement que techniquement. Quand on voulait atteindre la vertèbre supérieure. Ou le cœur... Ou le foie... On a appris le karaté. À ligoter quelqu'un aussi. À trouver les points faibles, le nez, les oreilles, les arcades sourcilières : il fallait porter des coups précis. Il fallait savoir où planter son couteau...

Un jour j'ai craqué intérieurement, il y a quelque chose qui s'est cassé, comme un déclic. J'ai éprouvé l'horreur. On ratissait un *kichlak*. D'habitude on ouvrait la porte d'un coup de pied, et avant d'entrer on lançait une grenade dans la maison pour ne pas ramasser une rafale de PM.

Pourquoi prendre des risques, avec une grenade c'était plus sûr. Donc je lance ma grenade et j'entre dans la maison. Par terre, je vois des femmes, deux petits garçons et un bébé. Il était dans une espèce de boîte... ça lui tenait lieu de landau...

Pour ne pas devenir fou maintenant, on a besoin de tout justifier. Et si c'était vrai que les âmes des morts nous regardent d'en haut ?

Je suis rentré chez moi, je voulais être gentil. Mais parfois l'envie me prend d'égorger quelqu'un. Je suis rentré aveugle. Une balle m'a décollé la rétine. Elle est entrée par ma tempe gauche et est ressortie par ma tempe droite. Je ne distingue que la lumière et les ombres. Mais je les connais, ceux que je voudrais égorger... Ceux qui trouvent trop cher de poser une pierre sur la tombe de nos copains... Ceux qui ne veulent pas nous donner d'appartements : « Ce n'est pas moi qui vous ai envoyés en Afghanistan... » Ceux qui se fichent de nous comme de leur dernière chemise... Tout ce que j'ai vécu continue à bouillir en moi. Si on voulait me prendre mon passé ? Mais non, je ne me laisserais pas faire. Je ne vis que de ça.

J'ai appris à marcher sans voir. Je vais en ville tout seul, dans le métro, sur les passages piétonniers. Je prépare à manger, même que ma femme s'étonne, parce que je le fais mieux qu'elle. Je n'ai jamais vu ma femme, je ne sais pas comment elle est. Je ne connais pas la couleur de ses cheveux, comment est fait son nez ou sa bouche... Je perçois avec mes mains, avec mon corps... C'est mon corps qui voit. Je sais comment est fait mon fils... Quand il était bébé, je le langeais, je le lavais... Maintenant je le porte sur mes épaules... J'ai parfois l'impression qu'on peut se passer des yeux. Après tout, vous fermez bien les yeux, vous autres, quand il se passe quelque chose d'essentiel. Quand vous êtes très, très bien. Les yeux sont utiles au peintre, parce que c'est son métier. Moi, j'ai appris à vivre sans. Je perçois le monde... Je l'entends... Un mot est plus important pour moi que pour vous qui avez des yeux.

Dans l'opinion de beaucoup de gens, je suis un homme fini. Un gars qui a tout laissé à la guerre. Comme Youri Gagarine après son voyage dans l'espace. Non, j'ai encore tout devant moi. Je le sais. Il ne faut pas accorder plus d'importance à son corps qu'à un vélo, je sais ce que je dis, j'étais cycliste, j'ai pris part à des courses. Le corps est un instrument, une machine-outil qui nous permet de travailler, et rien de plus. Je peux être heureux, libre... Même sans mes yeux... Ça, je l'ai compris... Il y a tellement de voyants qui ne voient rien. Si j'avais gardé mes yeux, je serais plus aveugle que je ne le suis maintenant. J'ai envie de nettoyer tout ça. De me dégager de toute cette boue où on nous a entraînés. Seules, nos mères nous comprennent et nous défendent à l'heure qu'il est. Savez-vous comme on peut avoir peur la nuit ? Quand pour la énième fois on bondit sur un homme avec son couteau ?... C'est seulement quand je dors que je redeviens enfant... Un enfant ne craint pas le sang, parce qu'il ne sait pas ce que c'est. C'est de l'eau rouge pour lui... Les enfants sont des naturalistes, ils ont envie de tout démonter, de comprendre comment sont faites les choses. Mais le sang, maintenant, j'en ai peur même dans mes rêves... »

Un soldat, éclaireur.

« ... Je cours au cimetière comme à un rendez-vous. Comme si j'allais voir mon fils. Les premières nuits, je les ai passées là-bas. Je n'avais pas peur. Maintenant, je comprends très bien le vol des oiseaux, le mouvement de l'herbe. J'attends le printemps, quand les fleurs vont s'arracher à la terre, monter vers moi. J'ai planté des perce-neige... Pour entendre au plus tôt un bonjour de mon fils... Parce qu'ils montent de là-bas... De chez mon fils...

J'y reste jusqu'au soir. Jusqu'à la nuit. Parfois je me mets à crier, mais je ne m'entends pas, je m'en aperçois en voyant les oiseaux qui s'envolent. Une tempête de corneilles. Elles tournent au-dessus de ma tête, elles battent des ailes, et je reprends mes esprits... Je cesse de crier... Depuis quatre ans, j'y vais tous les jours. Le matin ou le soir. Les onze jours où je n'y suis pas allée, c'était quand j'avais eu un malaise cardiaque, on m'avait interdit de me lever. Mais dès que je me suis levée, je suis allée tout doucement aux toilettes... Donc je pouvais marcher, courir jusqu'à mon fils, et si je tombais, ce serait auprès de lui, sur sa tombe... Je me suis enfuie avec ma blouse d'hôpital...

Auparavant, j'avais vu un rêve. C'était Valera :

— Maman, ne viens pas demain au cimetière. Il ne faut pas.

J'y ai couru. J'arrive : c'était très silencieux, comme s'il n'était pas là. Je sentais vraiment avec mon cœur qu'il n'était pas là. Les corneilles étaient posées sur son monument, sur la grille, elles ne s'envolaient pas, ne me fuyaient pas comme d'habitude. Je me suis levée de mon banc, mais elles sont venues voler devant moi, elles m'ont calmée, elles m'ont empêchée de repartir. Qu'est-ce que ça voulait dire ? De quoi voulaient-elles m'avertir ? Et puis soudain, les oiseaux se sont calmés et se sont posés sur les arbres. Alors je me suis sentie attirée par la tombe. Maintenant j'avais l'âme en paix, mon inquiétude était partie. C'était son esprit qui était revenu. « Merci, mes petits oiseaux de me l'avoir fait comprendre, merci de m'avoir retenue. J'ai bien fait d'attendre mon petit... »

Parmi les gens, je me sens mal, je me sens seule. Je ne me trouve pas de place. On me parle, on me tarabuste, on me gêne. Là-bas, je me sens bien. Seulement là-bas, près de mon fils. Si on veut me trouver, c'est au travail ou bien là-bas. Ce n'est pas une tombe qui est là-bas... C'est comme si mon fils vivait encore... J'ai calculé où reposait sa tête... Je m'assieds tout à côté et je lui raconte tout... La matinée, la journée que j'ai passée... Nous évoquons des souvenirs... Je regarde sa photo... Je la regarde intensément, longuement... Il sourit légèrement ou bien il fronce les sourcils s'il n'est pas content de quelque chose. Voilà la vie que nous menons tous les deux. Si j'achète une nouvelle robe c'est seulement pour le retrouver, pour qu'il me voie avec elle... Autrefois il s'agenouillait devant moi, à présent c'est mon tour de m'agenouiller devant lui... Quand j'ouvre la grille, je me mets toujours à genoux.

— Bonjour, mon petit... Bonsoir, mon petit...

Je suis toujours avec lui. Un moment, j'ai voulu prendre un garçon dans un orphelinat... Pourvu qu'il ressemble à Valera. Seulement j'ai le cœur malade. Je me force à aller travailler comme si j'entrais dans un tunnel. Si j'avais le temps de me reposer dans la cuisine et de regarder par la fenêtre, je deviendrais folle. Seules les souffrances peuvent me sauver. Depuis quatre ans, je ne suis jamais allée au cinéma. J'ai vendu mon poste de télévision en couleurs : l'argent a servi pour le monument. Je n'ai pas écouté une seule fois la radio. Depuis la mort de mon petit, j'ai beaucoup changé : mon visage, mes yeux, même mes mains.

J'étais tellement amoureuse quand je me suis mariée. Je piaffais ! C'était un pilote d'avion, grand, beau. Avec son blouson de cuir et ses bottes fourrées. Un vrai ours. Que j'aie un mari pareil ? ! Les filles en seraient malades. J'allais au magasin : pourquoi ne fabriquait-on pas des pantoufles à talons hauts ? J'étais si petite à côté de lui. Comme j'attendais qu'il soit malade, qu'il tousse, qu'il s'enrhume, pour rester toute la journée auprès de lui à le soigner ! Je désirais follement un fils. Un fils qui lui ressemble. Avec les mêmes yeux, les mêmes oreilles, le même nez. Et c'est comme si quelqu'un m'avait entendue au ciel : mon fils est son père tout craché. Je n'arrivais pas à croire que ces deux hommes superbes soient à moi. C'était incroyable ! J'aimais la maison. J'aimais faire la lessive, repasser. J'aimais le monde entier, même que dans la maison, j'évitais de marcher sur une araignée, une mouche, une coccinelle, je les attrapais et les faisais partir par la fenêtre. Je voulais que tout vive, que tout le monde s'aime : j'étais si heureuse ! Je sonnais à la porte, j'allumais dans le couloir pour que mon fils puisse voir comme j'étais contente. Parfois je faisais un saut chez moi en sortant du magasin ou en m'absentant de mon travail.

— Lerounka (c'est ainsi que je l'appelais quand il était petit), c'est moi. Je m'ennuie de toi !

J'ai aimé follement mon fils, même maintenant je l'aime. On m'a apporté des photographies de l'enterrement... Je n'en ai pas voulu... Je n'arrivais pas encore à y croire... Je suis un chien fidèle, de ceux qui vont mourir sur la tombe de leur maître. En amitié aussi j'ai toujours été fidèle. Mon lait coulait, mais j'avais un rendez-vous avec une amie pour lui rendre son livre. Je suis restée une heure et demie dans le froid à l'attendre. Je me disais qu'il avait dû lui arriver quelque chose : puisqu'elle m'avait promis de venir, elle ne pouvait pas faire autrement ! J'ai couru chez elle : elle dormait. Elle n'a jamais pu comprendre pourquoi je pleurais. Elle aussi, je l'ai aimée, je lui ai offert ma robe préférée, une robe bleue. Je suis comme ça. J'ai été lente à entrer dans la vie, j'étais timide. Certaines étaient plus hardies que moi. Je n'arrivais pas à croire qu'on puisse m'aimer. Quand on me disait que j'étais belle, je ne le croyais pas. J'avais du retard dans la vie. Mais si je retenais quelque chose, si j'apprenais quelque chose, c'était pour toute la vie. Et toujours avec joie. Quand Youri Gagarine s'est envolé dans le cosmos, Lerounka et moi, nous sommes sortis dans la rue... J'avais envie d'aimer tout le monde à ce moment-là... D'embrasser tout le monde... Nous poussions des cris de joie...

J'ai follement aimé mon fils. Follement. Lui aussi m'aimait follement. Sa tombe m'attire tant, comme s'il m'appelait...

On lui demandait :

— Tu as une petite amie ?

Il répondait :

— Oui.

Et il montrait ma carte d'étudiante. Sur la photographie, j'avais encore de très longues nattes.

Il aimait la valse. À la soirée d'adieux dans son école, il m'a invitée pour la première valse. Moi, j'ignorais qu'il avait appris à danser. Nous avons tourné ensemble.

Des fois, je tricotais le soir devant la fenêtre, je l'attendais. J'entends des pas... Non, ce n'est pas lui. Encore des pas... C'est lui, ce sont les pas de mon fils... Je ne me suis pas trompée une seule fois. Nous nous mettions l'un en face de l'autre et nous discutions jusqu'à quatre heures du matin. À propos de quoi ? De ce que peuvent se raconter les gens quand ils sont heureux. De tout. De choses sérieuses et de bêtises. Nous riions beaucoup. Il me chantait quelque chose, se mettait au piano.

Je regardais ma montre :

— Valera, au lit.

— Attends encore un peu.

Il m'appelait sa petite mère en or.

— Eh bien, ma petite mère en or, ton fils est entré à l'école militaire supérieure de Smolensk. Tu es contente ? !

Il se met au piano et chante :

Messieurs les officiers, superbes chevaliers !
Je ne suis pas le premier,
Ni ne serai le dernier...

Mon père était officier d'active, il avait été tué en défendant Leningrad. Mon grand-père aussi avait été officier. La nature elle-même a fait de mon fils un militaire : par sa taille, sa force, ses manières... Il aurait pu être hussard au XIXe siècle... Avec des gants blancs... Il aurait joué aux cartes, à la *préférence*[1]... « Ma fibre militaire », lui disais-je en riant. « Si seulement le Ciel pouvait penser un peu à nous... »

Tout le monde l'imitait. Moi comme ma mère. Je me mettais au piano comme lui. Parfois je me mettais à marcher comme lui, surtout depuis sa mort. J'ai tellement envie qu'il soit toujours présent en moi...

— Eh bien, ma petite mère en or, ton fils s'en va.

— Où cela ?

Il ne répond pas. Je suis tout en larmes :

— Mon petit garçon, où vas-tu, mon chéri ?

— Quoi, où ? On sait bien où. Allez, au boulot. Pour commencer, il faut ranger la cuisine... Il y a des amis qui vont venir...

Je devine instantanément :

— En Afghanistan ?

— Oui, dit-il et il adopte une expression inabordable, comme s'il avait descendu un rideau de fer sur son visage.

Son ami Kolka Romanov déboule. Il raconte tout, gai comme une clochette : dès leur troisième année, ils avaient demandé qu'on les envoie en Afghanistan.

Leur premier toast était pour dire que seuls ceux qui prenaient des risques avaient droit au champagne. Pendant

1. Jeu d'argent, beaucoup pratiqué en URSS, qui remonte au XIXe siècle. *(N.d.T.)*

toute la soirée, Valera m'a chanté mes romances préférées et aussi :

Messieurs les officiers, superbes chevaliers !
Je ne suis pas le premier,
Ni ne serai le dernier...

Il lui restait quatre semaines. Le matin, avant d'aller au travail, je passais dans sa chambre, je le regardais dormir. Il avait aussi une belle façon de dormir.

La nature a pourtant frappé à notre porte, elle nous a donné des signes. J'ai rêvé une nuit que j'étais sur une croix noire, vêtue d'une longue robe noire... Et qu'un ange me portait sur cette croix... Je ne tenais qu'à un cheveu... Je me suis décidée à regarder où je pourrais tomber, sur la terre ou dans la mer... En bas, j'ai vu une fosse inondée de soleil.

Je l'attendais en permission. Il ne m'avait pas écrit depuis longtemps. Tout à coup je reçois un coup de téléphone à mon travail :

— Ma petite mère en or, je viens d'arriver. Ne rentre pas trop tard. La soupe est prête.

J'ai hurlé :

— Mon petit garçon ! Tu ne téléphones pas de Tachkent ? Tu es vraiment à la maison ? Au réfrigérateur, il y a une casserole de ton *bortsch* préféré !!!

— Ah, zut ! J'ai vu la casserole, mais je n'ai pas pensé à soulever le couvercle.

— Et ta soupe, qu'est-ce que c'est ?

— Ah, c'est un régal ! Viens. Je vais t'attendre à l'arrêt d'autobus.

Il avait les cheveux tout blancs. Il ne m'a pas avoué qu'il n'était pas en permission, qu'il avait obtenu l'autorisation de s'absenter de l'hôpital pour deux jours. Ma fille l'a vu se rouler sur le tapis, rugissant de douleur. L'hépatite, la malaria, tout lui est tombé dessus. Il a averti sa sœur.

— Ce que tu as vu à l'instant, ce n'est pas pour maman. Va lire un livre...

À nouveau, je passais dans sa chambre avant d'aller à mon travail, pour le regarder dormir. Il ouvrait les yeux :

— Quoi, ma petite mère ?

— Pourquoi tu ne dors pas ? Il est encore tôt.

— J'ai fait un mauvais rêve.

— Mon petit garçon, si c'est un mauvais rêve, il faut se retourner et tu feras un beau rêve. Et puis il ne faut jamais raconter ses mauvais rêves pour qu'ils ne se réalisent pas.

Nous l'avons accompagné jusqu'à Moscou. C'était un temps ensoleillé, on était en mai. Les soucis des marais étaient fleuris...

— Comment ça se passe là-bas, mon petit ?

— L'Afghanistan, ma petite mère, c'est ce que nous ne devrions pas faire.

Il ne faisait que me regarder, il ne voyait personne d'autre. Il m'a tendu les mains, il s'est frotté le front contre moi.

— Je ne veux pas retourner dans ce cloaque ! Je ne veux pas !

Et il est parti. Il s'est retourné une fois, pour me dire :

— Voilà, c'est tout, maman.

Il ne m'avait jamais dit « maman », toujours « ma petite mère ». C'était une journée magnifique. Les soucis fleuris... L'employée de l'aéroport nous regardait et pleurait...

Le 7 juillet, je me suis réveillée sans larmes... J'ai fixé le plafond avec des yeux de verre... Il m'avait réveillée... C'était comme s'il était venu me dire adieu... Il était huit heures... Il fallait aller au travail... Je courais de la salle de bains à la chambre, de la chambre à la salle de bains avec ma robe... Je ne savais pas pourquoi, je ne pouvais me décider à mettre une robe claire... J'avais la tête qui tournait... Je ne voyais personne... Tout était flou... Vers le milieu de la journée, à l'heure du déjeuner, je me suis calmée...

Le 7 juillet... Il avait sept cigarettes dans la poche, et sept allumettes... Sept photos déjà faites dans l'appareil... Sept lettres qu'il m'a écrites... Sept lettres à sa fiancée... Sur sa table de nuit, un livre ouvert à la page sept... *Les Containers de la mort*, de Kôbô Abé...

Il avait disposé de trois ou quatre secondes pour se sauver... Ils tombaient dans le précipice avec leur blindé. Il leur a crié :

— Les gars, sautez ! Pour moi, c'est cuit !

Il ne pouvait pas sauter le premier. Ça, il en avait toujours été incapable.

« ... C'est le commandant S.R. Sinelnikov, chef adjoint du régiment, chargé des questions politiques, qui vous écrit.

« Il est de mon devoir de soldat de vous informer que le lieutenant Valeri Guennadievitch Volovitch a péri aujourd'hui à dix heures quarante-cinq minutes... »

Toute la ville le savait déjà... À la Maison des officiers on avait accroché du crêpe noir avec sa photographie... l'avion apportant son cercueil était sur le point de se poser... Mais on ne me disait rien... personne n'osait... Au travail, tous les collègues avaient les yeux rouges...

— Qu'est-ce qui se passe ?

Ils distrayaient mon attention sous des prétextes variés. Une amie a passé sa tête par la porte. Puis j'ai vu arriver notre médecin en blouse blanche. Ça m'a réveillée d'un coup :

— Braves gens ! Vous êtes fous ? Des hommes comme lui ne peuvent pas mourir !

Je me suis mise à tambouriner sur la table, j'ai couru à la fenêtre, je me suis cognée sur les carreaux.

Ils m'ont fait une piqûre.

— Braves gens ! Vous êtes fous ? Vous n'êtes pas bien !...

Encore une piqûre. Mais ça ne me faisait rien. Il paraît que je criais :

— Je veux le voir. Emmenez-moi voir mon fils.

— Allez-y, sinon elle ne pourra pas tenir.

Je vois un long cercueil, en bois mal dégrossi... Et une inscription en grosses lettres, à la peinture jaune : « Volovitch ». J'ai soulevé le cercueil. Je voulais l'emporter avec moi. J'ai eu un éclatement de vessie...

Il fallait une place au cimetière... Un endroit sec... Bien sec... Cinquante roubles ? Bien sûr, je vais vous les donner. Mais surtout que ce soit une bonne place... Bien sèche... Intérieurement, je comprends que c'est horrible, mais je ne peux pas le dire... Une place bien sèche... Les premières nuits, je ne l'ai pas quitté... Je restais là-bas... On me ramenait chez moi, j'y retournais aussitôt... Dans la ville, au cimetière, ça sentait l'herbe coupée...

Le matin, je rencontre un petit soldat. Il me dit :

— Bonjour, maman. Votre fils était mon chef. Je suis prêt à tout vous raconter.

— Oh, mon petit, attends.

Je l'ai amené chez moi. Il s'est posé dans le fauteuil de mon fils. Il a commencé à me raconter et puis il a changé d'avis :

— Je ne peux pas, maman...

Quand je vais le voir, je m'incline très bas, quand je m'en vais, même chose. Je ne suis chez moi que quand j'ai de la visite. Je me sens bien chez mon fils. Même quand il fait très froid. J'écris des lettres. Quand je rentre à la maison, les réverbères sont allumés, les voitures ont mis leurs phares. Je reviens à pied. Je sens une telle force en moi que je ne crains rien, ni homme ni bête.

J'ai encore dans mes oreilles cette phrase de mon fils : « Je ne veux pas retourner dans ce cloaque ! Je ne veux pas ! » Qui répondra de tout ceci ? Il faut bien qu'il y ait quelqu'un ? Je voudrais maintenant vivre longtemps, je m'y applique. Ce qu'un homme a de plus vulnérable, c'est sa tombe. Son nom. Je défendrai toujours mon fils... Des camarades viennent le voir... Un ami qui s'est traîné à genoux :

— Valera, je suis couvert de sang... J'ai tué de mes propres mains... Je n'ai pas arrêté de me battre... Je suis couvert de sang... Valera, maintenant je ne sais pas s'il valait mieux être tué ou survivre... Je ne sais plus...

Je retrouve mes esprits comme après un rêve... Je voudrais comprendre : qui répondra de tout ceci ? Pourquoi tout le monde se tait ? Pourquoi ne nomme-t-on pas les responsables ? Pourquoi ne les traîne-t-on pas en justice ?...

Vous l'auriez entendu chanter :

Messieurs les officiers, superbes chevaliers !
Je ne suis pas le premier,
Ni ne serai le dernier...

Je suis allée à l'église, j'ai parlé au prêtre :

— Mon fils a été tué. Il était extraordinaire, je l'aimais tellement. Comment dois-je me comporter à présent avec lui ? Quelles sont nos coutumes russes ? Nous les avons oubliées. Je voudrais les connaître.

— Il a été baptisé ?

— Mon père, je voudrais bien dire oui, mais il ne faut pas mentir. J'ai été la femme d'un jeune officier. Nous avons vécu au Kamtchatka. Où il y a des neiges éternelles... Nous habitions des igloos... Ici la neige est blanche, là-bas elle est bleutée, verdâtre, couleur de nacre, elle ne brille pas, elle ne fait pas mal aux yeux. C'est un espace pur... Les sons portent loin... Vous me comprenez, mon père ?

— Viktoria, ce n'est pas bon qu'il ne soit pas baptisé. Nos prières ne l'atteindront pas.

Je n'y tenais plus, ça m'est sorti :

— Alors je vais le baptiser maintenant ! Par mon amour, par mes souffrances. Je le baptiserai par mes souffrances...

Le prêtre m'a pris la main. Elle tremblait.

— Il ne faut pas t'agiter ainsi, Viktoria. Tu vas souvent voir ton fils ?

— Tous les jours. C'est normal. S'il était resté en vie, nous nous verrions tous les jours.

— Viktoria, il ne faut pas le déranger après cinq heures du soir. C'est le moment où ils vont au repos.

— Je suis au travail jusqu'à cinq heures, et je fais aussi d'autres petits travaux. Je lui ai fait poser un nouveau monument qui m'a coûté deux mille cinq cents roubles... Je dois payer mes dettes.

— Écoute-moi, Viktoria, viens obligatoirement le dimanche et tous les jours à l'heure de la messe, vers midi. Alors il t'entendra...

Infligez-moi des souffrances, les plus tristes, les plus terribles, pourvu que mes prières parviennent jusqu'à lui, jusqu'à mon amour. Sur sa tombe, j'accueille chaque fleur, chaque racine, chaque brin d'herbe :

— Tu viens de là-bas ? Tu étais avec lui ?... Tu viens de la part de mon fils ?... »

Une mère.

Extraits de mes notes de travail postérieures à ce livre

19 janvier 1990

Je découvre le monde à travers les voix humaines. Elles me fascinent toujours, m'étourdissent, me charment. J'ai une grande confiance dans la vie. Telle est sans doute ma façon de voir le monde. Au début, j'avais cru que l'expérience de mes deux premiers livres, tous deux appartenant à ce « genre des voix » (c'est ainsi que je l'ai baptisé pour moi-même) me serait une entrave dans le cas présent, je craignais de buter sans cesse sur du déjà dit. Inquiétude sans objet : la guerre en Afghanistan n'a rien à voir avec l'autre. Les armes sont différentes, plus puissantes et implacables ; il suffit de comparer une mitrailleuse au lance-missiles « Grad » capable de pulvériser un rocher. L'état d'esprit des hommes est différent. Ici, ce sont des gamins qu'on a arrachés à la vie ordinaire, à leur école, à leur musique, au dancing, et qu'on a jetés dans l'enfer, dans la boue. Des garçons de dix-huit ans, qui venaient juste de sortir de leur classe terminale et auxquels on pouvait faire croire n'importe quoi. C'est plus tard qu'ils se mettent à réfléchir, à se dire : « Je suis parti comme à la Grande Guerre patriotique, mais je suis tombé dans une autre guerre. » « Je voulais devenir un héros, mais maintenant je me demande ce qu'ils ont fait de moi. » La lucidité leur viendra, mais lentement et pas pour tous.

« Deux conditions sont nécessaires pour qu'un pays aime les courses de taureaux. L'une est qu'on y fasse l'élevage de taureaux, et l'autre est que le peuple s'y intéresse à la mort. » (Ernest Hemingway, *Mort dans l'après-midi*.)

Dès la publication des premiers extraits de mon livre dans quelques journaux et revues biélorusses, j'ai reçu une avalanche de jugements, d'opinions et de préjugés, de questions et même d'invectives (sans lesquelles nous sommes encore incapables de concevoir la vie morale de notre société). J'ai eu des lettres, des conversations téléphoniques, des visites. J'avais tout le temps le sentiment que mon livre était encore en gestation...

Extraits de lettres :

« C'est une lecture insupportable... On a envie de crier, de pleurer... Je viens peut-être seulement de comprendre ce qu'a été cette guerre... Les pauvres garçons, comme nous sommes coupables envers eux ! Que savions-nous de cette guerre ? Si je pouvais, j'embrasserais chacun d'eux, je lui demanderais pardon... Je ne suis pas allé à cette guerre, mais j'y ai participé.

Ce que nous pensions à l'époque me revient à l'esprit...

J'avais lu chez Larissa Reisner[1] que l'Afghanistan, c'étaient des tribus à moitié sauvages qui chantaient en dansant : « Gloire aux bolcheviks russes qui nous ont aidés à vaincre les Anglais. »

1. Femme écrivain communiste du début des années 1920, dont le frère Igor fut ambassadeur en Afghanistan. *(N.d.T.)*

La révolution d'avril, je l'ai apprise avec satisfaction : encore un pays où le socialisme a vaincu. Et mon voisin dans le train qui me chuchotait à l'oreille : « Encore des parasites qu'on aura à nourrir. »

La mort de Taraki. À une conférence du bureau du parti de notre ville, quelqu'un a demandé pourquoi on avait permis à Amin de tuer Taraki. Le conférencier venu de Moscou a tranché dans le vif : « Les faibles doivent laisser la place aux forts. » Ça m'a fait une impression pénible.

Au sujet de notre descente sur Kaboul, on avait droit à l'explication suivante : « Les Américains se préparaient à envahir le pays, nous les avons devancés seulement d'une heure. » Et en même temps des rumeurs circulaient comme quoi les nôtres étaient mal là-bas, qu'ils n'avaient rien à manger, qu'ils manquaient de vêtements chauds. Je me suis aussitôt rappelé les incidents de l'île Damanski [1] et les plaintes de nos soldats : « On n'a pas de cartouches ! »

Puis sont apparus les manteaux afghans. Ça faisait chic dans la rue. Les femmes enviaient celles dont les maris étaient en Afghanistan. Les journaux écrivaient : « Nos soldats plantent des arbres, réparent des ponts, des routes. »

Une fois je rentrais de Moscou en train. Dans mon compartiment, il y avait une jeune femme et son mari. On s'est mis à parler de l'Afghanistan. J'ai répété un quelconque cliché médiatique, ils ont ricané. Ils étaient médecins à Kaboul depuis deux ans. Ils ont justifié les militaires qui rapportaient des marchandises... Là-bas tout était cher et les Soviétiques étaient mal payés. Je les ai aidés à descendre à Smolensk. Ils avaient beaucoup de cartons avec des étiquettes de la douane...

Chez moi, ma femme m'a raconté que dans l'immeuble

1. Allusion aux incidents sanglants sino-soviétiques en mars 1969 sur l'île Damanski (Tchen-po) sur l'Oussouri. *(N.d.T.)*

voisin, le fils unique d'une femme seule devait partir à la guerre. Elle avait fait des démarches, s'était traînée à genoux, avait léché des bottes. Finalement, elle avait obtenu ce qu'elle voulait. Elle était contente et parlait tranquillement des « chefs » qui faisaient dispenser leurs enfants.

Mon fils est rentré de l'école tout heureux : des « bérets bleus » sont venus chez eux. « Ils ont tous des montres japonaises, tu verrais ça ! »

J'ai demandé à un *Afghanets* le prix de ces montres et le montant de sa solde. Il a hésité puis m'a avoué : « On a volé un camion de légumes, et on les a vendus... » Il m'a dit que tout le monde enviait les soldats chargés des carburants : « Ce sont des millionnaires ! »

Parmi les derniers événements, j'ai été frappé par le hallali dont l'académicien Sakharov a été la victime[1]. Je suis d'accord avec lui quand il dit : « Dans notre pays, on préfère toujours des héros morts à des gens vivants qui ont peut-être commis des erreurs. » Et enfin j'ai entendu dire récemment que des *Afghantsy*, deux officiers et des hommes de troupe, étaient entrés au séminaire religieux de Zagorsk. Quel motif les a poussés à prendre cette voie : le remords, le désir de se mettre à l'abri de cette vie cruelle ou celui d'accéder à une certaine spiritualité ? C'est que tout le monde ne peut pas gaver son âme de viande obtenue grâce à une carte marron d'ancien combattant, l'affubler de nippes étrangères ou l'enterrer dans une datcha privilégiée à l'ombre des pommiers, pour qu'elle ne voie rien et se taise... »

(N. Gontacharov, ville d'Orcha.)

1. Allusion aux accusations qui ont plu sur Sakharov au Congrès des députés du peuple, en 1989. Il avait radicalement mis en cause la guerre en Afghanistan et le comportement de l'armée soviétique. *(N.d.T.)*

« Je fais partie de ceux qui y sont allés. Mais j'ai de plus en plus de peine à expliquer ce que je suis allée y faire, moi qui ne suis pas un soldat. Qu'est-ce qu'une femme pouvait y faire ? Plus cette guerre est maudite, plus l'attitude des gens devient hostile envers nous, envers ceux qui en reviennent. Nous sommes de moins en moins compris.

C'était une guerre cachée, comme on le dit maintenant. Les gens s'étonnaient : « Tiens, tu vas en Afghanistan ? Pourquoi ? Il y a des morts ! » Nous étions, nous autres, victimes d'une foi aveugle. On nous parlait des idéaux de la révolution d'avril. Nous y avons cru, parce que nous étions habitués à croire à n'importe quoi, depuis les bancs de l'école. Je vous assure que c'est vrai. Et ça concerne tout le monde !

Et puis tout a basculé. Nous sommes revenus de là-bas changés. On avait envie de dire la vérité. J'attendais que quelqu'un commence, je me disais que ça se produirait tôt ou tard...

Si j'avais à refaire un choix, je n'irais pas en Afghanistan. Une amie m'écrit : « Oublie tout ça ! Efface ça de ta mémoire pour que personne ne sache que tu en étais. » Non, je ne veux rien effacer, par contre je veux y voir clair. Ces années que j'y ai passées, elles auraient pu s'écouler autrement, ailleurs... Non, pour être tout à fait honnête, je ne regrette rien. Il me reste le sentiment d'avoir partagé ce fardeau, d'avoir vécu des moments très forts. Là-bas, nous avons compris qu'on nous avait menti. Là-bas, nous nous sommes demandé pourquoi on nous avait trompés si facilement. Pourquoi sommes-nous si crédules ? Je me rappelle ma stupéfaction quand j'ai découvert le nombre de femmes qu'il y avait là-bas. Je n'avais rien imaginé de pareil. Je croyais que j'étais la seule idiote de mon genre, je me croyais dérangée, au fond de moi. Or nous étions des milliers. Bien sûr chacune y trouvait aussi un intérêt pratique, on voulait gagner de l'argent, peut-être aussi résoudre ses problèmes personnels, mais au fond du cœur de chacune il y avait la foi. Nous y allions pour être utiles, pour aider. J'estimais que les femmes devaient être présentes à toutes les guerres. Peut-être ne pouvais-je imaginer une autre guerre que la Grande Guerre patriotique. Comment un hôpital militaire pourrait-il se passer de femmes ? Avec ses blessés si vulnérables... Avec ses corps déchiquetés... Même si je ne devais que poser ma main sur eux pour leur donner courage. C'est ça la charité ! C'est du travail pour un cœur de femme. J'ai rencontré des gars qui demandaient à être envoyés dans les opérations dangereuses. Ils faisaient preuve d'héroïsme, sans hésiter. Ils se faisaient tuer.

Excusez-moi de parler de manière confuse...

Je suis très émue... j'ai envie de raconter tant de choses...

Le mythe de la « fraternité combattante » est né ici. Là-bas, il n'en était pas question. Là-bas, tout s'achetait, tout se vendait, y compris les femmes... Si, si ! Mais ce n'est probablement pas là l'essentiel. En dépit de tout, nous restions romantiques. Nous y croyions ! Le plus terrible, c'est que nous sommes partis d'un État qui avait besoin de cette guerre, et nous revenons dans un État qui n'en a plus besoin. Ce qui nous blesse, ce n'est pas qu'on nous refuse tel ou tel avantage, pas du tout. C'est le fait d'avoir été tout simplement effacés. Ce qui s'appelait, encore tout récemment, « le devoir international » est qualifié à présent de sottise. Quand ce pas a-t-il été franchi ? C'est ça, la grande question. Je cherche une comparaison... Un alpiniste qui fait une ascension, qui est monté très haut... Il tombe, il se casse une jambe... Mais la montagne l'attire toujours... Toute sa vie... La nostalgie nous habite... surtout les hommes. Ils ont risqué leur vie, ils ont donné la mort. Le fait d'avoir tué leur donne le sentiment qu'ils sont des êtres à part. Ils ont connu quelque chose que les autres ignorent. C'est une sorte de maladie qui est en chacun de nous... À vrai dire, nous ne sommes peut-être pas encore vraiment rentrés ?... »

(G. Khalioulina, employée.)

« Quand la guerre a commencé en Afghanistan, mon fils venait de terminer l'école secondaire et d'entrer dans une école militaire. Pendant ces dix années où des fils d'autres femmes combattaient sur une terre étrangère, je n'avais pas le cœur en paix. Mon garçon aussi aurait pu s'y trouver. Ce n'est pas vrai que le peuple ne savait rien. On ramenait dans les maisons des cercueils de zinc, des enfants estropiés revenaient à leurs parents abasourdis et tout le monde le voyait. Bien sûr la radio et la télévision n'en disaient rien ; vous non plus vous n'avez rien écrit là-dessus dans votre journal (le courage vous est venu récemment !), mais tout cela se passait au vu et au su de tout le monde. Tout le monde ! Pendant ce temps, de quoi s'occupait notre société si « humaine », vous et moi y compris ? Notre société décorait nos « grands » vieillards de quelques médailles de plus, elle réalisait et dépassait les objectifs des énièmes plans quinquennaux (ce qui n'empêchait pas nos magasins de rester vides comme avant), elle se faisait construire des maisons de campagne, elle s'amusait. Et pendant ce temps-là, des garçons de dix-huit - vingt ans marchaient sous les balles, tombaient face contre terre dans les sables étrangers, mouraient. Quelle sorte de gens sommes-nous donc ? De quel droit pouvons-nous demander des comptes à nos enfants pour ce qu'ils ont fait là-bas ? Étions-nous moins entachés qu'eux, nous qui sommes restés ici ? Eux du moins, leurs souffrances, leurs tortures les ont lavés de leurs péchés, mais nous, nous ne pourrons jamais nous purifier. Ces *kichlaks* bombardés, effacés de la surface de la terre, cette terre étrangère dévastée, c'est nous qui les avons sur notre conscience, pas eux. C'est nous qui avons porté la mort là-bas, pas nos garçons. Nous sommes les assassins de nos propres enfants et des enfants des autres.

Ces garçons sont des héros ! Ils ne se sont pas battus pour une « erreur ». Ils se sont battus parce qu'ils avaient foi en nous. Nous devons tous nous agenouiller devant eux. À la seule comparaison entre ce que nous faisions ici et le sort qui leur est échu, il y a de quoi devenir fou... »

(A. Goloubitchnaïa,
ingénieur du bâtiment, ville de Kiev.)

« Bien sûr l'Afghanistan, aujourd'hui, c'est un thème payant, c'est même à la mode. En ce qui vous concerne, camarade Alexievitch, vous pouvez être contente, on s'arrachera votre livre. De nos jours, notre pays compte beaucoup de gens qui s'intéressent à tout ce qui peut salir les murs de leur Patrie. Il se trouvera bien quelques *Afghantsy* aussi parmi eux. Car cela leur fournit ainsi (mais pas à tous tant s'en faut !) un moyen de défense dont ils ont tant besoin : regardez ce qu'on nous a fait ! Les âmes basses ont toujours besoin d'être défendues par d'autres. Les gens de bien n'en ont pas besoin, car, dans toute situation, ils restent des gens de bien. Les *Afghantsy* en comptent suffisamment parmi eux, mais j'ai l'impression que vous ne les avez pas tellement cherchés.

Je ne suis pas allé en Afghanistan, mais j'ai fait toute la Grande Guerre patriotique. Je sais parfaitement qu'il y a eu pas mal de boue aussi à l'époque. Mais je ne veux pas en parler et je ne permettrai à personne de le faire.

La dernière guerre a peut-être été « différente », mais il ne s'agit pas de ça. C'est une sottise ! Chacun sait que pour vivre l'homme est obligé de se nourrir et que l'absorption des aliments exige, excusez-moi, des lieux d'aisance. Mais enfin, nous n'en parlons pas à haute voix ! Alors pourquoi ceux qui écrivent sur la guerre « afghane » et même sur la Guerre patriotique ont-ils oublié cette vérité ? Si les *Afghantsy* protestent contre des « révélations » de ce genre, il faut les écouter, tenter de comprendre pourquoi. Moi, par exemple, je comprends pourquoi ils se rebellent avec une telle fureur. Il existe un sentiment humain naturel qui est la honte. Ils ont honte. Cette honte, vous l'avez remarquée, mais pour une raison connue de vous seule, vous avez jugé que ce n'était pas assez. Vous avez voulu porter tout cela sur la place publique. Ils ont tué des chameaux, des civils sont morts... Vous voulez démontrer que cette guerre était inutile et dommageable sans comprendre que ce faisant, vous insultez ses participants, ces gamins parfaitement innocents... »

(N. Droujinine, ville de Toula.)

Extraits de conversations téléphoniques :

— OK, nous ne sommes pas des héros, mais il paraît maintenant que nous sommes même des assassins. Nous avons tué des femmes, des enfants, des animaux domestiques. Peut-être, dans trente ans, je dirai moi-même à mon fils : « Mon fils, tout n'a pas été aussi héroïque qu'on le dit dans les livres, il y a eu aussi de la boue. » Je le lui dirai, mais dans trente ans... Car actuellement, c'est encore une blessure ouverte qui commence seulement à se cicatriser, à se recouvrir d'une pellicule. Ne l'arrachez pas ! Ça fait mal... Ça fait très mal...

— Comment osez-vous ! Comment osez-vous couvrir de boue les tombes de nos garçons... Ils ont accompli jusqu'au bout leur devoir envers la Patrie... Vous voulez qu'on les oublie... alors que, dans le pays tout entier, on a créé des centaines de musées dans les écoles, des mémoriaux... Moi-même, j'ai apporté à l'école la capote de mon fils, ses cahiers d'écolier... Ils servent d'exemples... Nous n'avons pas besoin de votre horrible vérité ! Nous ne voulons pas la connaître !!! Vous rêvez de vous faire un nom sur le sang de nos fils... Ce sont des héros ! Des héros !!! Il faut écrire de beaux livres à leur mémoire, et non en faire de la chair à canon...

— J'ai fait graver sur la pierre tombale de mon fils : « Rappelez-vous : il est mort pour que vivent les vivants. » À présent, je sais que c'est faux, qu'il n'est pas mort pour la vie des vivants. On m'avait menti, ensuite c'est moi qui ai contribué à tromper mon fils. Nous avions tellement appris à croire, tous. Je lui répétais : « Tu dois aimer la Patrie, mon petit, elle ne te trahira jamais, elle t'aimera toujours. » Maintenant, je voudrais faire graver sur sa tombe : « Au nom de quoi ? ! »

— Les voisins m'ont apporté votre journal en me disant : « Excuse-nous, mais c'est vraiment la guerre que tu nous a racontée. » Je n'arrivais pas à y croire. Je ne croyais pas qu'il soit possible d'écrire, de publier des choses pareilles. Nous sommes habitués depuis longtemps à vivre dans deux dimensions : les livres et les journaux, c'est une chose, la vie c'est tout autre chose. Et si les journaux ressemblent à la vie, nous éprouvons plutôt un désarroi intérieur que de la satisfaction. Tout a été comme vous l'avez décrit, c'était même plus effrayant, plus désespérant. Je voudrais vous rencontrer, vous raconter...

— Tous les matins, je vois la nuque de mon fils, mais je ne parviens pas encore à me faire à l'idée qu'il est rentré. Quand il était là-bas, je me disais que si on me le rapportait dans un cercueil, j'aurais le choix entre deux attitudes : faire des meetings dans la rue ou aller à l'église. On m'a invitée à l'école où il a fait ses études : « Parlez-nous de votre fils, il a été décoré par deux fois de l'Ordre de l'Étoile rouge. » Mais je n'y suis pas allée, j'ai quarante-cinq ans. Je qualifie ma génération de « génération d'exécutants ». La guerre afghane a été l'apogée de notre tragédie. Vous avez touché le nerf qu'il fallait parce que vous avez posé la question, à nous et à nos enfants : quelle sorte de gens sommes-nous ? Pourquoi peut-on faire de nous n'importe quoi ?...

— J'ai entendu mes collègues dire : « Ah, qu'ils sont affreux ! » Ils parlaient des *Afghantsy*. Mais nous sommes tous comme eux. Quand ils sont partis d'ici, ils étaient déjà comme ils sont maintenant. Je crois même parfois que la guerre a été pour eux une période plus pure que notre réalité. Voilà pourquoi ils en ont la nostalgie...

— Jusqu'à quand pourra-t-on faire de nous des malades mentaux, des drogués, des sadiques ? On nous disait autre chose là-bas : architectes de la perestroïka, vous allez remuer chez vous tous ces marais ! Nous sommes rentrés avec l'intention de mettre de l'ordre... Mais on ne nous laisse pas faire… On nous répète : « Faites vos études, les gars… Fondez des familles… » Pour moi ça a été un choc : je n'ai vu que de la corruption, des maffias, de l'indifférence, et on ne nous laisse jamais nous occuper de choses sérieuses… J'étais désemparé jusqu'à ce qu'une personne intelligente m'explique : « Mais qu'est-ce que vous êtes capables de faire ? Seulement tirer… Qu'avez-vous retenu ? Que la Patrie ne peut être défendue que par des revolvers ? Que la justice ne peut être rétablie qu'avec l'aide des mitraillettes ? » C'est là que je me suis mis à réfléchir… Je me suis dit : maudit soit ce PM… Et c'est vrai que j'ai toujours l'impression de le porter sur le dos…

— Je vous ai lue et j'ai pleuré… Mais je ne relirai pas votre livre quand il paraîtra… Par simple instinct de conservation. Je ne suis pas sûre que nous devrions savoir ces choses-là sur nous-mêmes. C'est trop effrayant… Ça laisse un grand vide dans l'âme vide… On ne croit plus en l'homme… Il fait peur…

— Écoutez, vous savez que vous commencez à nous bassiner, tous autant que vous êtes ! Pourquoi, lorsque vous parlez des filles qui sont allées en Afghanistan, faut-il obligatoirement les présenter comme des putains ? Je ne le nie pas, ce sont des choses qui ont existé, mais il ne faut pas généraliser. Ça donne vraiment envie de hurler. Pourquoi mettez-vous tout le monde à la même enseigne ? Jetez un coup d'œil dans nos âmes pour voir ce qui s'y passe.

Pendant les six mois qui ont suivi mon retour je n'ai pas pu dormir. Et même si je m'endormais, je rêvais à tous les coups de cadavres et de bombardements. Je me réveillais en sursaut. Dès que je fermais les yeux, ça recommençait. Je n'en pouvais plus, je suis allée voir un neurologue. Je ne demandais pas à être hospitalisée, mais au moins qu'on me donne un médicament, un conseil, mais j'ai entendu : « Pourquoi ? Vous en avez tellement vu, des cadavres ? » Oh comme j'aurais voulu envoyer une tarte sur cette face de blanc-bec ! Bien sûr, je n'ai pas cherché à voir d'autre médecin. À mesure que le temps passe, j'ai de moins en moins envie de vivre. Je ne veux voir ni entendre personne. Mais impossible de me cacher, toujours ce satané problème du logement ! Je ne demande rien à personne, je n'ai plus besoin de rien. Mais aidez donc ceux qui espèrent encore recevoir une aide de vous. Celui avec qui je corresponds vit la même chose, donc c'est pareil pour tout le monde. Mais je n'ai pas confiance en vous. Vous voulez faire croire à tout le monde que nous sommes cruels. Savez-vous au moins à quel point vous l'êtes, vous ?

Je ne vous dis pas mon nom. Dites-vous que je n'existe plus...

— Vous voulez nous persuader que les jeunes revenus de là-bas, c'est une génération malade. Moi, j'affirme que c'est une génération retrouvée. Nous devrions regarder comment se comportent nos gars dans la vraie vie ! Oui, des garçons sont morts. Mais combien il y en a qui meurent dans des bagarres d'ivrognes, dans des rixes au couteau ? J'ai lu quelque part (dommage que je n'aie pas retenu le chiffre) que chaque année, il meurt davantage de gens dans les accidents de voitures que nous n'avons perdu d'hommes en ces dix années de guerre. Notre armée n'avait pas fait la guerre depuis longtemps. Dans cette guerre, nous nous sommes testés, nous avons testé nos armements modernes... Tous ces garçons sont des héros ! Mais à cause de gens comme vous, nous battons en retraite partout dans le monde... Nous avons perdu la Pologne... L'Allemagne... la Tchécoslovaquie... Dites-moi où est passée notre grande puissance ? N'est-ce pas pour elle que je suis allé jusqu'à Berlin en 45 ?...

— Nous réclamons la justice à notre égard... Mais maintenant je me suis dit que nous sommes revenus d'une guerre où il n'y avait aucune justice... D'où nous vient ce sentiment si vif de la justice ? Qui nous a donné le droit de la réclamer ?... Je vous demande de ne pas mentionner mon nom... Je ne veux pas qu'on me regarde de travers...

— Pourquoi parler de nos erreurs ? Vous croyez que ces publications dans les journaux, ces mises en accusation... Vous croyez que ça aide ? Nous privons la jeunesse de notre histoire héroïque. Des hommes sont morts là-bas et vous nous parlez d'erreurs... Faut-il en conclure que les héros, ce ne sont pas ceux que leurs mères poussent dans leurs petites voitures, pas ceux qui ont des prothèses sous leurs jeans, mais ceux qui se sont cassé les jambes sur leur moto pour éviter l'armée, ou ceux qui se sont constitués prisonniers ?

— Dans le Midi, sur la plage, j'ai vu plusieurs jeunes gars ramper vers la mer en s'aidant de leurs mains... Si on faisait l'addition, il y avait moins de jambes que de garçons... Je n'ai pas pu retourner sur la plage pour me bronzer, je ne pouvais que pleurer. Ils trouvaient encore la force de rire, ils voulaient même flirter, mais toutes les filles les fuyaient, moi aussi d'ailleurs. Je voudrais que la vie s'arrange bien pour ces gars, qu'ils sachent que nous avons besoin d'eux tels qu'ils sont. Ils doivent vivre ! Je les aime parce qu'ils sont vivants.

— J'ai perdu là-bas mon fils unique. Je me consolais en pensant que j'avais élevé un héros, mais à vous croire, ce n'est pas un héros mais un assassin, un envahisseur. Alors quoi ? Le courage, la bravoure de nos fils lorsque, mortellement blessés, ils se faisaient sauter une grenade sur leur poitrine pour sauvegarder l'honneur des soldats soviétiques, lorsqu'ils se couchaient sur une grenade pour sauver la vie de leurs camarades de combat, tout ça serait du mensonge ? !

Que cherchez-vous ? Dans quel but faites-vous étalage de ce qu'il y a de sombre dans l'homme, et non ce qu'il y a de lumineux, d'élevé ? Rappelez-vous Gorki : « L'homme, c'est un mot fier ! »

— Si je vous comprends bien, votre idéal, c'est un Rambo d'Ivanovo ? Alors qu'on nous a toujours cité Pavel Kortchaguine en exemple...

— Oui, il y avait là-bas des criminels, des drogués, des maraudeurs. Vous croyez qu'il n'y en a pas dans la vie civile ? Ceux qui ont fait la guerre en Afghanistan sont des victimes, j'insiste là-dessus. Ils ont tous besoin de réadaptation sur le plan psychologique.

J'ai lu quelque part la confession d'un soldat américain, ancien combattant du Viêt-nam, qui disait cette chose terrible : « En Amérique, huit ans après la guerre, le nombre d'anciens soldats et officiers qui se sont suicidés est égal à celui de nos pertes. » Nous devons penser aux âmes de nos *Afghantsy*...

— Un million (ou même des centaines de milliers) de vies perdues dans « le camp adverse », ce sont des gens qui luttaient pour leurs intérêts et leur liberté. Attenter à leurs droits humains, ce n'est pas faire preuve d'héroïsme, quelle que soit la « sauce » sous laquelle on voudrait nous le servir aujourd'hui. Même si, de toute évidence, on pouvait y laisser sa vie et faire preuve de courage. Le critère essentiel, c'est de savoir au nom de quoi tout cela s'est fait. Cessez de faire les héros, *Afghantsy* ! Vous avez notre sympathie. Quel paradoxe !... Oui, des hommes opprimés, démoralisés au sens propre, ont été contraints de prendre part à cette guerre. Mais même en mourant, ils ont apporté la mort et les destructions à un autre peuple. Là, ce n'est plus un exploit, mais un crime si vous voulez. Votre repentir vous donnera le soulagement, acteurs de cette épopée sans gloire.

Publiez mon opinion. Je veux savoir dans quelle boue les « héros de notre temps » vont me traîner.

— J'ignore ce que mon fils est allé faire en Afghanistan et pourquoi il y est allé. La guerre n'était pas encore finie, mais on parlait déjà de tout ceci. J'ai failli être exclu du parti et on l'aurait sans doute fait si l'on n'avait pas ramené mon fils dans un cercueil de zinc... Je n'ai même pas pu l'enterrer selon la coutume russe... [1]. Comme on disait jadis : sous les icônes, porté sur des serviettes...

— Cela me fait encore souffrir quand j'y repense... Nous étions dans un train... Une voisine du compartiment nous a dit que son fils, un officier, avait été tué en Afghanistan... Je comprends... C'est une mère. Elle pleurait... Mais je lui ai dit : « Votre fils est mort dans une guerre injuste... les *douchmans* défendaient leur patrie... »

— On nous a pris nos enfants... On les a détruits... Au nom de quoi ? Ils défendaient la Patrie peut-être ? Les frontières méridionales ?... Nous, il ne nous reste plus qu'à

1. Précisons à ce propos que la tradition orthodoxe exige en particulier que le cercueil reste ouvert jusqu'à l'inhumation, ce qui rend tous les récits sur les cercueils fermés encore plus dramatiques. *(N.d.T.)*

pleurer dans nos deux pièces toutes vides... Ça fait déjà trois ans... Nous sommes au cimetière tous les jours... C'est là que nous fêtons les mariages, que nous promenons nos petits-enfants...

On m'a appelée du bureau de recrutement : « Venez, la mère, on vous donnera la décoration de votre fils. » Ils m'ont donné l'ordre de l'Étoile rouge... « Dites quelques mots, la mère. » Je leur montre la médaille : « Regardez, c'est le sang de mon petit enfant. » Les voilà, mes quelques mots...

— On fera encore appel à nous, on nous donnera des armes pour mettre de l'ordre dans le pays. Je crois que très bientôt, d'aucuns auront à répondre de tout ça ! Seulement publiez le plus de noms possible et ne jouez pas à cache-cache avec des pseudonymes.

— À présent, l'homme de la rue accusera ces garçons de dix-huit ans de tous les maux... Voilà le résultat que vous aurez obtenu... Il faut dissocier cette guerre de ces garçons... Cette guerre était criminelle, elle a été condamnée, mais les garçons, il faut les défendre.

— J'enseigne la littérature russe à l'école. Pendant de longues années, j'ai répété à mes élèves cette phrase de Karl Marx : « C'est la mort des héros qui est semblable au coucher du soleil, pas celle de la grenouille qui veut se faire aussi grosse que le bœuf. » Quelle est la morale de votre livre ?

— On veut faire des hommes perdus que nous sommes les piliers du système (nous avons déjà été testés sur ce plan). Aujourd'hui on nous envoie à Tchernobyl, à Tbilissi, à Bakou, sur un gazoduc qui a explosé...

— Je ne veux pas avoir d'enfants... J'ai peur... Que penseront-ils de moi quand ils seront grands ?... J'ai été là-bas... Que diront-ils de cette guerre ?... C'était une sale guerre, il ne faut pas avoir peur des mots... Si nous ne le disons pas, nos enfants le diront...

— J'ai honte de l'avouer... Quand je suis revenu de là-bas, j'ai regretté de ne pas avoir été décoré... Même pas une petite médaille... Mais maintenant je suis heureux de n'avoir tué personne...

— Chez nous, les gens refoulent beaucoup de choses... Nous nous ignorons nous-mêmes... Que savons-nous par exemple de la cruauté des adolescents ? A-t-on écrit des livres sur ce sujet, a-t-on fait des recherches ? C'est que jusqu'à présent nous n'en avions pas besoin puisque les adolescents soviétiques étaient les meilleurs du monde ! Dans notre pays, la drogue, la violence, les vols ça n'existait pas. En fait, ça existait, et comment ! Et dire qu'on leur a donné des armes, à ces adolescents... On leur a expliqué où était l'ennemi : la bande de *douchmans*, la clique, la horde, la meute... Ils reviennent et racontent comment ils ont tiré, comment ils ont lancé des grenades sur les *douvals*... Ils parlent des morts... Pour eux, c'est la norme... Pardonne-leur, Seigneur, car ils ne savaient pas ce qu'ils faisaient...

À qui pourrions-nous demander, à la manière d'Arthur Koestler : « Pourquoi, lorsque nous disons la vérité, sonne-t-elle toujours comme un mensonge ? Pourquoi, lorsque nous proclamons le commencement d'une nouvelle vie, la terre est-elle jonchée de cadavres ? Pourquoi nos discours sur l'avenir radieux sont-ils toujours entrecoupés de menaces ? »

En tirant sur les *kichlaks* muets, en bombardant les routes des montagnes, nous fusillions, nous bombardions nos idéaux. Nous devons reconnaître cette vérité amère. Nous devons la vivre. Même nos enfants ont appris à jouer aux *douchs* et au « contingent limité ». Tâchons d'avoir assez de courage pour apprendre la vérité sur nous-mêmes. Je sais que c'est insupportable, insoutenable. Je le sais par ma propre expérience. J'entends toujours ce cri d'un gamin de vingt ans : « Je ne veux pas entendre parler d'erreur politique ! Je ne veux pas !!! Si c'était une erreur, rendez-moi mes deux jambes... » Son voisin d'hôpital parlait très calmement, à voix basse : « On a cité quatre noms... Quatre hommes morts... Et c'est tout, en fait de coupables... On nous jugera ! Oui, nous avons tué ! Oui, j'ai tiré... Vous croyez que c'est pour jouer à "l'Éclair" avec des copains de classe qu'on nous a donné des armes ?... Vous vous attendiez à voir rentrer des anges ? ! »

Il n'y a que deux voies, connaître la vérité ou la fuir. Allons-nous nous cacher une fois de plus ?

Comme l'écrit Remarque dans *L'Obélisque noir* :

« L'étrange métamorphose qui a commencé tout de suite après l'armistice se poursuit. La guerre que tant de soldats haïssaient en 1918 est devenue lentement pour les rescapés la grande affaire de leur vie. Ils sont retombés dans ce train-train quotidien qui, des tranchées où ils avaient maudit la guerre, leur semblait le paradis ; peu à peu la guerre a grandi à l'horizon, et les survivants, presque à leur insu, l'ont transformée, embellie et falsifiée. Le massacre n'est plus qu'une aventure d'où on est revenu sain et sauf. Le désespoir est oublié, la misère transfigurée et la mort qui a raté son but devient ce qu'elle est presque toujours dans la vie ; quelque chose d'abstrait, mais assurément plus une réalité. L'association des anciens combattants déployée en ligne de bataille devant le monument, sous les ordres de Wolkenstein, était en 1918 pacifiste ; maintenant elle affiche déjà un nationalisme agressif ; Wolkenstein a très habilement travesti en orgueil revanchard les souvenirs de la guerre et le sentiment de camaraderie qui animait presque chaque combattant. Qui n'est pas nationaliste souille le souvenir des héros morts, ces pauvres diables dont on abuse et qui aimeraient bien être en vie. »

Quand j'en vois qui endossent leur uniforme « afghan », arborent leur médaille « Le peuple afghan reconnaissant » et vont parler aux enfants dans les écoles, je ne comprends pas ! Je ne comprends pas qu'on puisse forcer une mère à raconter dix ou vingt fois l'histoire de son fils tué à la guerre, après quoi elle a à peine la force de rentrer chez elle.

Nous avons eu beaucoup de dieux. Les uns ont été jetés à la casse, les autres sont au musée. C'est la Vérité que nous devons adorer. Et que chacun réponde devant elle personnellement et non, comme on nous l'a appris, avec toute sa classe, toute son année d'études, tout son collectif de travail... Tout son peuple... Soyons charitables envers ceux qui ont payé plus cher que nous la perte de leurs illusions. Rappelez-vous : « Mon ami... Ma vérité, je l'ai rapportée du combat dans un sac de cellophane... La tête, les bras, les jambes en morceaux séparés... La peau aussi... »

Léon Tolstoï arrête l'action de *Guerre et Paix* aux frontières de notre pays. Les soldats russes sont allés plus loin, mais le grand écrivain ne les y a pas suivis...[1].

C'est à jamais que notre terre porte désormais ces pierres tombales rouges qui perpétuent la mémoire de ceux qui ne sont plus, et aussi la mémoire de notre foi naïve.

1. Il s'agit bien entendu des guerres napoléoniennes de 1812-1815. *(N.d.T.)*

Tatartchenko Igor Leonidovitch
(1962-1981)

Mort en Afghanistan en accomplissant une mission de combat. Fidèle à son serment, il a fait preuve de fermeté et de courage. Igoriok chéri, tu as quitté la vie avant de l'avoir connue.

Ta maman, ton papa.

Ladoutko Alexandre Viktorovitch
(1964-1984)

Mort en accomplissant son devoir international.

Tu as fait honnêtement ton devoir de soldat. Tu n'as pas su te protéger, mon petit. Tu es tombé sur la terre afghane comme un héros pour que ton pays jouisse d'un ciel paisible.

Ta maman à son fils bien-aimé.

Bartachevitch Youri Frantsevitch
(1967-1986)

Mort en héros en accomplissant son devoir international.

Nous pensons à toi, nous t'aimons, nous te pleurons.

Ta famille.

Bobkov Leonid Ivanovitch
(1964-1984)

Mort en accomplissant son devoir international.

La lune s'est couchée, le soleil s'est éteint sans toi, notre fils chéri.

Ta maman, ton papa.

Zilfigarov Oleg Nikolaïevitch
(1964-1984)

Mort, fidèle à son serment de soldat.

Nos espoirs sont partis, nos rêves envolés. Tes yeux, fils chéri, se sont trop tôt fermés. Oleg adoré, notre fils, notre frère, comment t'exprimer la douleur de te perdre.

Ta maman, ton papa,
tes petits frères et tes petites sœurs.

Kozlov Andreï Ivanovitch
(1961-1982)

Mort en Afghanistan.
À mon cher fils unique.

Ta maman.

Bogouch Viktor Konstantinovitch
(1960-1980)

Mort en défendant sa Patrie.

La terre est bien déserte sans toi...

ÉPILOGUE

Traduit du russe par
Bernadette du Crest

Un récit de plus en guise d'épilogue, c'est aussi un prologue

Un écrivain a dit : « L'âme est femme. » L'âme a une voix de femme, ai-je pensé, quand une mère, une de plus, vint me voir et que j'entendis son récit. Ce sera l'épilogue de mon livre, et qui sait le prologue d'un livre à venir...

« Il a tué quelqu'un avec mon hachoir, je m'en sers pour découper la viande... Il l'a remis le matin dans le buffet où je range la vaisselle. Je crois bien lui avoir fait des croquettes de viande ce jour-là. Quelque temps après on a annoncé à la télé et dans la presse que des pêcheurs avaient trouvé un corps dans le lac... En morceaux... Une amie me téléphone : "Tu as vu ? Un crime de professionnel... La signature afghane".

Valik était à la maison, allongé, en train de lire. Je ne savais encore rien, aucun soupçon, mais après ce coup de fil, je l'ai regardé... Avec horreur !...

Vous entendez le chien qui aboie ? Non ? Moi, dès qu'on commence à parler de ça, j'entends des aboiements. Dans la prison où il est, il y a des grands chiens noirs. Et les gens sont en noir, tout en noir. Quand je reviens à Minsk, dans la rue, en faisant mes courses, j'entends ces aboiements. Ça m'entre dans les oreilles... Je ne vois plus clair... Un jour j'ai failli être renversée par une voiture...

Je serais prête à aller sur la tombe de mon fils. À me coucher près de lui... Parfois j'envie les mères venues sur les tombes... Je ne savais pas comment vivre avec ça... Il m'arrive d'avoir peur d'entrer dans ma cuisine, de voir le buffet où était le hachoir. Vous entendez les chiens ? Non ?

À l'heure qu'il est, je ne sais pas où en est mon fils. En quel état le retrouverai-je dans quinze ans ? Il en a pris pour quinze ans... Il était comment mon fils ? Il aimait danser. On allait ensemble à l'Ermitage, à Leningrad. C'est l'Afghanistan qui me l'a pris...

... On a reçu un télégramme de Tachkent : "Venez me chercher, l'avion arrive à telle heure..." Je suis allée sur le balcon, j'avais envie de crier : Vivant ! Mon fils est revenu vivant d'Afghanistan ! Cette horrible guerre est finie pour moi ! J'ai perdu connaissance. À l'aéroport bien sûr on était en retard, l'avion avait atterri depuis longtemps, notre fils était dans le square voisin, couché dans l'herbe, étonné de la voir si verte. Il n'arrivait pas à croire à son retour... Mais il n'avait pas l'air gai.

Le soir des voisins sont venus avec leur petite fille, elle avait un gros ruban bleu dans les cheveux. Il l'a mise sur ses genoux, serrée contre lui, et il a pleuré. Parce qu'ils tuaient des gosses là-bas. Je l'ai compris après...

À la frontière, les douaniers lui ont tailladé son slip de bain américain, il est arrivé sans linge de corps. Il m'avait acheté une robe de chambre, pour mes quarante ans, on la lui a prise. Pour sa grand-mère, c'était un foulard, confisqué lui aussi. Il est arrivé avec des fleurs seulement, des glaïeuls. Mais il n'avait pas l'air gai.

Le matin il se levait dans un état à peu près normal : "Maman ! Maman !" Vers le soir son visage s'assombrissait, il avait le regard lourd. À n'y rien comprendre. Si encore il avait bu, mais non, pas une goutte. Il reste assis, les yeux fixes. Brusquement il se lève, prend son blouson. Moi, devant la porte : “Où vas-tu ?” Il me regarde sans me voir. Il s’en va.

Un jour, je rentre tard du travail, je suis de l’équipe du soir, l’usine est loin ; je sonne, il n’ouvre pas. Il ne reconnaît pas ma voix. C’est bizarre, la voix des copains passe encore, mais pas la mienne. On aurait dit qu’il attendait quelqu’un, qu’il avait peur. Je lui avais acheté une nouvelle chemise, je la lui fais essayer, je vois des cicatrices sur ses bras.

— C’est quoi, ça ?

— Ce n’est rien, maman.

Je l’ai su plus tard. Après le procès... Il s’était ouvert les veines. Quand il était à l’armée, au cours d’un exercice il n’est pas arrivé à percher à temps un poste émetteur dans un arbre, c’était lui le radio ; le sergent l’a obligé à sortir cinquante seaux des cabinets et à passer avec devant les rangs. Il a commencé et s’est évanoui. À l’infirmerie on a diagnostiqué un léger choc nerveux. La nuit il s’est ouvert les veines. La seconde fois c’était en Afghanistan. Avant un raid, on s’est aperçu que le poste émetteur ne marchait pas, des pièces avaient disparu, on avait dû les voler. Le chef l’a accusé de lâcheté, d’avoir caché les pièces... Là-bas ils se volaient entre eux, ils démontaient les véhicules pour vendre les pièces détachées au bazar. Pour acheter de la drogue...

Nous regardions à la télé une émission sur Edith Piaf...

— Maman, tu sais ce que c’est les narcotiques ?

J’ai prétendu ne pas savoir : en réalité je le surveillais pour voir s’il se droguait.

Non, aucune trace. Mais là-bas ils se droguaient, je le sais.

— Parle-moi de l’Afghanistan, lui ai-je dit un jour.

— Tais-toi, maman !

Quand il n’était pas là, je relisais ses lettres, pour essayer de comprendre ce qui lui arrivait. Je ne trouvais rien de particulier, il écrivait que la verdure lui manquait, demandait à sa grand-mère d'envoyer une photo d'elle sur fond de neige. Mais je voyais bien qu'il se passait quelque chose. On m'avait rendu un autre garçon. Ce n'était plus mon fils. C'est moi qui l'avais envoyé à l'armée, il était sursitaire. Je voulais qu'il devienne un homme. Je disais que l'armée lui ferait du bien, le rendrait plus fort. Pour son départ j'ai organisé une fête ; il avait invité des copains, des filles... J'avais acheté dix gros gâteaux.

Une fois seulement il m'a parlé de l'Afghanistan. En fin de journée. Il entre dans la cuisine, je préparais un lapin. Il y avait du sang dans la cuvette. Il l'a essuyé avec les doigts et a regardé en disant :

— J'avais un copain qu'on a ramené le ventre ouvert. Il m'a demandé de l'achever. Je l'ai fait.

Il avait du sang sur les doigts. Du sang de lapin. Encore frais. Avec ces doigts-là, il prend une cigarette et va sur le balcon. Ce jour-là il ne m'a plus dit un mot...

Je suis allée voir des médecins. Rendez-moi mon fils ! Sauvez-le ! Je leur ai tout dit, on l'a examiné. À part une sciatique, on ne lui a rien trouvé.

Un jour en rentrant je trouve quatre inconnus, attablés.

— Maman, c'est des anciens d'Afghanistan. Ils étaient à la gare. Ils n'ont nulle part où aller.

— Je vais vous faire un gâteau, ai-je dit toute contente.

Ils ont passé la semaine chez nous. Ils ont dû boire trois caisses de vodka. En rentrant le soir je trouvais maintenant cinq inconnus. Le cinquième était mon fils. Je ne voulais pas entendre ce qu'ils disaient, par peur. Mais forcément, sans faire exprès j'entendais. Ils disaient que lorsqu'ils étaient en embuscade deux semaines d'affilée, on les dopait pour les gonfler à bloc... Mais c'était top secret... Ils parlaient de combat au couteau, du choix de la meilleure arme pour tuer, de la bonne distance. La mort des animaux ou des gens, ils la voyaient de la même façon. Après je me suis rappelé... Quand c'est arrivé... J'ai repensé à tout ça... Avant je les trouvais seulement un peu bizarres, un peu fous.

Une nuit... C'était avant, avant qu'il tue. J'ai rêvé que j'attendais mon fils, en vain. Voilà qu'on me l'amène. Les quatre "Afghans". Ils le laissent choir par terre, sur le ciment sale. Vous savez, nous avons un revêtement de ciment dans la cuisine. On reste là tous les deux...

Il avait été admis dans un Institut de technologie, avec de bonnes notes, pour préparer un brevet de technicien radio. Il était heureux de ce succès. Je pensais qu'il avait retrouvé la paix, qu'il allait faire des études, se marier. Quand ils sont partis, tout a recommencé... Il passait les soirées dans son fauteuil, le regard fixe, puis il s'endormait. J'avais envie de le protéger de mon corps et ne plus le lâcher. Maintenant je rêve de lui : il est petit et demande à manger. Il a tout le temps faim. Les mains tendues. Je rêve toujours de lui petit et humilié. Et dans la vie ? Un parloir une fois tous les deux mois... (Quatre heures derrière une vitre.) Deux fois par an, une visite où je peux au moins lui donner à manger. Et ces aboiements de chiens. J'en rêve. Ils me poursuivent...

Un homme m'a fait la cour. Il m'a apporté des fleurs. "Laissez-moi, ai-je crié, je suis la mère d'un assassin." Les premiers temps j'avais même peur de rentrer chez moi, de fermer la porte de la salle de bains, je m'attendais à voir les murs s'écrouler sur moi. Dans la rue j'avais l'impression qu'on me reconnaissait, qu'on chuchotait : "Vous savez, cette horrible histoire... son fils a tué... Il a dépecé un homme... La signature afghane."

L'enquête a duré plusieurs mois. Il ne disait rien. Je suis allée à Moscou à l'hôpital militaire Bourdenko. J'y ai retrouvé des garçons qui avaient servi comme lui dans des unités spéciales. Je leur ai parlé.

— Dites-moi, les garçons : quelle raison pouvait avoir mon fils de tuer quelqu'un ?

— Faut croire qu'il en avait une.

Je devais me convaincre qu'il pouvait le faire. Tuer. Je les ai longuement interrogés, j'ai compris qu'il en était capable. Parler de mort, d'assassinat n'éveillait en eux rien de particulier. Ils parlaient de l'Afghanistan comme d'un travail où il faut tuer. Puis j'ai rencontré des garçons qui avaient aussi servi là-bas et qui au moment du tremblement de terre en Arménie y étaient allés avec des équipes de secours. Je voulais absolument savoir ce qu'ils éprouvaient devant la mort, si c'était effrayant. Non, rien ne les impressionnait, même la pitié s'était émoussée en eux. Des corps déchiquetés. Écrasés. Des crânes, des os. Des écoles entières ensevelies... Eux parlaient d'autre chose. En creusant ils avaient dégagé des entrepôts de vin, et ils comparaient les cognacs, les vins qu'ils avaient bus. Ils plaisantaient : d'accord pour un autre tremblement de terre, mais dans un pays de vignobles... Vous croyez qu'ils sont sains d'esprit ? Normaux ?

« Je le hais même mort. » Voilà ce qu'il m'a écrit récemment. Cinq ans ont passé. Qu'est-ce qui a pu arriver ? Il ne me dit rien. Je sais seulement que ce garçon, ce Ioura, se vantait d'avoir gagné beaucoup d'argent en Afghanistan. Et puis on a appris qu'il servait en Éthiopie, comme rengagé. Pour l'Afghanistan, il mentait.

Au procès il n'y a eu que l'avocate pour dire qu'on jugeait un malade, qu'on n'avait pas un criminel au banc des accusés mais un malade qu'il fallait soigner. Seulement il y a sept ans on ne disait pas encore la vérité sur l'Afghanistan. Ils passaient tous pour des héros, des combattants internationalistes. Mon fils lui était un assassin. Parce qu'il avait fait ici ce qu'ils faisaient là-bas. Pourquoi est-il le seul à avoir été jugé ?

Il a tué avec mon hachoir. Et le lendemain il l'a remis dans le buffet. Comme une fourchette ou une cuillère...

Vous entendez les aboiements de chiens ? Pourquoi suis-je la seule à les entendre ?

J'envie les mères dont le fils est revenu amputé des deux jambes... Même s'il déteste le monde entier... Même s'il se jette sur elle comme un fauve... Même si elle doit lui acheter des prostituées pour qu'il se calme... Même s'il veut la tuer pour la punir de l'avoir fait naître... »

Nous ne disons plus maintenant que la guerre se termine au moment du cessez-le-feu...

Le procès des *Cercueils de zinc*

Document pour l'histoire
Chronique du procès

Un groupe de mères de combattants internationalistes morts en Afghanistan vient d'intenter un procès à l'écrivain Svetlana Alexievitch. Leur demande en justice sera examinée devant le tribunal populaire de l'arrondissement Central de Minsk.

Le motif de l'action en justice est le spectacle *Cercueils de zinc*, mis en scène au théâtre Ianka Koupala, puis enregistré pour la télévision et diffusé sur la chaîne nationale. Des mères dont le chagrin n'a pu s'effacer depuis toutes ces années ont été blessées en voyant leurs enfants montrés uniquement comme des robots sans âme, tuant, pillant, drogués, violeurs, n'épargnant ni vieillard ni enfant.

L. Grigoriev, *Vetchernii Minsk*, 12 juin 1992.

« *Les Cercueils de zinc* traduits en justice », ainsi s'intitulait un entrefilet paru le 22 juin dans *Na straje Oktiabria*. « L'écrivain Svetlana Alexievitch, y lisait-on, est depuis la sortie de son livre en butte à une véritable guerre, on l'accuse d'avoir déformé et falsifié des récits d'"Afghans" et de leurs mères. Nouvelle offensive après le spectacle du même nom monté au théâtre Ianka Koupala puis diffusé à la télévision. Le tribunal de l'arrondissement Central va examiner la plainte d'un groupe de mères de combattants internationalistes. La date du procès n'est pas encore fixée. Le spectacle a été retiré de l'affiche... »

Nous avons téléphoné au tribunal pour leur demander de commenter l'information, ce qui les a étonnés. La greffière nous a dit que le tribunal n'avait pas été saisi de cette plainte... L'auteur de l'entrefilet nous dit avoir puisé l'information dans le journal moscovite *Krasnaïa Zvezda*...

Tchyrvonaïa Zmena, 14 juillet 1992.

Devant le tribunal populaire de l'arrondissement Central s'ouvre aujourd'hui le procès contre la célèbre romancière biélorusse Svetlana Alexievitch.

La demande a été formée par plusieurs mères de combattants internationalistes. Alexievitch avant d'écrire ses *Cercueils de zinc* avait interviewé des mères d'"Afghans", après quoi selon celles-ci elle avait dénaturé les faits communiqués.

Vetchernii Minsk, 19 janvier 1993.

Le 20 janvier le quotidien *Sovietskaïa Bieloroussia* écrivait : « Devant le tribunal populaire de l'arrondissement Central, à Minsk, s'est ouvert le procès de l'écrivain Svetlana Alexievitch... »

Un jour avant, le 19 janvier, le quotidien *Vetchernii Minsk* avait publié un entrefilet sur le même thème intitulé « Procès d'écrivains ». J'indique à dessein les dates de publication. Voilà de quoi il s'agit...

M'étant rendu au tribunal en question j'ai appris que l'affaire était instruite par la juge Gorodnitcheva.

Elle ne m'a pas autorisée à utiliser mon magnétophone. Et s'est refusée à toute explication arguant qu'il ne fallait pas « échauffer l'atmosphère ». Elle m'a tout de même montré la chemise du dossier Alexievitch, lequel a été établi le... 20 janvier. C'est donc évident : le dossier de presse disant que le procès avait lieu (!) était prêt avant même que la juge ait établi le dossier...

Leonid Sviridov, *Sobessednik*, nº 6, 1993.

Deux actions en justice ont été déposées auprès du tribunal populaire de l'arrondissement Central, à Minsk. Un ancien d'Afghanistan, aujourd'hui invalide, affirme que S. Alexievitch n'a pas dit la vérité sur cette guerre et sur lui-même, qu'elle l'a calomnié. Elle doit donc s'excuser publiquement et réparer l'offense faite à son honneur de soldat en lui versant la somme de 50 000 roubles. Quant à la mère de l'officier disparu elle est en désaccord avec l'écrivain sur le patriotisme soviétique et son rôle dans l'éducation des jeunes générations.

Svetlana Alexievitch a rencontré les deux plaignants voici quelques années quand elle écrivait ses *Cercueils de zinc*. Tous deux déclarent n'avoir pas dit les choses comme ça, et s'ils les ont dites comme elles figurent dans le livre, aujourd'hui ils ont changé d'avis.

Nuances qui ne manquent pas d'intérêt : le soldat qui accuse l'écrivain d'avoir dénaturé les faits et porté atteinte à sa dignité se réfère à une publication de presse de 1989, bien que le nom de famille cité ne soit pas le sien. La plaignante, elle, entraîne le tribunal dans les dédales de la politique et de la psychologie, et là une escouade d'experts ne s'y retrouverait pas. Les deux plaintes ont pourtant été déclarées recevables par le tribunal. Les audiences n'ont pas encore débuté, mais les auditions de l'écrivain vont bon train...

Anatoli Kozlovitch, *Literatournaïa Gazeta*,
10 février 1993.

Un procès est intenté à Svetlana Alexievitch, l'écrivain biélorusse qui nous avait fait souvenir que *La Guerre n'a pas un visage de femme*. Cette fois-ci, il s'agit de l'Afghanistan et de certaines personnes qui n'ont pas pardonné à S. Alexievitch ses *Cercueils de zinc*, récit documentaire sur un aspect méconnu de la guerre afghane. L'écrivain est accusée d'avoir travesti, exploité avec partialité les informations que lui ont confiées des combattants, des veuves et des mères de soldats tués, bref, accusée de calomnie, d'antipatriotisme et de diffamation. On ne sait pas encore si la justice suivra son cours ou si les plaignants après avoir demandé une réparation morale renonceront au procès (procès public). Mais le signal est parlant. On voit surgir l'ombre du major Tchervonopissnoï, celui qui lors du Congrès des députés de l'Union avait fait la leçon à Andreï Sakharov sur la façon dont il fallait juger le conflit afghan.

Fedor Mikhaïlov, *Kouranty*, 3 février 1993.

Demande en justice de Liachenko Oleg, ancien soldat, grenadier

Le 6 octobre 1989 on pouvait lire dans « Nous revenons de là-bas... », article paru dans *Litaratoura i mastatstva*, des passages des *Cercueils de zinc*, récit documentaire de Svetlana Alexievitch. Un des monologues est signé de mon nom (le nom de famille est mal indiqué). Il est censé refléter ce que j'ai dit sur la guerre afghane, sur mon séjour là-bas, sur les relations entre les gens pendant la guerre, après la guerre, etc. Alexievitch a totalement déformé mes propos, a ajouté des choses que je n'avais pas dites, et quand je les avais dites, les a interprétées et en a tiré des conclusions que je n'avais pas faites.

Une partie des propos que S. Alexievitch m'attribue rabaisse et offense mon honneur et ma dignité. Ce sont les phrases suivantes :

1. « Au centre de Vitebsk, ce n'était un secret pour personne qu'on nous entraînait pour l'Afghanistan. L'un de nous a avoué qu'il avait peur, parce qu'on allait tous se faire descendre. Je l'ai méprisé. Juste avant le départ, un autre a refusé de partir... Pour moi il n'était pas un type normal. Nous partions faire la révolution. »

2. « Au bout de deux ou trois semaines, il ne restera rien de ce que tu étais avant, ton nom seulement. Tu n'es plus toi-même, tu es un autre. Et cet autre ne s'effraie plus en voyant un tué, il se dit calmement ou avec ennui qu'il va falloir le descendre de la montagne ou le traîner en plein soleil pendant des kilomètres... Il connaît sa réaction et celle des autres devant un homme abattu : Je suis vivant ! Voilà ce qu'on devient. Presque tous. »

3. « J'ai été dressé à faire feu là où on me dit. Sans pitié pour quiconque. Je pouvais tuer un enfant... On voulait tous rentrer à la maison. On essayait de survivre. Pas le temps de réfléchir... Je m'étais habitué à la mort des autres, la mienne me faisait peur. »

4. « Ne parlez surtout pas de notre solidarité. Elle

n'existe pas. Je n'y crois pas. À la guerre nous étions unis par la peur. On nous a tous pareillement trompés... Ici, ce qui nous unit, c'est que nous n'avons rien. Sauf des problèmes : pensions, logement, médicaments, ameublement. Une fois les problèmes résolus, nos associations se dissoudront. Quand j'aurai enfin un logement, des meubles, un frigo, un lave-linge, un magnétoscope japonais, fini ! La jeunesse ne nous suit pas. Elle n'arrive pas à comprendre. En principe on est assimilés aux combattants de la Grande Guerre patriotique, mais eux ils défendaient le sol natal, et nous ? On tenait le rôle des Allemands, voilà ce que m'a dit un gars. Nous, on leur en veut. Celui qui n'a pas été là-bas, qui n'a pas vu, qui n'a pas vécu la même chose que moi, il n'est rien pour moi ».

Tous ces propos offensent gravement ma dignité d'homme, car je ne les ai pas tenus, je ne les pense pas et j'estime que ces informations salissent mon honneur d'homme et de soldat...

Sans signature, 20 octobre 1993.

Auditions dans le cabinet du juge

Présents : juge : T. Gorodnitcheva ; avocats : T. Vlassova et V. Louchkinov ; demandeur : O. Liachenko ; défenderesse : S. Alexievitch

Le juge : Demandeur, vous affirmez que l'auteur a déformé les faits communiqués par vous ?

O. Liachenko : Oui.

Le juge : Prévenue, vous êtes priée de vous expliquer sur cette question.

S. Alexievitch : Oleg, je voudrais que tu te souviennes de ce que tu disais et comme tu pleurais quand on s'est rencontrés, tu ne croyais pas qu'on pourrait un jour imprimer noir sur blanc ta vérité. Tu m'as demandé de le faire. Je l'ai fait. Et maintenant ? On recommence à te tromper et à te manipuler. Une seconde fois. Pourtant tu disais que tu ne te laisserais plus jamais tromper ?

O. Liachenko : Si vous étiez à ma place : une pension misérable, pas de travail, deux jeunes enfants... Ma femme aussi a perdu son emploi. Comment vivre ? Avec quoi ? Vous avez vos droits d'auteur... Vous êtes publiée à l'étranger. Nous, on passe pour des assassins, des violeurs...

L'avocate T. Vlassova : Je proteste. Une pression morale est exercée sur mon client. Mon père était un général d'aviation, il est mort en Afghanistan. Là-bas tout était sacré. Ce sont des morts sacrées... Ils ont été fidèles à leur serment... Ils défendaient la patrie...

Le juge : Sur quoi insiste le demandeur ?

O. Liachenko : Que l'auteur me fasse des excuses publiques et que le préjudice moral soit réparé...

Le juge : Vous insistez seulement sur un démenti des faits publiés ?

O. Liachenko : Pour l'injure faite à mon honneur de soldat, je demande que S. Alexievitch me verse 56 000 roubles.

S. Alexievitch : Oleg, je ne crois pas que ce soient tes mots à toi. Ce n'est pas toi qui parles... Tu n'étais pas comme ça. Tu fais trop bon marché de ton visage brûlé, de l'œil que tu as perdu, de ton bras cassé. Mais ce n'est pas à moi que tu dois faire un procès. Tu me confonds avec le ministère de la Défense et le Politbureau du PCUS...

L'avocate T. Vlassova : Je proteste ! C'est une pression psychologique...

S. Alexievitch : Quand on s'est rencontrés, Oleg, voici

cinq ans, tu étais honnête, j'avais peur pour toi. Je craignais que tu aies des ennuis avec le KGB, on vous avait fait signer un papier de non-divulgation de secret militaire. Et j'ai changé ton nom de famille. Je l'ai fait pour te défendre, aujourd'hui je dois me défendre contre toi. Puisqu'il n'y a pas ton nom de famille, c'est un nom collectif... Et tes griefs ne sont pas fondés.

O. Liachenko : Non, ce sont mes paroles. C'est moi qui ai dit ça... Comment j'ai été blessé... Et... Tout est de moi...

Demande en justice d'Ekaterina Platitsina, mère du défunt major Alexandre Platitsine

Le 6 octobre 1989 le journal *Litaratoura i mastatstva* publiait un article intitulé « Nous revenons de là-bas... » qui citait des passages des *Cercueils de zinc* de Svetlana Alexievitch. Le monologue de la mère du major A. Platitsine mort en Afghanistan est signé de mon nom. Ce monologue figure en entier dans *Les Cercueils de zinc*. Aussi bien l'article que le livre dénaturent ce que j'ai dit sur mon fils. Alors qu'il s'agit d'un récit documentaire, S. Alexievitch a rajouté des faits de son cru, omis une bonne part de mes propos, tiré ses propres conclusions et signé le monologue de mon nom.

L'article offense et rabaisse mon honneur et ma dignité...

Sans signature, sans date.

Auditions dans le cabinet du juge

Présents : la juge T. Gorodnitcheva, les avocats T. Vlassova, V. Louchkinov, demanderesse E. Platitsina, défenderesse S. Alexievitch.

Le juge : Nous vous écoutons, Ekaterina Platitsina...

E. Platitsina : L'image que j'ai gardée de mon fils ne correspond absolument pas à celle que donne le livre.

Le juge : Vous pourriez expliquer votre pensée : où et comment sont déformés les faits ?

E. Platitsina (elle prend le livre) : Ça ne ressemble pas du tout à ce que j'ai dit. Mon fils n'était pas comme ça. Il aimait son pays. (*Elle pleure.*)

Le juge : Calmez-vous et citez les faits.

E. Platitsina (elle lit un passage) : « Après l'Afghanistan (c'était lors d'une permission) il était devenu encore plus gentil. Tout lui plaisait à la maison. Mais il y avait des moments où il restait sans rien dire, le regard vide ; la nuit il se levait et marchait dans sa chambre. Une fois j'ai été réveillée par des cris : Des explosions ! Des explosions ! Une autre fois j'ai entendu pleurer. Qui ça pouvait être ? Il n'y a pas d'enfants petits chez nous. Je vais voir dans sa chambre : il pleure la tête dans les mains... »

Il était officier dans une unité combattante. Là on le décrit comme un pleurnicheur. Est-ce que c'étaient des choses à dire ?

Le juge : Moi-même je suis très émue. J'ai pleuré en lisant ce livre, votre récit. Mais là, qu'est-ce qui blesse votre honneur et votre dignité ?

E. Platitsina : Vous comprenez, c'était un officier combattant. Il n'allait pas se mettre à pleurer. Ou encore ce passage : « C'était avant le Jour de l'An. Il avait mis les cadeaux sous le sapin. Pour moi c'était un grand châle. Noir. Pourquoi tu l'as choisi noir, fiston ? — Il y en avait d'autres, maman, mais quand mon tour est venu il ne restait que des noirs. Il te va bien, regarde... »

On a l'impression que mon fils faisait la queue, il ne supportait pas les queues dans les magasins. Et là, à la guerre, il poireaute dans une file d'attente. Pour m'acheter un châle. Pourquoi avoir décrit ça ? Un officier combattant. Mort... Svetlana Alexievitch, pourquoi avoir raconté ça ?

S. Alexievitch : En écrivant, moi aussi je pleurais. Et je détestais ceux qui avaient envoyé votre fils mourir pour rien en terre étrangère. Nous étions ensemble alors, vous et moi.

E. Platitsina : Vous dites que je dois haïr l'État, le Parti. Moi, je suis fière de mon fils ! Il est mort au combat. Tous ses camarades l'aimaient. J'aime l'État dans lequel nous avons vécu, l'URSS, parce que mon fils est mort pour lui. Vous, je vous déteste ! Je ne veux pas de votre horrible vérité. On n'en a pas besoin ! Vous entendez ?

S. Alexievitch : Je suis sûre que je pourrais vous comprendre. Nous pourrions parler. Mais pourquoi le faire devant les tribunaux ? Ça, je ne peux pas comprendre...

... Selon un scénario soviétique bien rodé, Svetlana Alexievitch est clouée au pilori comme agent de la CIA, valet de l'impérialisme capable de dénigrer la Patrie et ses héroïques enfants pour deux Mercedes et une poignée de dollars...

Le premier procès a tourné court, puisque les plaignants, l'ancien soldat O. Liachenko et E. Platitsina, mère d'un officier mort ne se sont pas présentés devant la justice. Mais six mois plus tard deux nouvelles plaintes furent déposées par I. Galovneva, mère du défunt lieutenant-chef I. Galovnev, présidente de l'Association biélorusse des mères de combattants internationalistes morts à la guerre et par Taras Ketzmour, ancien soldat, aujourd'hui président de l'Association moscovite des combattants internationalistes...

Prava tcheloveka, nº 3, 1993.

Le 14 septembre s'est ouvert à Minsk le procès intenté à l'écrivain Svetlana Alexievitch.

Et là, surprise. « La demande en justice de la mère de I. Galovnev, "Afghan" mort à la guerre, est parvenue au tribunal sans mention de date, a déclaré Vassili Louchkinov, l'avocat d'Alexievitch. On nous en a délivré une copie dépourvue de signature et bien sûr non datée. Cela n'a pas empêché le juge Tatiana Gorodnitcheva d'ouvrir une information selon l'article 7 du Code de procédure civile. Chose également étonnante : les formalités de procédure n'étaient pas remplies au moment du procès, c'est-à-dire que le dossier était déjà inscrit au registre sous un numéro, alors que la décision n'avait pas encore été prise d'instruire une action civile. »

Le procès s'est pourtant ouvert... présidé par un juge qui en fait a pris connaissance du dossier au tribunal. Svetlana Alexievitch et son avocat n'ont appris que dix minutes avant le début de l'audience que le juge Gorodnitcheva était remplacée par le juge Jdanovitch. « C'est plus une question de morale qu'une question juridique », a déclaré Vassili Louchkinov. Cela se peut. Mais Taras Ketzmour, un autre protagoniste du livre de Svetlana Alexievitch, s'est soudain manifesté comme plaignant ; sa demande en justice a été déposée devant le juge Jdanovitch non signée et bien entendu sans qu'un dossier d'instruction ait été ouvert.

L'avocat de la prévenue a attiré l'attention du tribunal sur cette absurdité et a élevé une protestation. L'audience a été reportée...

Oleg Blotzki, *Literatournaïa Gazeta*, 6 octobre 1993.

Audience du 29 novembre 1993

Composition du tribunal : juge : I. Jdanovitch ; assesseurs : T. Borissevitch, T. Soroko.

Demandeurs : I. Galovneva, T. Ketzmour.

Défenderesse : S. Alexievitch.

Demande en justice d'Inna Galovneva, mère du défunt lieutenant-chef I. Galovnev

La *Komsomolskaïa Pravda* du 15.02.90 a publié des passages du livre de S. Alexievitch, *Les Cercueils de zinc*. Monologues de ceux qui ont vécu les événements d'Afghanistan.

Le monologue publié sous mon nom contient des erreurs et dénature les faits que j'ai rapportés à S. Alexievitch ; on y relève aussi des mensonges patents, des fictions, c'est-à-dire la relation prétendument en mon nom de circonstances dont je n'ai pas parlé et ne pouvais pas parler. La libre interprétation de mes propos, de même que les pures imaginations présentées comme venant de moi entachent mon honneur et ma dignité, d'autant plus qu'il s'agit d'un récit documentaire. J'estime qu'un écrivain documentaliste doit reproduire exactement l'information reçue, garder la trace des entretiens, soumettre les textes à l'interviewé.

Alexievitch écrit par exemple : « Ce n'est pas bien pour une mère de l'avouer... mais c'est lui que j'aimais le plus. Plus que mon mari, plus que mon second fils... » (Il s'agit de Ioura mon fils disparu.) Cette phrase est inventée (n'est pas conforme à mes dires). L'allégation de ce soi-disant différent degré d'amour pour les membres de ma famille a créé des conflits et selon moi compromet ma dignité.

Ensuite : « Petit, il connaissait par cœur non pas des contes ou des poésies enfantines mais des pages entières de *Et l'acier fut trempé* d'Ostrovski. » Une phrase qui donne à croire que mon fils a grandi dans une famille de fanatiques. En fait j'ai dit à Alexievitch que dès l'âge de 7-8 ans Ioura lisait des livres sérieux, entre autres *Et l'acier fut trempé*.

Alexievitch a déformé le récit que je lui aurais fait du départ de mon fils pour l'Afghanistan. Elle mentionne cette phrase qu'il aurait dite : « J'irai en Afghanistan pour leur prouver qu'il y a dans la vie de grandes choses, que tout le monde n'a pas besoin pour être heureux d'un frigo rempli de viande. » Ce n'est pas du tout ça. Les assertions d'Alexievitch me compromettent moi et mon fils. Il n'a jamais rien voulu prouver à personne. En garçon normal, en patriote, en romantique, il s'est porté volontaire pour l'Afghanistan.

Quand j'ai pressenti qu'il voulait s'engager, je n'ai pas dit des phrases comme : « Tu te feras tuer là-bas, et pas pour la Patrie. Tu te feras tuer pour je ne sais quoi... Est-ce que la Patrie pourrait envoyer à la mort ?... C'est moi qui l'ai envoyé là-bas. Moi !... »

Cette phrase compromet mon honneur et ma dignité, elle me peint comme quelqu'un de faux, avec une morale à double face.

La discussion entre mes fils n'est pas relatée exactement. Alexievitch écrit : « Tu ne lis pas beaucoup, Guena. Jamais on ne te voit avec un livre. Toujours ta guitare... »

L'unique sujet de discussion entre mes fils, c'était le choix d'une profession pour le cadet. Ils n'avaient pas de guitare.

Cette phrase d'Alexievitch me blesse parce qu'elle souligne mon manque d'amour pour le cadet. Je ne lui ai pas dit cela.

J'estime qu'Alexievitch en choisissant de présenter les

événements liés à la guerre d'Afghanistan non seulement comme une erreur politique mais comme la faute de tout un peuple, a été tendancieuse, et souvent a même inventé les circonstances relatées dans l'interview. Son but est de faire passer nos soldats engagés en Afghanistan pour des garçons sans principes, cruels, indifférents aux souffrances des autres.

Pour faciliter le travail d'Alexievitch je lui ai montré le journal de mon fils, cela ne l'a pourtant pas aidée à relater les faits de façon vraiment documentaire.

Je demande à Alexievitch des excuses pour avoir dénaturé mes propos, pour avoir sali mon honneur et ma dignité dans la *Komsomolskaïa Pravda*.

Non signé, non daté.

Demande en justice de Taras Ketzmour, ancien soldat

Le texte de ma première demande en protection de l'honneur et de la dignité n'indiquait pas concrètement ce que je reprochais à S. Alexievitch dans son article de la *Komsomolskaïa Pravda* (15.02.90). Par la présente je le complète et j'affirme que tout ce qu'a relaté S. Alexievitch dans la presse et dans *Les Cercueils de zinc* est une fiction et n'a pas eu lieu, puisque je ne l'ai pas rencontrée et ne lui ai rien dit.

Dans l'article du 15 février 1990, j'ai lu ce qui suit :

« Je suis parti pour l'Afghanistan avec mon chien Tchara ; si je disais “Meurs !”, il s'écroulait ; quand j'étais perturbé, démoralisé, il se mettait à côté de moi et gémissait... Les premiers jours, j'étais enchanté d'être là. »

« S'il vous plaît, ne touchez jamais à ça, il y a beaucoup

de malins en ce moment, pourquoi est-ce que personne n'a rendu sa carte du Parti, personne ne s'est tiré une balle dans la tête quand nous étions là-bas... »

« J'ai vu déterrer dans les rizières de la ferraille et des ossements humains... j'ai vu une croûte de glace orange sur le visage gelé d'un tué, oui, orange... »

« Dans ma chambre j'ai toujours mes livres, les photos, le magnétophone, la guitare, mais je ne suis plus le même. Je ne peux pas traverser un parc sans regarder à droite et à gauche. Au restaurant quand le serveur se met derrière moi pour prendre la commande, pour un peu je me sauverais. Je ne supporte pas d'avoir quelqu'un dans mon dos. Quand je vois un salaud, une seule pensée : il faudrait le fusiller. »

« À la guerre nous devions faire exactement le contraire de ce qu'on nous avait appris dans le civil, et dans le civil oublier toutes les habitudes prises à la guerre. »

« Je suis un excellent tireur, un bon lanceur de grenades, à quoi ça me sert. Je suis allé au bureau militaire, j'ai demandé à rempiler, on ne m'a pas pris. La guerre va bientôt finir, ceux qui reviendront seront comme moi. On sera plus nombreux. »

J'ai lu pratiquement le même texte dans *Les Cercueils de verre*, avec de petits correctifs littéraires, il y a le même chien, les mêmes réflexions...

Je réaffirme que ces propos qu'on me prête sont une pure invention...

En conséquence de quoi je demande à la justice de protéger mon honneur bafoué de soldat et de citoyen.

Non signé, non daté.

Déclaration de I.S. Galovneva

Nous avons longtemps vécu à l'étranger, mon mari y était en poste. Nous sommes rentrés au pays à l'automne 86. J'étais heureuse d'être enfin de retour. Mais à ce moment un malheur nous a frappés : la mort de mon fils.

Je suis restée un mois prostrée. Je ne voulais rien entendre. Tout était débranché à la maison. Je n'ouvrais à personne. Alexievitch fut la première à entrer chez moi. Elle a dit qu'elle voulait écrire la vérité sur la guerre d'Afghanistan. Je l'ai crue. Le jour où elle est venue, j'étais à la veille d'une hospitalisation, je ne savais pas si je m'en sortirais. Je ne voulais plus vivre sans mon fils. Alexievitch m'avait dit qu'elle écrivait un livre documentaire. En quoi ça consiste ? Ça devait être des journaux intimes, des lettres de ceux qui s'étaient trouvés là-bas. C'est ce qu'elle m'a dit. Je lui ai confié le journal de mon fils qu'il avait tenu là-bas. « Vous voulez écrire la vérité, ai-je dit, elle est là-dedans. »

Puis nous avons parlé. Je lui ai raconté ma vie, parce que j'allais mal, je me traînais entre quatre murs. Je ne voulais plus vivre. Elle avait un magnétophone qui enregistrait tout. Mais elle ne m'a pas dit qu'elle publierait ça. Moi je parlais simplement, c'était le journal de mon fils qu'elle devait publier. À titre de document. Je lui ai donné le journal que mon mari avait dactylographié pour elle.

Elle m'a dit aussi qu'elle devait se rendre en Afghanistan. Elle y est allée pour son travail, mon fils lui y est mort. Que sait-elle de la guerre ?

Mais je la croyais, j'attendais le livre. J'attendais la vérité : pour quelle raison mon fils a-t-il été tué ? J'ai écrit à Gorbatchev : Dites-moi pour quelle raison mon fils est mort en terre étrangère. Pas de réponse.

Voilà ce qu'écrivait Ioura dans son journal : « Premier janvier 1986. La moitié du chemin est déjà parcourue, il reste si peu à faire. De nouveau les flammes, de nouveau l'oubli, et une autre longue route, et toujours ainsi avant que s'accomplisse la volonté du prédestiné. Et la mémoire qui fait claquer le fouet du passé, qui revient dans la vie avec ses cauchemars, et les fantômes d'un autre monde, d'autres temps, d'autres siècles, qui séduisent par un air de ressemblance, mais ils sont autres, ignorants des jours écoulés. Marcher sans trêve ni répit, sans pouvoir changer ce qui fut un jour décidé : l'abîme et les ténèbres s'ouvriront devant celui qui renonce ; un instant de repos, et l'on ne se relève plus de terre. Fatigué, désespéré, souffrant, tu cries vers les cieux vides : qu'y a-t-il là-bas, quand le cercle est fermé, que la route s'achève et qu'un monde nouveau resplendit ? Pourquoi devons-nous répondre d'eux ? Il ne leur est pas donné de s'élever jusqu'aux cimes lumineuses, et pour longue que soit la route, leurs jours sont comptés. Et nous brisons nos vies, sans connaître ni le calme ni le bonheur, nous errons, rompus et défaits, puissants et privés de droits, démons et anges de ce monde... »

Ça, la vérité de mon fils, Alexievitch ne l'a pas publié. Il ne peut y avoir d'autre vérité, la vérité est chez ceux qui ont été là-bas. Pour je ne sais quelle raison, elle a décrit ma vie. Dans un langage banal, puéril. C'est de la littérature ça ? Cet ignoble bouquin ?

Camarades, j'ai élevé mes enfants dans l'honnêteté et l'équité. Elle écrit que mon fils aimait *Et l'acier fut trempé* d'Ostrovski. À l'époque le livre était au programme dans toutes les écoles, comme *La Jeune Garde* de Fadeev. Elle souligne que lui les lisait, en connaissait des passages par cœur. Pourquoi dit-elle cela ? Pour en faire quelqu'un de bizarre, de fanatique. Ou encore elle écrit qu'il regrettait d'être un militaire. Mon fils a toujours connu la vie militaire, il a suivi les traces de son père. Ses deux grands-pères, ses oncles paternels, ses cousins, tous sont dans l'armée. Une lignée de soldats. Il est parti pour l'Afghanistan, parce que c'était un homme d'honneur. Il avait prêté serment. Puisqu'il le fallait, il y est allé. J'ai élevé des fils magnifiques. C'était un ordre, il y est allé, en officier. Alexievitch veut démontrer que je suis une mère d'assassin. Mon fils a tué là-bas. Alors quoi ? C'est moi qui l'ai envoyé là-bas ? Qui lui ai mis un fusil dans les mains ? Est-ce notre faute à nous les mères s'il y avait la guerre ? Si on tuait et pillait, si on se droguait ?

Ce livre est publié à l'étranger. En Allemagne, en France. De quel droit Alexievitch fait-elle commerce de nos fils disparus ? Engrange célébrité et dollars ? Qu'est-ce qu'elle est ? C'est moi qui ai raconté les choses, qui les ai vécues, elle n'est pour rien là-dedans. Elle s'est contentée de noter nos histoires ; nous, c'était notre malheur, c'étaient nos larmes.

Elle n'a pas donné mon nom exact : je m'appelle Inna, dans son livre je suis Nina. Mon fils était lieutenant-chef, elle écrit sous-lieutenant. Il s'agit d'un récit documentaire, je lui ai confié un journal, elle devait le publier, c'est tout. Pour moi un ouvrage documentaire, ce sont des lettres, des journaux. Elle doit reconnaître que c'est de l'invention, des calomnies. C'est mal écrit, dans un style banal, primaire. Qui écrit des livres comme ça ? Nous avons perdu nos enfants, elle a gagné la célébrité. Si elle avait un fils et qu'elle l'ait vu partir pour cette guerre...

Questions et réponses

V. Louchkinov, avocat de S. Alexievitch : Inna Sergueievna, dites-nous, Alexievitch a enregistré vos propos ?

I. Galovneva : Elle m'a demandé l'autorisation de brancher le magnétophone. Je la lui ai donnée.

V. Louchkinov : Lui avez-vous demandé de vous montrer ensuite ce qu'elle en retiendrait pour son livre ?

I. Galovneva : Je croyais qu'elle allait publier le journal de mon fils. J'ai déjà dit que pour moi les livres documentaires, c'est des lettres et des journaux. S'il s'agit de mes propos, alors mot pour mot, textuellement.

V. Louchkinov : Pourquoi ne pas avoir porté plainte contre Alexievitch dès que la *Komsomolskaïa Pravda* a publié des passages du livre ? Et l'avoir fait au bout de trois ans et demi ?

I. Galovneva : Je ne savais pas que ce livre serait publié à l'étranger. Qu'on irait répandre la calomnie. J'ai élevé mes enfants pour la Patrie. Nous avons passé toute notre vie dans des campements et des casernes, j'avais deux fils et deux valises. Je ne m'occupe pas de politique. Elle écrit que nos fils sont des assassins. Je suis allée au ministère de la Défense, je leur ai rendu la médaille de mon fils. Je ne veux pas être une mère d'assassin... J'ai rendu la décoration à l'État...

E. Novikov, président de la Ligue biélorusse des Droits de l'homme, avocat de la défense : Je veux élever une protestation. Greffier, inscrivez. Dans la salle on insulte sans arrêt Svetlana Alexievitch. Des menaces de mort... On promet même de la couper en morceaux... (Il se tourne vers les mères présentes à l'audience avec de grands portraits de leurs fils, où sont épinglées décorations et médailles.) Croyez que je respecte votre douleur...

Le juge I. Jdanovitch : Je n'ai rien entendu. Aucune insulte.

E. Novikov : Tout le monde a entendu sauf le tribunal...

Voix dans la salle :

— Nous sommes des mères. Nous voulons parler. On a envoyé nos enfants à la mort. Après il y en a qui se font de l'argent sur leur dos. Nos gosses sont dans la tombe. Nous vengerons nos enfants pour qu'ils puissent reposer en paix...

— Maudit sois-tu ! Malheur à toi !... On a fait de nos enfants des assassins.

— Et toi tu as servi dans l'armée ? Non... Tu profitais de ton sursis, planqué pendant que nos enfants mouraient.

— Il ne faut pas demander à une mère si son fils a tué. Elle ne se souvient que d'une chose : on a tué son fils...

— Sois maudit ! Soyez tous maudits !

Le juge I. Jdanovitch : Silence ! Cessez ce bazar ! On est dans un tribunal ici... (Tumulte dans la salle.) L'audience est suspendue pour quinze minutes...

À la reprise de l'audience, la milice est présente dans la salle.

Déclaration de Taras Ketzmour

Je n'ai pas préparé de déclaration, je vais parler sans papier, simplement. Comment ai-je fait la connaissance du célèbre écrivain de renommée mondiale ? Par l'intermédiaire de Valentina Tchoudaeva, une ancienne combattante. Elle m'a dit que cette dame avait écrit un livre, *La Guerre n'a pas un visage de femme*, lu dans le monde entier. Ensuite lors d'une rencontre avec des vétérans j'ai vu d'autres femmes qui m'ont dit qu'Alexievitch avait tiré de leurs vies une source de profit et de gloire, et que maintenant elle avait jeté son dévolu sur les “Afghans”. Je suis ému... Je m’excuse...

Elle est arrivée à notre club « Souvenir » avec son magnétophone. Elle voulait écrire sur plusieurs personnes, pas seulement sur moi. Pourquoi a-t-elle écrit son livre après la guerre ? Pourquoi cet écrivain mondialement connu a gardé dix ans le silence ? N’a pas une fois protesté ?

Personne ne m’a envoyé là-bas. Je l’ai demandé, j’ai envoyé des courriers. Je me suis inventé un proche parent qui serait mort là-bas. Je vais vous expliquer la situation... Je pourrais écrire moi-même un livre. Quand nous nous sommes rencontrés, j’ai refusé de causer avec elle, je lui ai carrément dit qu’on ferait un livre nous-mêmes, et mieux qu’elle, parce que nous, on y est allés. Qu’est-ce qu’elle pourrait écrire ? Elle ne pourrait que nous faire du mal.

Maintenant Alexievitch fait un livre sur Tchernobyl. Ce sera les mêmes saletés que celles qu’elle a déversées sur nous. Elle a moralement détruit toute notre génération d’“Afghans”. On pourrait croire que je suis un robot... Une machine... Un tueur à gages. Que je suis bon pour l’asile de fous...

Des amis téléphonent et s’en prennent à moi... Je suis ému. Je m’excuse... Elle a écrit que j’étais en Afghanistan avec mon chien. Il est mort en route, mon chien.

J’ai moi-même demandé à partir en Afghanistan... Vous comprenez, moi-même ! Je ne suis pas un robot, ni une machine... Je suis ému... Je m’excuse...

Réponses à des questions

S. Alexievitch : Dans la demande en justice, Taras, tu dis ne m’avoir jamais rencontrée. Maintenant tu dis que tu m'as rencontrée mais que tu as refusé de parler. Donc ce n'est pas toi qui as rédigé ton texte ?

T. Ketzmour : Si, c'est moi... On s'est vus... Mais je ne vous ai rien raconté.

S. Alexievitch : Si tu ne m'as rien raconté, comment pouvais-je savoir que tu es né en Ukraine, qu'enfant tu as été malade. Que tu es parti pour l'Afghanistan avec ton chien (même s'il est mort en chemin) qui s'appelait Tchara...

(Silence.)

E. Novikov : Vous dites que vous vous êtes porté volontaire pour l'Afghanistan. Je n'ai pas compris ce que vous en pensez maintenant. Vous détestez cette guerre ou vous êtes fier d'y être allé ?

T. Ketzmour : Je ne vous laisserai pas me déstabiliser. Pourquoi devrais-je détester cette guerre ? J'ai fait mon devoir.

Des voix dans la salle

— Laissez-nous parler, nous les mères.

— J'en sais plus que vous tous... On m'a ramené mon fils dans un cercueil de zinc.

Propos échangés au tribunal

— Nous défendons l'honneur de nos enfants morts. Rendez-leur leur honneur ! Rendez-leur la Patrie ! Vous avez détruit le pays. Le plus puissant du monde !

— C'est vous qui avez fait de nos enfants des tueurs. Qui avez écrit cet affreux livre. Maintenant dans les écoles on ne veut plus de mémorial pour nos enfants, on a enlevé leurs photos. Eux qui étaient si jeunes, si beaux. Est-ce qu'ils ont des têtes d'assassins ? Nous leur avions appris à aimer la patrie. Pourquoi a-t-elle écrit qu'ils tuaient là-bas ? Elle l'a fait pour l'argent. Et nous on est dans la misère. On n'a pas de quoi fleurir les tombes de nos enfants... Pas de quoi acheter des médicaments.

— Laissez-nous tranquilles. Pourquoi passez-vous d'un extrême à l'autre : au début on était décrits comme des héros, maintenant on serait tous des tueurs ? Nous, on n'avait rien en dehors de l'Afghanistan. C'est seulement là-bas qu'on s'est sentis de vrais hommes. Aucun de nous ne regrette d'y être allé.

— C'est une vérité si affreuse qu'elle n'a pas l'air d'être vraie. Elle vous stupéfie. On ne veut pas la connaître. On voudrait s'en protéger.

— Aux yeux de la majorité des gens cette guerre était une nécessité, et pour une minorité seulement une chose affreuse. Et c'est encore le cas. Sinon, il n'y aurait pas eu ce procès.

— Ils disent qu'ils n'ont fait qu'obéir aux ordres. Les tribunaux internationaux ont répondu là-dessus : obéir à un ordre criminel est un crime. Imprescriptible.

— En 1991 ce procès n'était pas possible. Les communistes avaient reculé, ils se faisaient discrets. Aujourd'hui ils relèvent la tête. On reparle des « grands idéaux », de « valeurs socialistes ». Ceux qui sont contre passent en justice ! Encore heureux qu'on ne les colle pas au poteau... Et qu'une nuit on ne nous parque pas dans un stade derrière des barbelés.

— Celui qui a connu la guerre n'est plus le même.

— J'ai prêté serment. J'étais un militaire...

— On ne revient pas de guerre avec son âme d'enfant.

— Nous leur avons inculqué l'amour de la patrie.

— Vous proclamez sans arrêt votre amour de la patrie, parce que vous voudriez qu'elle réponde de tout. À votre place.

Courrier adressé au tribunal

Apprenant les détails du procès intenté à Minsk contre Svetlana Alexievitch, nous estimons qu'il s'agit de poursuites engagées contre un écrivain pour ses convictions démocratiques et d'une atteinte à la liberté de créer. Svetlana Alexievitch par son courage, par son talent, par ses ouvrages authentiquement humanistes s'est acquise estime et popularité en Russie et dans le reste du monde.

Nous ne voulons pas de tache sur la réputation de la Biélorussie, pays qui nous est proche. Que la justice triomphe !

Amicale des Unions d'Écrivains,
Union des Écrivains russes,
Union des Écrivains de Moscou.

Peut-on porter atteinte au droit qu'a un écrivain de dire la vérité pour tragique et cruelle qu'elle soit ? Peut-on lui imputer à faute d'irréfutables témoignages sur les crimes du passé, en particulier sur des crimes liés à la déshonorante aventure afghane qui a fait tant de victimes, brisé tant de vies ?

On pourrait croire que ces questions n'ont plus lieu d'être au moment où la parole écrite est enfin devenue libre, où il n'y a plus de presse idéologique, de lignes directrices, d'injonctions à « donner de la vie la seule vision possible dans l'esprit des idéaux communistes ».

Hélas, si. À preuve le procès qui se prépare contre Svetlana Alexievitch, celle à qui l'on doit le remarquable *La Guerre n'a pas un visage de femme* (sur les femmes engagées dans la Grande Guerre patriotique), *Les Derniers Témoins* (sur les enfants de la guerre), celle qui, malgré la propagande officielle et les efforts d'auteurs comme le fameux A. Prokhanov, surnommé pendant la guerre d'Afghanistan « l'inlassable rossignol du Quartier Général », a écrit *Les Cercueils de zinc*, a su et osé y dire l'effroyable et bouleversante vérité sur la guerre d'Afghanistan.

L'auteur, tout en respectant le courage des soldats et des officiers que Brejnev et les dirigeants du PCUS ont envoyés se battre dans un pays jusque-là ami, tout en partageant la douleur des mères dont les enfants moururent dans les montagnes afghanes, dénonce dans ce livre toutes les tentatives visant à faire de la déshonorante guerre afghane une action héroïque et romantique, en stigmatise l'emphase et le faux pathétique.

Il faut croire que cela n'a pas plu à ceux qui sont encore persuadés que les aventures afghanes et autres du défunt régime que nos soldats ont payées de leur sang, étaient l'expression de notre « devoir sacré d'internationalistes », à ceux qui voudraient blanchir les noires actions de politiciens et de militaires ambitieux, à ceux qui voudraient mettre sur le même plan la Grande Guerre patriotique et l'injuste guerre afghane, guerre coloniale en réalité.

Ces gens-là n'engagent pas le débat avec l'écrivain. Ne contestent pas les faits stupéfiants qu'elle cite. D'ailleurs ils se gardent bien de montrer leur visage. Manipulant des personnes toujours dans l'erreur ou induites en erreur, ils montent une affaire judiciaire (des années après la parution des *Cercueils de zinc* !) pour « atteinte à l'honneur et à la dignité » des anciens d'Afghanistan, ces garçons dont a parlé Svetlana Alexievitch avec tant de cœur, tant de compréhension et de compassion.

Oui, elle n'en a pas fait des héros romantiques. Mais c'est pour être fidèle au précepte de Tolstoï : « Le héros... que j'aime de toute mon âme... c'est, ce fut et ce sera la vérité. »

Est-ce qu'on peut se sentir offensé par la vérité ? Peut-on lui faire un procès ?

Écrivains anciens combattants
de la Grande Guerre patriotique :
Mikola Avramtchik, Ianka Bryl, Vassil Bykov,
Alexandre Drakokhroust, Naoum Kislik, Valentin Taras.

Nous, écrivains biélorusses de Pologne, protestons vigoureusement contre les poursuites judiciaires engagées en Biélorussie contre l'écrivain Svetlana Alexievitch.

Le procès intenté à cet écrivain est une honte pour toute l'Europe civilisée !

Ian Tchikvine, Socrate Ianovitch,
Victor Chved, Nadejda Artymovitch.

... Depuis deux ans se joue dans notre théâtre la pièce tirée des *Cercueils de zinc* de Svetlana Alexievitch. Je dois dire que la salle est toujours pleine et qu'à la fin du spectacle les gens se lèvent, silencieux, et sont longs à se disperser. Aussi quand nous avons appris qu'un procès allait être fait à Svetlana Alexievitch, nous avons tous été atterrés : que de mal et de mensonge les années soviétiques ont-elles semés dans les âmes ! Nous nous sommes alors demandé comment l'aider. Nous aimons beaucoup ce spectacle parce qu'il ne traite pas tant de la guerre que de ce que nous sommes, nous. Nous avons décidé d'envoyer au tribunal quelques impressions notées par les spectateurs et nous demandons qu'elles soient lues au procès :

Merci pour une vérité que nous ignorions. Que les garçons disparus nous pardonnent... (Tsyganova).

Dieu fasse que jamais nos garçons n'aillent à la guerre, qu'ils n'aient jamais à tuer... (Les élèves de la classe 11-A du Collège 73).

Mon ami Victor Kiyan est mort dans cette guerre, merci pour ce spectacle à la mémoire de nos fiancés... (E. Chalamova)

J'ai vu ça de mes propres yeux. Merci pour la vérité. Grâce à vous, on l'a entendue et vue ici... (A. Levadine)

Nous n'avons retenu que quelques réflexions parmi des dizaines d'autres, mais s'il faut défendre Svetlana Alexievitch et son livre, nous enverrons tout un cahier.

K. Dobrounov, chef metteur en scène du théâtre « Iounost » à Gorlovka, région de Gonetsk.

Mon mari a servi deux ans (de 1985 à 1987) en Afghanistan dans la province de Kounar, à la frontière avec le Pakistan. Il a honte de se dire « combattant internationaliste ». Nous discutons souvent de ce sujet douloureux : fallait-il aller, nous Soviétiques, en Afghanistan ? Qu'étions-nous là-bas : des occupants ou des amis, des « combattants internationalistes » ? La réponse est toujours la même : personne ne nous a appelés, le peuple afghan n'avait pas besoin de notre « aide ». Et bien que l'aveu soit difficile :

nous étions des occupants. À mon sens, ce n'est pas de monuments aux "Afghans" (éventuels ou déjà élevés) qu'il faut discuter en ce moment, il faut parler de repentance. Nous devons nous repentir à cause de ces garçons leurrés, et morts dans cette guerre absurde, pour les mères elles aussi dupées par les autorités, pour ceux qui sont revenus le corps et l'âme mutilés. Il faut nous repentir devant le peuple afghan, ses enfants, les mères, les vieillards, pour tant de malheur infligé à leur pays.

A. Massiouta, mère de deux garçons,
femme d'un ancien combattant internationaliste,
fille d'un ancien combattant
de la Grande Guerre patriotique.

La vérité sur l'agression de l'URSS contre l'Afghanistan, attestée par des témoignages de participants et de victimes recueillis par Alexievitch dans son livre, cette vérité n'est pas une « insulte à l'honneur et à la dignité », mais un épisode honteux de l'histoire récente du totalitarisme communiste, unanimement condamné par la communauté internationale.

L'habitude de poursuivre un écrivain pour ses écrits est de la part de ce régime une manière de procéder tout aussi connue et tout aussi honteuse.

Ce qui se passe aujourd'hui en Biélorussie — campagne médiatique orchestrée contre Svetlana Alexievitch, harcèlement, menaces constantes à son adresse, procès, tentatives pour interdire son livre — montre que le totalitarisme n'a pas dit son dernier mot en Biélorussie.

Cet état de choses nous empêche de tenir la république de Biélorussie pour un État postcommuniste, libre et indépendant.

Des poursuites contre Svetlana Alexievitch dont les livres sont bien connus en France, en Grande-Bretagne, en Allemagne et dans d'autres pays du monde n'apporteront à la république de Biélorussie rien d'autre qu'une réputation d'enclave communiste dans un monde post-communiste et ne lui feront tenir d'autre rôle que celui peu enviable de Kampuchea européen.

Nous exigeons que cessent immédiatement toutes espèces de poursuites contre Svetlana Alexievitch ainsi que le procès qui lui est fait pour son livre.

Vladimir Boukovski, Igor Guerachtchenko,
Irina Ratouchinskaïa, Inna Rogatchi,
Mikhaïl Rogatchi.

... On assiste depuis longtemps à toutes sortes de tentatives, notamment par voie judiciaire, pour discréditer Svetlana Alexievitch, elle dont tous les livres sont une révolte contre la folie de la violence et de la guerre. L'auteur y montre que l'être humain est la principale valeur en ce monde, mais qu'il est de façon criminelle transformé en rouage d'une machinerie politique et utilisé comme chair à canon dans des guerres déclenchées par des dirigeants ambitieux. Rien ne peut justifier la mort de nos enfants en terre étrangère d'Afghanistan.

Chacune des pages des *Cercueils de zinc* nous crie : vous les gens, ne laissez pas se répéter ce cauchemar sanglant !

Parti Démocratique Uni de Biélorussie.

De Minsk nous parviennent des informations sur les poursuites judiciaires engagées contre l'écrivain biélorusse Svetlana Alexievitch, membre du Pen Club international,

« coupable » d'avoir rempli l'indiscutable devoir d'un écrivain : elle a avec sincérité fait part à ses lecteurs de ses motifs d'inquiétude. Ses *Cercueils de zinc*, récit sur la tragédie afghane, ont fait le tour du monde et ont été bien reçus partout. Le nom de Svetlana Alexievitch, son courage et sa probité méritent notre respect. Il ne fait aucun doute qu'en manipulant l'opinion publique des forces revanchardes veulent priver un écrivain d'un droit fondamental affirmé dans la Charte du Pen Club : le droit de s'exprimer librement.

Le Pen Club russe exprime sa totale solidarité avec Svetlana Alexievitch, avec le Pen Club biélorusse, avec toutes les forces démocratiques d'un pays indépendant et appelle les magistrats à respecter les accords internationaux que la Biélorussie a signés, en premier lieu la Déclaration universelle des Droits de l'homme qui garantit la liberté de parole et la liberté de presse.

Le Pen Club russe.

La Ligue biélorusse des Droits de l'homme estime que les tentatives incessantes visant à châtier par voie judiciaire l'écrivain Svetlana Alexievitch sont un acte politique dirigé contre la liberté de pensée, la liberté de créer et la liberté de parole.

Nous disposons d'informations selon lesquelles en 1992-1993 différentes instances juridiques de la république de Biélorussie ont examiné près d'une dizaine de dossiers politiques artificiellement transformés en procès de droit civil, mais en réalité dirigés contre des députés, des écrivains, des journalistes, des éditeurs, des membres d'organisations politiques et sociales de tendance démocratique.

Nous exigeons qu'on cesse de s'attaquer à l'écrivain Svetlana Alexievitch et nous appelons à une révision des procès de ce genre, où les jugements rendus sont en fait des règlements de comptes politiques...

Ligue biélorusse des Droits de l'homme.

... Pendant des dizaines d'années nous avons injecté des millions et des milliards dans le budget de la Défense, trouvant toujours de nouvelles frontières à défendre dans les pays d'Afrique et d'Asie, et du même coup de nouveaux dirigeants prêts à bâtir chez eux un « avenir radieux ». Mon ancien camarade de classe à l'académie militaire Frounzé, le major, puis maréchal Vassia Petrov a lui-même mené des Somaliens à l'attaque, ce qui lui a valu une Étoile d'or... Et il y en eut beaucoup des comme lui !

Et puis le « camp socialiste », coincé dans le carcan du traité de Varsovie et gardé à vue par les troupes soviétiques, a commencé à craquer de toutes parts. Pour apporter une « aide fraternelle aux opposants à la contre-révolution », on a envoyé « nos fils » d'abord à Budapest, puis à Prague, puis...

En 1944 j'ai traversé avec nos troupes deux pays délivrés du fascisme : la Hongrie et la Tchécoslovaquie. C'était une terre étrangère, mais on avait l'impression d'être chez nous : le même accueil, les mêmes visages heureux, la même hospitalité modeste mais cordiale...

Vingt-cinq ans plus tard nos fils n'étaient plus accueillis aussi gentiment, mais avec des pancartes : « Pères libérateurs, Fils occupants ! » Nos fils portaient le même uniforme et le titre d'héritiers ; nous, nous ravalions notre honte devant le monde entier.

Et ça n'a fait qu'empirer. En décembre 1979 les fils des

vétérans de la dernière guerre, leurs élèves aussi (le mien en particulier, Boria Gromov, par la suite commandant en chef de la 41e armée, à qui j'ai enseigné la tactique à l'école militaire) ont envahi l'Afghanistan. Pendant des années plus de cent pays membres de l'ONU ont condamné ce crime qui nous a valu, comme à Saddam Hussein aujourd'hui, de nous mettre à dos la communauté internationale.

Nous savons maintenant que dans cette sale guerre nos soldats ont fait périr pour rien plus de un million d'Afghans et ont perdu plus de quinze mille des leurs...

Pour mieux cacher le sens et la véritable ampleur de cette honteuse agression, ses instigateurs ont mis en circulation le terme de « contingent limité », exemple typique d'hypocrisie et de verbalisme. Tout aussi hypocrite l'expression « combattant internationaliste », sorte de nouvelle spécialité militaire, euphémisme créé pour masquer le sens des événements d'Afghanistan et qui joue sur la consonance avec les brigades internationales de la guerre d'Espagne.

Les promoteurs de l'invasion de l'Afghanistan, les grands chefs du Politbureau n'ont pas seulement révélé leurs vraies natures de brigands, ils ont rendu complices de leurs forfaits tous leurs exécutants, tous ceux qui n'ont pas eu le courage de s'opposer à l'ordre de tuer. Aucun « devoir international » ne peut justifier un meurtre. Bon sang ! en voilà un devoir !

J'éprouve une pitié infinie pour leurs mères, pour leurs orphelins... Quant à eux, ils n'ont pas reçu de décorations pour le sang versé d'Afghans innocents, mais des cercueils de zinc.

Dans son livre, l'auteur fait une distinction entre eux et ceux qui les ont envoyés donner la mort, elle éprouve pour eux de la pitié, contrairement à moi. Je n'arrive pas à comprendre pourquoi on veut la juger. Pour avoir dit la vérité ?

Grigori Braïlovski, invalide de la Grande Guerre,
Saint-Pétersbourg.

... Le sang de la guerre afghane a ouvert les yeux des vivants. À quel prix ! Si l'on avait vu clair plus tôt ! Mais qui accuser ? Accuse-t-on un aveugle de ne pas être clairvoyant ? C'est le sang qui a lavé nos yeux...

Je suis arrivé en Afghanistan en 1980 (Djalalabad, Bagram). Un militaire est censé exécuter les ordres.

En 1983 à Kaboul j'ai entendu dire pour la première fois : « Il faut faire intervenir notre aviation stratégique et rayer ces montagnes de la carte. Voyez tous les hommes qu'on a perdus, et sans aucun résultat ! » Voilà ce que disait un ami. Il avait comme tout le monde une mère, une femme, des enfants. Cela revenait à dire que nous envisagions d'ôter à des mères, des enfants, des maris, le droit de vivre dans leur propre pays parce que leurs « opinions » n'étaient pas les bonnes.

La mère d'un "afghan" mort à la guerre sait-elle ce que c'est qu'une « bombe stéréo » ? Le PC de notre armée à Kaboul était en contact direct avec Moscou. Nous avions reçu le feu vert pour utiliser cette arme. Au moment où le détonateur est activé, la première charge explosive déchire l'enveloppe gazeuse. Le gaz s'échappe par toutes les fissures. Ce « nuage » explose au bout d'un certain temps, ne laissant sur place plus rien de vivant. Les yeux sortent de la tête, à l'intérieur du corps tout éclate. En 1980 pour la première fois notre aviation a employé des bombes bourrées de millions de petites aiguilles. Rien n'échappe à ces aiguilles : les corps sont réduits à l'état de passoire...

J'ai envie de demander à nos mères si elles se sont jamais mises à la place d'une mère afghane. À moins qu'elles ne tiennent ces mères pour des êtres de catégorie inférieure.

Une chose m'effraie : le nombre de gens qui chez nous avancent encore à tâtons, aveuglément, se fiant à leurs émotions, sans essayer de réfléchir et de comparer !

Sommes-nous enfin réveillés, est-ce que nous sommes des êtres humains dignes de ce nom, si aujourd'hui encore nous apprenons à piétiner la raison qui nous ouvre les yeux ?

A. Sokilov, major, pilote de guerre.

... Certains de nos menteurs haut placés ne perdent pas l'espoir d'utiliser le même mensonge pour que reviennent des temps chers à leurs cœurs. Ainsi dans le quotidien *Dien*, le général V. Filatov s'adressant à des "Afghans" profère : « Afghans ! À l'heure H nous agirons comme en Afghanistan... Là-bas vous avez combattu pour la patrie dans la direction sud... Aujourd'hui il faut combattre pour la patrie comme en 1941, sur notre territoire » (*Literatournaïa Gazeta*, 23.09.1992).

Cette heure H on l'a entendue sonner... le 4 octobre à Moscou devant la Maison Blanche. Mais qui sait s'il n'y aura pas une volonté de revanche ? Oui, l'équité demande un Jugement. Un jugement moral sur les instigateurs du crime, sur les morts et sur les vivants, non pas pour rallumer les passions mais comme enseignement pour ceux qui voudraient se lancer dans de nouvelles aventures au nom du peuple. Comme condamnation morale des forfaits commis. Un jugement est nécessaire pour dissiper cette version mensongère qui fait peser la culpabilité de la guerre afghane uniquement sur le clan des cinq : Brejnev,

Gromyko, Ponomarev, Oustinov, Andropov. Car enfin il y eut des réunions du Politbureau, un plénum du Comité Central du PCUS, des circulaires à usage interne pour tous les membres du PCUS. Or il ne s'en est pas trouvé un seul pour formuler des objections...

Un jugement est nécessaire pour réveiller enfin la conscience de ceux qui ont récolté décorations, grades, promotions, gratifications et honneurs pour le sang versé de millions d'innocents, pour un mensonge auquel nous avons tous d'une façon ou d'une autre pris part...

A. Solomonov,
professeur et docteur ès sciences, Minsk.

Pour parler comme Soljenitsyne, la paix ce n'est pas simplement l'absence de guerre, mais avant tout l'absence de violence faite aux hommes. Ce n'est donc pas pur hasard si un écrivain est mis en cause pour avoir dit la vérité sur la guerre en Afghanistan, à l'heure où notre société post-totalitaire est en proie à la folie de la violence politique, religieuse, nationale et même violence des armes.

On a l'impression que le bruit fait autour des *Cercueils de zinc* est dû à la volonté de ressusciter dans les consciences les « mythes sur soi-même » de la société communiste. Derrière les plaignants se profilent les silhouettes de ceux qui au Premier congrès des députés d'URSS n'ont pas laissé André Sakharov dire l'inhumanité de cette guerre, de ceux qui espèrent encore reprendre le pouvoir qui leur échappe et le conserver par la force.

Ce livre pose la question de savoir si on a le droit de sacrifier des vies humaines sous couvert de souveraineté et d'obligations de grande puissance. Au nom de quelles idées des gens meurent-ils en Azerbaïdjan, en Arménie, au Tadjikistan, en Ossétie ?

Et à mesure que croissent des idées pseudo-patriotiques basées sur la violence, nous assistons à une renaissance du militarisme ; on attise les instincts agressifs, on se livre à un criminel commerce d'armements, le tout accompagné de belles paroles sur les réformes démocratiques dans l'armée, le devoir militaire, la dignité nationale. Les déclarations fracassantes de plusieurs politiciens en faveur de la violence révolutionnaire et militaire, voisines des idées du fascisme italien, du national-socialisme allemand et du communisme soviétique, sèment la confusion dans les esprits, préparent le terrain à un regain d'intolérance et d'animosité dans la société.

Les pères spirituels de ces politiciens, aujourd'hui retirés de la scène politique, surent jouer des passions humaines et entraînèrent leurs compatriotes dans des conflits fratricides. Évidemment leurs successeurs brûlent d'envie de faire un procès aux idées de non-violence et de compassion. Rappelons qu'en son temps Léon Tolstoï qui prônait le refus du service militaire ne fut pas traduit en justice pour ses positions antimilitaristes. On voudrait nous ramener à l'époque où l'on s'en prenait à tout ce qui était honneur et probité.

Dans le procès intenté à Svetlana Alexievitch on entrevoit une offensive concertée de forces antidémocratiques qui, sous prétexte de défendre l'honneur de l'armée, veulent à tout prix pérenniser une idéologie odieuse et la pratique du mensonge. L'idée d'alternative non-violente que défend Svetlana Alexievitch demeure vivante dans les consciences, même si elle n'est pas reconnue officiellement et que la notion de « non-résistance au mal par la violence » est tournée en dérision. Mais nous le répétons : les transformations morales dans une société sont dues avant tout à une prise de conscience fondée sur le principe du « Monde sans violence ». Ceux qui veulent juger Svetlana Alexievitch poussent la société vers le chaos de l'autodestruction.

Les membres de la Société russe de la paix :
R. Ilioukhina, docteur en histoire,
présidente du groupe « Les idées de paix dans l'histoire », Institut d'histoire universelle,
Académie des Sciences de Russie,
A. Moukhine, président du Groupe d'initiative pour un service alternatif,
O. Postnikova, écrivain,
membre du mouvement « Aprel »
N. Cheloudiakova,
présidente du « Mouvement contre la violence ».

Un écrivain n'a pas le droit d'être juge ou bourreau : la Russie en a eu bien assez comme ça... Cette phrase de Tchekhov nous vient à l'esprit devant le scandale paralittéraire des *Cercueils de zinc* de Svetlana Alexievitch et devant la campagne menée contre les « Afghans » et leurs parents dans la presse nationale, dans les journaux de Moscou et parfois même dans des stations de radio hors frontière...

Oui, la guerre est ce qu'elle est. Elle est toujours cruelle et injuste au plan des vies humaines. En Afghanistan une écrasante majorité de soldats et d'officiers fidèles à leur serment ont fait leur devoir. Parce que les ordres étaient donnés au nom du peuple par un gouvernement légal. Malheureusement, pour notre honte, il y eut des chefs et des hommes qui commirent des délits, il y en eut qui tuaient et dépouillaient des Afghans, qui tuaient leurs camarades et passaient avec leurs armes du côté des moudjahidines et combattaient dans leurs rangs (cas isolés mais réels).

Je pourrais citer bien d'autres méfaits commis par nos hommes, mais lorsque des écrivains et des journalistes comparent les "Afghans" aux fascistes, aussitôt des questions surgissent. Ces messieurs peuvent-ils montrer au monde les ordres du gouvernement enjoignant à notre armée d'organiser des camps de concentration en Afghanistan, d'anéantir tout un peuple, de gazer des millions de gens comme ont fait les Allemands ? Possédez-vous, messieurs, des documents attestant que pour un soldat soviétique tué on massacrait des centaines de civils comme ont fait les nazis en Biélorussie ? Ou pouvez-vous prouver que nos médecins prenaient le sang des enfants afghans pour soigner les blessés comme faisaient les occupants allemands ?

Je possède la liste des soldats et officiers soviétiques qui ont été condamnés pour crimes commis sur des citoyens afghans. Pouvez-vous, messieurs, en faire autant pour les Allemands ou nommer ne serait-ce que deux ou trois individus qui aient été condamnés pendant l'occupation de notre pays pour avoir commis des crimes contre la population civile ?

Certes, la décision du gouvernement soviétique d'alors d'envoyer des troupes en Afghanistan fut criminelle et d'abord par rapport à notre peuple. Mais quand on parle de nos militaires qui, avec le consentement tacite de la population et avec le vôtre aussi, furent envoyés dans la fournaise accomplir leur devoir de soldat, il faut être correct. Il faut stigmatiser ceux qui ont pris les décisions, ceux qui ont gardé le silence malgré leur influence dans la société.

Lorsqu'ils offensent les mères des soldats disparus, les défenseurs d'Alexievitch donnent en exemple l'Amérique, grande démocratie ! Là-bas, n'est-ce pas, il s'est trouvé des forces pour s'opposer à la guerre du Viêt-nam.

Pourtant n'importe quel lecteur de journaux sait bien comment a réagi l'Amérique. Ni le Congrès ni le Sénat américains n'ont adopté de résolutions condamnant la guerre au Viêt-nam. Personne en Amérique n'a permis et ne permettra de tenir des propos injurieux sur les présidents Kennedy, Johnson, Ford et Reagan, qui ont envoyé à la boucherie les soldats américains.

Près de trois millions d'Américains ont été envoyés au Viêt-nam. Les vétérans du Viêt-nam ont leur place dans les plus hautes sphères de la vie politique et militaire du pays. Tout écolier américain peut acheter les insignes des unités qui ont combattu au Viêt-nam...

Que serait-il arrivé à Radio Liberté qui défend Alexievitch si ses collaborateurs avaient traité de criminels et d'assassins non pas des citoyens biélorusses, mais leurs concitoyens, c'est-à-dire leurs présidents et le corps expéditionnaire au Viêt-nam ? S'en prendre aux autres, bien sûr, c'est possible, d'autant plus quand il y a des gens qui pour des dollars et des marks seraient prêts à tuer père et mère...

N. Tcherguinetz, général-major de la milice,
ancien conseiller militaire en Afghanistan,
président de l'Union biélorusse des vétérans
de la guerre en Afghanistan,
Sovietskaïa Bieloroussia, 16 mai 1993.

Ce que nous savons, personne ne le sait, à part nos chefs, dont nous avons exécuté les ordres. Aujourd'hui ils gardent le silence. Ils ne disent pas comment on nous apprenait à tuer et à fouiller les tués. Ils ne disent pas que les pilotes d'hélicoptères et les chefs militaires se partageaient le butin des caravanes interceptées. Que chaque cadavre de douchmane (c'est comme ça qu'on les appelait) était miné pour que celui qui voudrait l'enterrer (vieillard, femme, enfant) trouve lui aussi la mort à ses côtés, sur sa terre natale. Ils se taisent sur bien d'autres choses. J'ai servi dans une unité spéciale de commandos parachutistes. Notre spécialité c'était les caravanes, les caravanes et encore les caravanes. Pour la plupart elles ne transportaient pas d'armes mais des marchandises et de la drogue, le plus souvent la nuit. Notre groupe comprenait 24 hommes, eux quelquefois étaient plus d'une centaine. Allez savoir où est le brave caravanier, le commerçant qui a acheté de la marchandise au Pakistan et rêve de la vendre à bon prix, et où est le douchmane déguisé. Je me souviens de chaque combat, de chacun de « mes tués » : le vieil homme, l'homme, le gamin dans les convulsions de l'agonie... et celui en turban blanc qui saute d'un rocher de cinq mètres en hurlant « Allah akbar » après avoir mortellement blessé mon copain. Ses boyaux étaient collés sur mon treillis, et sa cervelle sur la crosse de mon arme. Nous avons laissé la moitié de notre groupe dans les rochers. On ne pouvait pas les sortir tous des crevasses. Les bêtes sauvages ont dû les trouver. Pour leurs parents nous fabriquions de prétendus « faits d'armes ». C'était en 1984...

Oui, il faut nous juger pour ce qu'on a fait, mais avec ceux qui nous ont envoyés là-bas, qui nous ont fait faire au nom de la patrie et par devoir une besogne qui en 1945 fit condamner le fascisme par le monde entier.

Sans signature.

... Les années passent et soudain on s'aperçoit que les gens ne se satisfont pas de ce que leur laisse l'histoire.

Celle à laquelle nous sommes habitués, avec des noms, des dates, des événements, des faits et leur appréciation, mais où il n'y a pas de place pour l'individu, pour celui qui n'était pas qu'un simple numéro matricule, mais quelqu'un de concret, avec sa personnalité, avec des émotions, des impressions dont l'histoire ne garde pas trace.

Je ne sais plus quand a paru *La Guerre n'a pas un visage de femme* de Svetlana Alexievitch, cela doit faire quelque quinze ans, mais je me souviens encore d'un passage qui m'avait marqué. Un bataillon féminin est en marche, dans la chaleur, dans la poussière, et par endroits du sang tache la route ; même à la guerre il n'y a pas de pause pour l'organisme féminin.

Quel historien retiendrait cette scène ? Et combien de récits un écrivain doit-il passer au crible pour recueillir cet instant parmi des milliers d'autres ?

Ou encore ceci : après une marche un bataillon féminin arrive au bord d'une rivière. C'est la possibilité de prendre un bain, moment béni pour une femme en temps de guerre. Le bataillon se plonge dans l'eau, mais voilà que surgissent des avions allemands... Aucune des femmes n'est sortie de l'eau, n'a couru se mettre à l'abri des arbres. Ce qui aurait été absolument normal pour des hommes. Après le bombardement il y eut des dizaines de tuées et de blessées...

Cet épisode m'en dit plus sur la psychologie féminine en temps de guerre que tout un volume d'histoire militaire.

... Pour proches que soient les événements — guerre afghane, tragédie de Tchernobyl, putschs de Moscou, pogromes tadjiks — on se rend compte qu'ils sont tous déjà devenus une page d'histoire, que de nouvelles catastrophes ont pris la relève et monopolisent l'attention de la société. Les témoignages s'éloignent, car la mémoire pour mieux nous protéger estompe les émotions et les souvenirs qui nous empêcheraient de vivre, qui nous ôteraient sommeil et repos. Puis les témoins s'éloignent à leur tour...

Ah ! comme ils n'ont pas envie tous ces « princes à apanage » du défunt régime de reconnaître qu'eux aussi vont passer en jugement : le jugement des hommes et le jugement de l'histoire ! Ah ! comme ils ne veulent pas croire que vient le temps où n'importe quel « écrivaillon » peut se permettre de toucher au « passé radieux », de le « noircir et de le dénigrer », de mettre en doute les « grands idéaux » ! Comme ils sont gênants ces livres remplis des dépositions des derniers témoins !

On peut désavouer Oleg Kalouguine, général du KGB : on ne devient pas comme ça général du KGB. Mais on ne peut pas rejeter les dépositions de centaines de simples mortels : "Afghans", habitants de Tchernobyl, victimes de conflits ethniques, réfugiés des « points chauds »... En revanche on peut « moucher », « remettre à sa place », « clouer le bec » au journaliste, à l'écrivain, au psychologue qui a recueilli ces témoignages...

Nous, bien sûr, on a du mal à s'habituer. Ils ont jugé Siniavski et Daniel, cloué au pilori Boris Pasternak, traîné dans la boue Soljenitsyne et Doudintsev.

Svetlana Alexievitch finira par se taire. Les témoignages des victimes de notre siècle criminel cesseront de paraître. Que restera-t-il aux générations futures ? Les trémolos des amateurs de bulletins de victoire ? Des roulements de tambour et des airs de marches entraînants ? On connaît la chanson. On est passés par là...

I. Bassine, médecin,
Journal *Dobry vetcher*, 1er décembre 1993.

... C'est avec ces mots que je voulais m'exprimer à l'audience. J'étais du nombre de ceux qui avaient rejeté *Les Cercueils de zinc* de Svetlana Alexievitch. Au procès je devais défendre Taras Ketzmour... Confession d'un ancien ennemi : ça pourrait s'appeler ainsi...

J'ai écouté attentivement ce qui s'est dit pendant deux jours dans la salle d'audience, dans les couloirs, mon avis est que nous commettons un sacrilège. Pourquoi nous torturer les uns les autres ? Au nom de Dieu ? Non ! Nous Lui déchirons le cœur. Au nom du pays ? Il n'a pas combattu là-bas.

Svetlana Alexievitch nous a donné un concentré des « horreurs » afghanes, et aucune mère ne peut croire son fils capable de choses pareilles. Et pourtant ce qui est dit dans le livre, ça n'est rien comparé à ce qui se passe à la guerre, et ceux qui se sont battus en Afghanistan pourront vous le jurer la main sur le cœur. Nous sommes placés aujourd'hui devant une cruelle réalité : les morts ne connaissent pas la honte, et s'il y eut des infamies, c'est aux vivants de les assumer. Les vivants, c'est nous ! Et finalement c'est nous, c'est-à-dire ceux qui ont exécuté les ordres, qui se retrouvent coupables maintenant, qui devons répondre de toutes les conséquences de la guerre ! C'est pourquoi ce serait plus juste si paraissait un livre de cette force et de cette vérité non pas sur les garçons du contingent mais sur les maréchaux et sur les dirigeants qui les ont envoyés se battre. Je pose la question : Svetlana Alexievitch devait-elle parler des horreurs de la guerre ? Oui ! Une mère doit-elle prendre la défense de son fils ? Oui ! Les “Afghans” doivent-ils prendre la défense de leurs camarades ? Encore une fois oui !

Bien sûr, il n'y a pas à la guerre de soldat sans reproche.

Mais au jour du Jugement le Seigneur sera le premier à lui pardonner...

Le tribunal va donner une conclusion juridique à ce conflit mais il doit y avoir une conclusion humaine qui est celle-ci : les mères ont toujours raison d'aimer leur fils ; les écrivains ont toujours raison de dire la vérité ; les soldats ont raison quand vivants ils défendent les morts.

Voilà ce qui est entré en conflit dans ce procès civil.

Les maréchaux, les dirigeants politiques qui ont orchestré, mis en scène cette guerre sont absents du procès. Il n'y a ici que des victimes : l'amour qui ne peut accepter l'amère vérité de la guerre ; la vérité qui doit être dite malgré l'amour ; l'honneur qui ne prend en compte ni l'amour ni la vérité, car vous vous souvenez : « Ma vie, je peux en faire don à la patrie, mais l'honneur à personne » (code des officiers russes).

Le cœur de Dieu peut tout contenir : amour, vérité, honneur mais nous ne sommes pas des dieux, et ce procès n'est bon que s'il est apte à rendre à chacun une plénitude de vie.

La seule chose que je puisse reprocher à Svetlana Alexievitch, ce n'est pas d'avoir déformé la vérité, mais que dans son livre il n'y ait au fond pas d'amour pour la jeunesse sacrifiée par les imbéciles qui ont déclenché la guerre d'Afghanistan. Ce qui m'étonne, c'est que les "Afghans" qui ont vu la mort en face aient peur de leur propre vérité sur ce drame. Il devrait s'en trouver au moins un pour dire que nous ne sommes pas une masse anonyme et indifférenciée, et lorsque Taras Ketzmour dit qu'il ne condamne pas la guerre, ce n'est pas ce que nous disons, il ne parle pas pour nous tous.

Je ne blâme pas Svetlana pour avoir fait connaître au grand public les horreurs de la guerre en Afghanistan. Je ne la blâme même pas parce que les gens, après ce qu'ils ont lu dans le livre, ont une attitude beaucoup plus négative à notre égard. Nous devons repenser notre rôle dans la guerre en tant qu'instruments de mort, et s'il y a sujet de se repentir, c'est à chacun de se repentir.

Le jugement va sans doute continuer longtemps et douloureusement. Mais en soi-même il a déjà eu lieu.

Pavel Chetko, ancien "Afghan".

Chronique du jugement

Extraits de la dernière audience
8 décembre 1993

Composition du tribunal : juge I.N. Jdanovitch ; assesseurs : T.V. Borissevitch, T.S. Soroko.
Demandeurs : I.S. Galovneva, T.M Ketzmour.
Défenderesse : S.A Alexievitch.

Déclaration de Svetlana Alexievitch,
auteur des *Cercueils de zinc*
(Ce qui a été dit et ce qu'on n'a pas laissé dire)

Jusqu'au bout je n'ai pas cru que ce procès aurait lieu, comme je n'ai pas cru jusqu'au dernier instant qu'on se mettrait à tirer à Moscou devant la Maison blanche...

Je ne supporte plus physiquement la vue de visages furieux, haineux. Et je ne serais pas venue au tribunal si des mères n'avaient pas été là ; je sais bien d'ailleurs que ce ne sont pas elles qui me font un procès, c'est le défunt régime. Un état d'esprit, ça n'est pas la carte du Parti, on ne s'en débarrasse pas aussi facilement. Nos rues, les enseignes de magasin, les noms des journaux ont changé, pas nous. Nous sommes restés les mêmes, des anciens du camp socialiste. Avec la mentalité d'avant, celle du camp...

Je suis venue parler aux mères. La question que je pose est encore une fois celle du livre : qui sommes-nous ? Comment se fait-il qu'on nous manipule si aisément ? Apporter à une mère un cercueil de zinc, puis la convaincre de porter plainte contre l'écrivain qui a raconté comment elle n'avait pas pu embrasser son fils une dernière fois, réduite à caresser un cercueil de zinc... Qui sommes-nous donc ?

On nous a dès l'enfance inculqué, gravé dans l'esprit, l'amour des hommes en armes. Nous avons grandi comme si nous étions toujours en guerre, même ceux qui sont nés des dizaines d'années après. Aujourd'hui encore après les crimes de la Tcheka, les exactions staliniennes et les camps, après les récents événements de Vilnius, de Bakou, de Tbillissi, après Kaboul et Kandahar, nous voyons toujours dans un homme armé le soldat de 1945, le soldat de la Victoire. Tant de livres ont été écrits sur la guerre, tant d'armes ont été fabriquées par la main et par l'intelligence de l'homme que l'idée de meurtre est devenue normale. Alors que les esprits les meilleurs s'interrogent sur le droit qu'auraient les humains de tuer les animaux, nous autres, sans trop hésiter ou forgeant à la hâte un idéal politique, nous sommes capables de justifier la guerre. Allumez votre poste de télévision le soir et vous verrez avec quelle secrète exaltation nous portons en terre nos héros. En Géorgie, en Abkhazie, au Tadjikistan... Et sur leurs tombes nous élevons des stèles et non des chapelles funéraires...

Je hais la guerre et l'idée même qu'un homme ait droit de vie et de mort sur un autre homme.

Un prêtre m'a raconté qu'un ancien combattant, un homme déjà âgé, lui avait apporté ses décorations : « Oui, j'ai tué des fascistes. J'ai défendu la patrie. Mais avant de mourir, je veux me repentir d'avoir tué. » Et il a laissé ses médailles à l'église plutôt que dans un musée. Notre éducation, nous l'avons reçue dans les musées de l'Armée...

Faire la guerre, c'est travailler durement et c'est tuer, mais avec les années le souvenir de la dureté de la tâche demeure et la pensée du meurtre s'éloigne. Peut-on inventer tout cela : ces détails, ces sentiments ? Leur terrible diversité se retrouve dans mon livre.

Voici quelques années, quatre ans plus précisément, nous pensions pareillement : moi, plusieurs mères présentes dans la salle, les soldats retour d'Afghanistan. Dans *Les Cercueils de zinc*, les récits des mères comptent parmi les pages les plus tristes. C'est comme une prière pour leurs enfants morts.

Pourquoi aujourd'hui sommes-nous face à face dans la salle ? Que s'est-il passé depuis lors ?

Depuis on a vu disparaître de l'histoire, de la carte du monde le pays — l'empire communiste — qui les avait envoyés au loin mourir et faire mourir. Il n'existe plus. Cette guerre a d'abord été qualifiée timidement d'erreur politique puis de crime. Tous veulent oublier l'Afghanistan. Oublier ces mères, oublier les mutilés. L'oubli est aussi une forme de mensonge. Les mères sont restées seules devant les tombes de leurs enfants. Sans même la consolation de penser que la mort de leurs fils n'a pas été absurde. Malgré les propos blessants et injurieux que j'ai entendus aujourd'hui, j'ai dit et je le répète : je m'incline devant les mères. Je les admire car lorsque la patrie a livré au déshonneur les noms de leurs fils, elles les ont défendus. Aujourd'hui il n'y a que les mères pour défendre leurs garçons disparus... Mais contre qui les défendent-elles ?

Leur chagrin est au-dessus de toute vérité. On dit que la prière des mères fait des miracles. Dans mon livre elle tire ces garçons du néant. Ils sont des victimes sur l'autel de notre douloureuse prise de conscience. Ce ne sont pas des héros mais des martyrs. Personne n'osera leur jeter la pierre. Nous sommes tous fautifs, nous avons tous eu part au mensonge : voilà le sujet de mon livre. En quoi le totalitarisme est-il dangereux ? Il nous rend tous complices de ses crimes. Les bons comme les méchants, les naïfs et les réalistes... Il faut prier pour ces garçons et non pour l'idée dont ils furent les victimes. Je voudrais dire aux mères : ce ne sont pas vos enfants que vous défendez ici. Vous défendez une idée terrifiante. Une idée meurtrière. Et je dirai la même chose aux anciens combattants d'Afghanistan venus au procès.

Derrière les mères j'aperçois des épaulettes de général. Les généraux sont revenus de guerre avec des médailles et de grosses valises. Une mère présente ici m'a raconté comment on lui avait ramené un cercueil de zinc et un sac de sport avec la brosse à dents et le slip de bain de son fils. C'est tout ce qu'elle a, tout ce qu'il a ramené de la guerre. Alors contre qui devriez-vous défendre vos fils ? Contre la vérité ? Cette vérité que vos enfants mouraient de leurs blessures parce qu'on manquait d'alcool à 90° et de médicaments, revendus au bazar, qu'on les nourrissait avec de vieilles conserves des années cinquante, qu'on les couchait dans leur cercueil vêtus de vieux uniformes datant de la dernière guerre. Même là on économisait. Je n'aurais pas voulu dire cela devant des tombes... Mais il le faut...

Partout le bruit des armes résonne, de nouveau le sang coule. Quoi ? Vous cherchez à justifier le sang ? Ou vous y aidez ?

Voici cinq ans, quand le Parti communiste, quand le KGB régnaient encore, pour éviter des représailles aux protagonistes de mon livre, j'ai parfois changé les noms. Je les protégeais contre le régime en place. Aujourd'hui je dois me défendre contre ceux que j'ai défendus.

Que dois-je préserver maintenant ? Mon droit d'écrivain à voir le monde comme je le vois. Mon droit de dire que je hais la guerre. Ou alors devrais-je démontrer qu'il y a vérité et vraisemblance, qu'un document dans l'art, ça n'est pas une fiche d'état civil, une photocopie ? Les livres que j'écris ce sont à la fois des documents et l'image que j'ai de mon époque. Je rassemble des détails, des sentiments que je puise dans une vie humaine, mais aussi dans l'air du temps, dans ses voix, dans son espace. Je n'invente pas, je n'extrapole pas, j'organise la matière que me fournit la réalité. Mes livres ce sont les gens qui me parlent et c'est moi avec ma façon de voir le monde, de sentir les choses.

J'écris, je note l'histoire contemporaine au quotidien. Des paroles vivantes, des vies. Avant de devenir de l'histoire, elles sont encore la douleur, le cri de quelqu'un, un sacrifice ou un crime. Mille fois je me suis posé la question : comment traverser le mal sans ajouter au mal dans le monde, surtout aujourd'hui quand il prend des dimensions cosmiques ? À chaque nouveau livre je m'interroge. C'est mon fardeau. C'est mon destin.

Le métier d'écrire, c'est une profession et c'est un destin ; dans notre malheureux pays, c'est davantage un destin qu'une profession. Pourquoi le tribunal a-t-il rejeté à deux reprises la demande d'expertise littéraire ? Parce qu'il serait devenu évident qu'il n'y a pas matière à procès. On juge un livre en pensant que puisqu'il s'agit de littérature documentaire, on peut le réécrire, le remanier pour satisfaire aux exigences du moment. Mais si les œuvres documentaires étaient régentées par des censeurs, elles ne seraient plus que le reflet de luttes partisanes et de préjugés au lieu d'être de l'histoire vivante ! Sans tenir compte des lois de la littérature, des lois du genre, on sévit politiquement de la façon la plus primaire, la plus mesquine. En écoutant la salle, je me suis souvent dit : qui donc aujourd'hui peut se résoudre à faire descendre la foule dans la rue, une foule qui ne croit plus en personne, que ce soient prêtres, écrivains ou hommes politiques ? Elle ne veut que répression et violence... Elle ne se soumet qu'aux hommes en armes... Ceux qui se servent d'un stylo l'irritent plus que les porteurs de kalachnikov. On m'a donné ici des leçons sur la façon d'écrire. La foule chez nous est toute-puissante...

Ceux qui me font un procès renient ce qu'ils ont dit voici quelques années : ce sont les mêmes mots, mais leur grille de lecture a changé et ils lisent le texte différemment ou ne le reconnaissent pas. Pourquoi ? Parce qu'ils n'ont pas besoin de liberté... Ils ne savent qu'en faire...

Je regrette tant d'avoir effacé les cassettes ; je ne les garde en général que deux-trois ans, il devait y en avoir entre deux et trois cents. Et là c'était la réalité. C'étaient ces gens-là...

Aujourd'hui ils ne sont plus ce qu'ils étaient voici cinq ou six ans. Je me souviens bien d'Inna Sergueievna Galovneva, je l'ai tout de suite beaucoup aimée. Actuellement c'est un personnage officiel, la présidente de l'Association des mères de soldats morts à la guerre. C'est quelqu'un d'autre, elle n'a gardé que son nom et celui de son fils qu'elle a une seconde fois offert en sacrifice. Un sacrifice rituel. Nous sommes des esclaves, nous avons une vision romantique de l'esclavage.

Chez nous on se fait une idée spéciale des héros et des martyrs. S'il était ici vraiment question d'honneur et de dignité, nous nous lèverions pour une minute de silence en mémoire de presque deux millions d'Afghans morts là-bas, dans leur pays...

Jusqu'à quand allons-nous poser l'éternelle question : à qui la faute ? Nous sommes fautifs : vous, moi, eux. Le problème est ailleurs. Il est dans le choix qui appartient à chacun : faire usage de son arme ou non, se taire ou non, y aller ou ne pas y aller... Il faut s'interroger... Que chacun le fasse... Mais nous n'avons pas l'habitude de rentrer en nous-mêmes, de faire un retour sur soi. Il nous est plus habituel d'aller défiler derrière nos drapeaux rouges... Simplement vivre, normalement vivre, nous ne savons pas le faire... Sans haine, sans conflit.

Je veux demander pardon aux mères pour le chagrin que volontairement ou pas nous nous faisons les uns aux autres... Tous... Trop imparfait est le monde que nous avons créé...

Ne vaudrait-il pas mieux nous rencontrer ailleurs qu'au tribunal ?... Et se demander comment vivre maintenant : dans le souvenir ou dans la foi ? Moi, je me poserais cette question devenue obsédante : jusqu'où peut-on aller dans la vérité ? N'y a-t-il pas un seuil fatidique ?...

Taras Ketzmour, pas celui qui est dans la salle, mais celui qui revenait de guerre, a dit ceci... À l'époque... Voulez-vous que je lise un passage ?

« C'est comme si je dormais, je vois une foule de gens. Près de notre maison. Je regarde, je suis à l'étroit et je ne peux pas me lever. À ce moment je réalise que je suis dans un cercueil, en bois. Je m'en souviens bien. Mais je suis vivant, je me souviens que je suis vivant, mais couché dans un cercueil. On ouvre la grande porte, tout le monde sort, on me porte dehors. Il y a foule, les visages expriment tous le chagrin et une sorte d'exaltation secrète, incompréhensible. Qu'est-il arrivé ? Pourquoi suis-je dans un cercueil ? Soudain le cortège s'arrête, j'entends quelqu'un dire : Passez-moi le marteau. Une pensée me vient : je suis en train de rêver. Quelqu'un redit : Le marteau. C'est comme la réalité et c'est comme en rêve. Une troisième fois quelqu'un dit : Le marteau. J'entends le couvercle se refermer, le marteau frappe, un clou touche mon doigt. Je me mets à donner des coups de tête, des coups de pied dans le couvercle qui cède et tombe. Les gens regardent, je me redresse, j'ai envie de crier : Vous me faites mal, pourquoi me clouez-vous, j'étouffe là-dedans. Ils pleurent sans rien dire. Comme muets. Je ne sais pas comment faire pour qu'ils entendent. J'ai l'impression de crier, mais mes lèvres sont serrées. Alors je m'allonge dans le cercueil en pensant : ils veulent que je sois mort, je le suis peut-être pour de bon et il faut se taire. Quelqu'un dit : Passez-moi le marteau. »

Ça, il ne l'a pas nié… Et c'est ce qui défendra son honneur et sa dignité au jour du grand Jugement. Et qui me défendra aussi…

Entendu dans la salle d'audience

— Vous dites : c'est les communistes. Mais eux, ils ne sont rien, des frustrés, des pauvres gens. Qu'on a trompés et qui veulent l'être. S'il y a un coupable, ce n'est pas eux. Mentalité de victime. Ils ont besoin de pouvoir accuser quelqu'un. On n'en est pas encore à se tirer dessus mais on dirait que tout le monde renifle l'odeur du sang. Ce n'est pas le communisme, ce n'est pas une « idée sainte » qui les anime mais la soif d'égalité. S'ils sont pauvres, alors tout le monde doit l'être ; s'ils sont malheureux, tous doivent l'être.

— Elle a des millions, deux Mercedes, elle se balade à l'étranger…

— Un écrivain met deux ou trois ans à écrire son livre et ne touche pour ça pas plus qu'un petit conducteur de trolleybus en deux mois. Vous les avez vues ces Mercedes ?

— Elle voyage à l'étranger…

— Et ta faute à toi, tu y penses ? Tu pouvais tirer ou ne pas tirer. Alors ? Tu ne dis rien…

— La population est misérable, humiliée. Et dire qu'il n'y a pas si longtemps on était une grande puissance. On ne l'était peut-être pas mais on le croyait à cause de nos fusées, de nos chars d'assaut, de nos bombes atomiques. On croyait vivre dans le plus beau, le plus juste des pays. Et vous nous dites qu'on vivait dans un pays terrifiant, sanglant. Qui vous le pardonnera ? Vous avez appuyé sur le point le plus douloureux... Au plus profond...

— Nous avons tous pris part à ce mensonge... Tous...

— Vous avez fait la même chose que les fascistes ! Et vous voulez passer pour des héros... Et par-dessus le marché acheter des frigos et des beaux meubles sans passer par les listes d'attente... À des prix de faveur...

— Ce sont des fourmis, ils ne savent pas qu'il existe des abeilles et des oiseaux. Ils voudraient qu'il n'y ait que des fourmis. Le niveau de conscience n'est pas le même...

— Qu'est-ce que vous voulez après ça ?

— Après quoi ?

— Après tout ce sang... Je veux dire notre histoire. Après ça les gens ne s'intéressent plus qu'au pain quotidien. Le reste n'est rien pour eux... La conscience a été détruite.

— Il faut prier. Pour les bourreaux. Pour les tortionnaires.

— Elle s'est fait payer en dollars... Et elle nous traîne dans la boue... Nous et nos enfants...

Extraits du jugement

Jugement au nom de la République de Biélorussie

Le tribunal populaire de l'arrondissement Central de la ville de Minsk, constitué du président Jdanovitch I.N., des assesseurs Borissevitch T.V. et Soroko T.S., le greffier étant Lobynitch I.B., a examiné en séance publique du 8 décembre 1993 l'affaire Ketzmour Taras Mikhaïlovitch et Galovneva Inna Sergueievna contre Alexievitch Svetlana Alexandrovna et la rédaction de la *Komsomolskaïa Pravda*, le motif de la demande étant la protection de l'honneur et de la dignité.

... Après avoir entendu les parties, examiné les pièces du dossier, le tribunal considère que les demandes en justice peuvent être partiellement satisfaites.

En vertu de l'article 7 du Code de procédure civile de la République de Biélorussie, un citoyen ou une organisation sont en droit de réclamer que soient démenties des informations attentatoires à leur honneur et à leur dignité, si leur diffuseur ne peut prouver qu'elles sont conformes à la réalité.

Le tribunal a établi que la *Komsomolskaïa Pravda* du 15 février 1990, nº 39, a publié des passages de l'ouvrage documentaire de S. Alexievitch : *Les Cercueils de zinc — Monologues de ceux qui ont vécu les événements d'Afghanistan*. Un monologue signé du nom de la plaignante Galovneva I.S. figure dans les textes publiés.

Attendu que les défendeurs au présent procès, Alexievitch S.A. et la rédaction de la *Komsomolskaïa Pravda* n'ont pas fourni la preuve que les informations contenues dans les textes publiés sont conformes à la réalité, le tribunal les tient pour non conformes à la réalité.

Cependant le tribunal estime que ces informations ne sont pas diffamatoires, car elles ne rabaissent pas l'honneur et la dignité de Galovneva I.S. et de son défunt fils dans l'opinion publique pour ce qui est du respect des lois et des principes moraux de la société, elles ne donnent pas à penser que son fils aurait eu une conduite sociale indigne...

Attendu que les défendeurs ne fournissent pas la preuve que le récit de Ketzmour T.M. est conforme à la réalité, le tribunal estime que les informations contenues dans le monologue signé du nom et du prénom de Ketzmour T.M. ne correspondent pas à la réalité.

Pour les raisons indiquées plus haut le tribunal tient pour non conformes à la réalité et attentatoires à l'honneur et à la dignité du demandeur Ketzmour T.M. les informations données par les phrases : « J'ai vu déterrer dans les rizières de la ferraille et des ossements humains, j'ai vu une croûte de glace orange sur le visage gelé d'un tué, oui, orange » et « Dans ma chambre j'ai toujours mes livres, les photos, le magnétophone, la guitare, mais je ne suis plus le même. Je ne peux pas traverser un parc sans regarder à droite et à gauche. Au restaurant quand le serveur se met derrière moi pour prendre la commande, pour un peu je me sauverais. Je ne supporte pas d'avoir quelqu'un dans mon dos. Si je vois un salaud, une seule pensée : il faudrait le fusiller ». Le tribunal tient ces informations pour diffamatoires car elles donnent au lecteur des raisons de douter du bon état psychique du demandeur, de sa capacité d'adaptation à l'environnement, elles le dépeignent comme quelqu'un d'aigri, jettent le soupçon sur ses qualités morales, donnent l'impression d'un homme qui peut présenter comme véridique et réelle une information fausse et non conforme à la réalité...

Pour le reste débouter de sa demande Ketzmour T.M...

Alexievitch S.A. conteste la demande en justice. Elle indique qu'en 1987 elle a rencontré Galovneva I.S., mère d'un officier mort en Afghanistan, et a enregistré l'entretien au magnétophone. C'était presque aussitôt après les obsèques de son fils. La plaignante lui a dit tout ce qui est indiqué dans le monologue signé de son nom dans la *Komsomolskaïa Pravda*. Pour éviter à Galovneva d'encourir les poursuites du KGB, elle a changé son prénom en Nina et remplacé le grade de lieutenant chef du fils par celui de sous-lieutenant, mais il s'agissait bien de Galovneva.

La rencontre avec Ketzmour T.M. date de six ans. Seule avec lui, elle a enregistré ses propos au magnétophone. Dans le monologue publié, ce qui est dit est conforme à l'enregistrement et donc correspond à la réalité...

Après exposé des motifs, en application de l'article 194 du Code de procédure civile de la République de Biélorussie, le tribunal a décidé de :

Enjoindre à la rédaction de la *Komsomolskaïa Pravda* de publier dans les deux mois un démenti aux informations citées.

Débouter Galovneva Inna de sa demande en protection de l'honneur et de la dignité formée contre Alexievitch Svetlana et la rédaction de la *Komsomolskaïa Pravda*.

Exiger d'Alexievitch Svetlana au profit de Ketzmour Taras le paiement de frais de justice s'élevant à 1 320 (mille trois cent vingt) roubles et le paiement au bénéfice de l'État de frais de justice s'élevant à 2 680 (deux mille six cent quatre-vingts) roubles.

Exiger de Galovnena Inna au bénéfice de l'État 3 100 (trois mille cents) roubles.

Le jugement peut être mis en appel auprès du Tribunal municipal de la ville de Minsk dans les 10 jours qui suivent le prononcé du jugement.

Demande d'expertise littéraire indépendante

Au Directeur de l'Institut de littérature
Ianka Koupala,
Académie des Sciences
de la République de Biélorussie,
Kovalenko V.A.

Cher Victor Antonovitch,

Comme vous le savez, l'action intentée contre l'écrivain Svetlana Alexievitch en raison de la publication d'un extrait de son récit documentaire *Les Cercueils de zinc* dans la *Komsomolskaïa Pravda* du 15.02.90 vient de s'achever en première instance. S. Alexievitch était accusée d'avoir porté atteinte à l'honneur et à la dignité d'un des plaignants (un des protagonistes de son livre) en ne reproduisant pas littéralement ses propos. Le tribunal a rejeté par deux fois une demande d'expertise littéraire.

Le Pen Club biélorusse vous prie de réaliser une expertise qui répondrait aux questions suivantes :

1. Quelle est la définition du genre littéraire qu'est le récit documentaire, si l'on entend par documentaire « basé sur des faits » (témoignages), et par récit « œuvre artistique » ?

2. En quoi un récit documentaire diffère-t-il d'une publication de presse, en particulier d'une interview dont le texte est en général relu par l'interviewé ?

3. L'auteur d'un récit documentaire a-t-il le droit de faire œuvre d'art, de choisir ses documents, de remanier littérairement les témoignages oraux, d'avoir sa propre vision du monde, de généraliser les faits au nom de la vérité artistique ?

4. Qui détient les droits d'auteur ? L'écrivain ou les acteurs des événements décrits, dont les confessions-témoi-

gnages ont été enregistrées pour les besoins de la documentation ?

5. Comment définir les limites à partir desquelles l'auteur n'est plus tenu de restituer mot pour mot les propos enregistrés ?

6. *Les Cercueils de zinc* de S. Alexievitch relèvent-ils du genre du récit documentaire (en référence à la question 1) ?

7. L'auteur d'un récit documentaire a-t-il le droit de modifier les noms et prénoms des protagonistes ?

8. Et en conclusion de toutes ces questions, la plus importante : peut-on juger un écrivain pour des extraits d'une œuvre littéraire, quand bien même ils ne plairaient pas à ceux qui ont fourni la matière orale du livre ? S. Alexievitch n'a pas publié d'interview des plaignants, mais des passages d'un récit documentaire.

Le Pen Club biélorusse a besoin d'une expertise littéraire indépendante pour défendre l'écrivain Svetlana Alexievitch.

Sentiments respectueux.

Le vice-président du Pen Club biélorusse,
Carlos Scherman,
28 décembre 1993.

Au vice-président du Pen Club biélorusse
Scherman C.G.

Cher Carlos Grigorievitch,

Nous répondons à votre demande d'expertise littéraire indépendante concernant le récit documentaire de Svetlana Alexievitch *Les Cercueils de zinc*, et voici notre réponse point par point :

1. La définition de la notion de « littérature documentaire » que donne *L'Encyclopédie littéraire* (*Sovietskaïa Ent-*

siclopédia, 1987, p. 98-99) et qui est tenue par les spécialistes pour la plus exacte et la plus fiable, montre que la littérature documentaire et notamment le récit documentaire relèvent par leur contenu, par leurs méthodes de recherche, par leur forme narrative du genre de la prose artistique et de ce fait procèdent à une sélection artistique et à une évaluation esthétique de la matière documentaire. « La littérature documentaire, note l'auteur de l'article, est une prose artistique qui traite d'événements historiques et de faits de société en étudiant des documents qui sont restitués entièrement, partiellement ou exposés sous forme narrative. »

2. Le même article dit que « la qualité du choix effectué et l'évaluation esthétique des faits retenus dans une perspective historique élargissent le caractère informatif de la littérature documentaire et la différencient aussi bien des écrits historiques que des écrits à caractère politique et social et des publications de presse (reportages, chroniques, actualités) ». Donc, les passages des *Cercueils de zinc* de S. Alexievitch publiés dans la *Komsomolskaïa Pravda* (du 15.02.90) ne relèvent pas du genre de l'interview, du reportage ou de toute espèce d'activité journalistique, ils constituent une sorte de publicité pour un livre à paraître en librairie.

... S'agissant du droit qu'a l'auteur d'un ouvrage documentaire d'utiliser l'art en tant que moyen spécifique de généralisation des faits, le droit d'avoir sa propre conception d'un événement historique, de choisir sa documentation, de transposer littérairement les récits des témoins de l'événement, de tirer ses propres conclusions de la comparaison des faits, il est dit ceci dans l'encyclopédie déjà citée : « Réduisant au maximum la fiction, la littérature documentaire réalise une sorte de synthèse artistique en retenant des faits réels qui présentent d'importantes caractéristiques sociologiques ». Certes la littérature documentaire recherche avant tout l'authenticité et la véracité. Mais la vérité absolue, le réalisme total sont-ils possibles ? Selon Albert Camus, prix Nobel de littérature, la vérité totale n'est possible qu'à condition de placer une caméra devant quelqu'un et de le filmer de sa naissance à sa mort. Mais dans ce cas trouverait-on quelqu'un d'autre qui accepterait de passer sa vie à visionner cet étonnant film ? Saurait-il discerner derrière des gestes extérieurs les raisons intérieures du comportement du « héros » ? Il est aisé d'imaginer ce qui se serait passé si l'auteur des *Cercueils de zinc* avait volontairement renoncé à une attitude créatrice devant les faits recueillis en se bornant au rôle de documentaliste passif. Elle aurait dû dans ce cas noter mot pour mot tout ce que lui ont dit des heures durant les "Afghans" dans leurs récits-confessions, avec pour résultat un pavé (quel éditeur l'aurait accepté ?), un recueil de faits bruts n'atteignant pas le niveau esthétique requis, bref un livre qui n'aurait pas trouvé de lecteurs. Si les devanciers de Svetlana Alexievitch avaient suivi cette voie, la littérature aurait été privée de chefs-d'œuvre comme *La Forteresse de Brest* de Smirnov, *Le Procès de Nuremberg* de Poltorak, *De sang-froid* de Truman Capote, *Je viens d'un village de feu* d'Adamovitch, Bryl et Kolesnik, *Le Livre du blocus* d'Adamovitch et Granine.

4. Les droits d'auteur sont un ensemble de normes juridiques réglant les rapports liés à la création et à la publication d'œuvres littéraires ; ces droits commencent à la création du livre et sont constitués de droits définis par la législation (droit moral et pécuniaire). On distingue en premier lieu les droits de propriété littéraire, de publication, de réédition et de diffusion de l'œuvre, le droit au respect du texte (seul l'auteur a le droit d'apporter des changements à son œuvre ou d'autoriser d'autres person-

nes à le faire). La recherche de données nécessaires à un ouvrage documentaire demande la participation active de l'auteur qui définit la thématique de son œuvre. Les litiges liés aux droits d'auteur se règlent devant les tribunaux.

5. La reproduction littérale de récits et témoignages, comme nous l'avons montré dans la réponse à la question 3, est impossible dans un ouvrage documentaire. À ce stade naturellement surgit le problème de la liberté de l'auteur à qui les protagonistes ont confié leurs souvenirs et pour ainsi dire transmis une partie de leurs droits sur leur témoignage en espérant que leurs propos seront fidèlement rendus, que l'auteur fera preuve de professionnalisme, qu'il saura privilégier l'essentiel et négliger les détails superflus, comparer et globaliser. Finalement tout dépend du talent de l'auteur, de ses positions morales, de sa capacité à allier qualité documentaire et qualité artistique. Et là, le degré de véracité, la profondeur d'analyse auront pour juges les lecteurs et la critique littéraire qui possède les outils d'une analyse esthétique. Ce degré de véracité peut aussi être apprécié par les protagonistes de l'ouvrage, ce sont eux les lecteurs les plus attentifs et les plus impliqués : confrontés à la transformation de la parole en écrit, en écrit publié qui plus est, ils sont parfois susceptibles d'une réaction inadéquate à leur propre récit. Ainsi celui qui entend pour la première fois sa voix au magnétophone ne la reconnaît pas et pense qu'il y a eu substitution. L'effet de surprise vient aussi du fait que le récit d'un témoin comparé à d'autres témoignages peut les recouper ou s'en écarter, ou même les contredire, et dès lors on apprécie différemment ses propres paroles.

6. *Les Cercueils de zinc* de Svetlana Alexievitch relèvent entièrement du genre de la littérature documentaire. La véracité et la dimension artistique s'y retrouvent dans des proportions qui permettent de classer l'ouvrage dans le

domaine de la prose littéraire et non du journalisme. D'ailleurs les précédents ouvrages de l'auteur (*La Guerre n'a pas un visage de femme*, *Les Derniers Témoins*) sont considérés comme tels par les spécialistes.

7. Dans une œuvre qui traite de l'actualité, l'éthique trace certaines limites quand des propos exactement rendus, quand le témoignage véridique de faits encore mal perçus par la société pourraient avoir de fâcheuses conséquences pour l'auteur et pour les protagonistes. Dans ce cas l'auteur est certainement en droit de modifier les noms. Et même lorsque rien ne menace et que la conjoncture politique est favorable, les auteurs ont souvent recours à ce procédé. Dans Meressiev, le nom du héros de *Un homme véritable*, Boris Polevoï n'a changé qu'une lettre, mais l'effet recherché fut aussitôt atteint : le lecteur comprenait qu'il ne s'agissait pas d'une personne concrète mais d'une figure emblématique de la société soviétique. Les exemples de ces modifications volontaires sont légion dans l'histoire de la littérature.

8. Des procès analogues à celui qui est intenté à Svetlana Alexievitch, l'auteur des *Cercueils de zinc*, ont hélas encore lieu dans le monde. Des poursuites judiciaires furent engagées dans l'Angleterre d'après-guerre contre George Orwell pour *1984*, sa célèbre « anti-utopie » ; on l'accusait de calomnier l'ordre établi. On sait aujourd'hui que le sujet de ce livre était le totalitarisme dans sa version du XXe siècle. De nos jours une sentence de mort a été prononcée en Iran contre l'écrivain Salman Rushdie pour un livre où l'islam serait prétendument tourné en dérision. Tous les hommes de progrès ont vu dans cet acte une atteinte à la liberté de création et la marque d'un manque de civilisation. Il n'y a pas si longtemps Vassil Bykov se vit reprocher de diffamer l'Armée soviétique : de nombreuses lettres d'anciens combattants publiées dans la presse pouvaient

laisser croire que la société jugeait sévèrement l'écrivain qui avait le premier osé dire à voix haute la vérité sur le passé. L'histoire hélas se répète. Notre société qui prétend édifier un État de droit n'en est encore qu'aux balbutiements s'agissant des droits de l'homme, préférant souvent la lettre à l'esprit de la Loi, oubliant l'aspect moral de toute affaire judiciaire. Le droit à la protection de la dignité que selon les parties civiles Svetlana Alexievitch a violé en publiant dans la presse des passages de son livre, ce droit ne doit pas être compris comme celui de dire aujourd'hui une chose à l'auteur d'un livre et de dire demain le contraire à cause d'un changement d'humeur ou de conjoncture politique. La question se pose : à quel moment le « héros » du livre était-il sincère ? Lorsqu'il a accepté de confier à S. Alexievitch ses souvenirs sur la guerre d'Afghanistan ou lorsque sous la pression de ses compagnons d'armes il a décidé de défendre les intérêts corporatistes d'un groupe social ? A-t-il dans ce cas le droit moral de poursuivre l'écrivain à qui il s'est confié en sachant que sa confession serait publiée ? Les faits communiqués par le plaignant à l'auteur et publiés dans la presse ne semblent pas isolés ou fortuits ; ils sont confirmés dans le livre par des faits analogues connus de l'auteur grâce au récit d'autres témoins des mêmes événements. N'y a-t-il pas là une raison de penser que le « héros » était sincère au moment où son récit était enregistré et non pas quand il revenait sur ses dires ? Autre point important : si l'entretien de l'auteur et du « héros » s'est passé sans témoins et que manquent d'autres preuves de la bonne foi de l'une et l'autre des parties au procès, il devient nécessaire de vérifier tous les faits analogues relatés par l'auteur, ce qui serait possible dans une sorte de « procès de Nuremberg », auquel prendraient part des milliers de témoins de la guerre d'Afghanistan. Sinon on risque de se perdre dans d'interminables débats judiciaires, où il faudrait prouver quasiment chacune des paroles des protagonistes du livre, ce qui serait absurde. C'est pourquoi la demande du Pen Club biélorusse adressée à l'Institut de littérature au sujet d'une expertise littéraire indépendante des extraits des *Cercueils de zinc* publiés dans la *Komsomolskaïa Pravda* nous apparaît naturelle dans ces circonstances et peut-être même le seul moyen de résoudre le conflit.

Kovalenko V.A.,
Directeur de l'Institut Ianka Koupala,
Académie des Sciences de Biélorussie,
membre correspondant de l'Académie des Sciences
de Biélorussie.

Tytchina M.A.,
Docteur ès lettres, Directeur de recherches
à l'Institut de littérature.

27 janvier 1994.

Encore un épilogue, qui est aussi un prologue

... Il m'est pénible d'écrire sur nous qui étions présents au procès. Dans son dernier livre, *Fascinés par la mort*, Svetlana Alexievitch écrit : « Qui sommes-nous ? des gens marqués par la guerre. Ou nous l'avons faite ou nous nous y sommes préparés. Jamais nous n'avons vécu autrement. »

... Des femmes assises dans le dos de l'écrivain font assaut de propos injurieux, à voix basse pour que le juge n'entende pas mais assez fort pour Svetlana Alexievitch. Des mères ! Les propos sont tels que je ne peux les répéter... Inna Galovneva pendant une interruption s'approche du père Vassili Radomylski venu défendre l'écrivain : « Vous devriez avoir honte, mon père, de vous vendre pour de l'argent ! » — « Misérable ! Démon ! » entend-on dans le public et des mains indignées se tendent pour arracher la croix de sa poitrine. « Vous dites ça à moi ? Moi qui célébrais la nuit l'office des morts pour vos fils, parce que vous disiez qu'autrement vous n'auriez pas les trois cents roubles d'aide promise », dit le prêtre abasourdi. « Pourquoi être venu ? Pour défendre un démon ? » — « Priez pour vous et pour vos enfants. Sans repentir, il n'y a pas de consolation. » — « Nous ne sommes coupables de rien.. Nous ne savons rien... » — « Vous étiez aveugles. Quand vos yeux se sont ouverts, vous n'avez vu que le cadavre de vos fils. Repentez-vous... » — « Qu'est-ce que ça peut nous faire les mères afghanes... C'est nos enfants que nous avons perdus... »

L'autre partie n'était pas en reste : « Vos fils ont tué des innocents en Afghanistan ! Ce sont des criminels ! » — « C'étaient les ordres, et alors ? » dit un homme à ces mères. « Vous abandonnez vos fils une seconde fois... », hurle un autre.

Et vous ? Et nous, est-ce que nous n'avons pas obéi aux ordres ? Ordre de se taire ? Dans les assemblées, est-ce que nous n'avons pas levé la main pour voter oui ? Est-ce que nous ne devrions pas tous passer en jugement ? Pas ce jugement, mais l'autre dont a parlé à l'audience E. Novikov, président de la Ligue biélorusse des Droits de l'homme. Quand est-ce que nous tous, les silencieux, les mères de nos soldats morts, les anciens de cette guerre et les mères des Afghans morts, nous nous assiérons ensemble et nous nous regarderons ?

A. Alexandrovitch,
Femida, 27 décembre 1993.

Le procès civil intenté par Galovneva-Ketzmour (une demande en protection de l'honneur et de la dignité) contre Svetlana Alexievitch vient de se terminer. La dernière audience a attiré un grand nombre de journalistes, certains journaux avaient déjà fait état d'une possible décision du tribunal : rejeter la demande de Galovneva, faire droit en partie à la demande de Ketzmour. Je ne vais pas citer l'énoncé final du jugement, je dirai seulement qu'il me paraît témoigner d'un esprit de conciliation. Mais a-t-il vraiment réconcilié les parties ?

Inna Galovneva, la mère du lieutenant-chef Galovnev mort en Afghanistan, est toujours « sur le sentier de la guerre » ; elle a l'intention de faire appel et de continuer les poursuites. Qu'est-ce qui anime cette femme, cette mère ? Un inconsolable chagrin. Inconsolable en ce sens que plus s'éloigne dans le temps la guerre d'Afghanistan, plus la mort de nos enfants engagés dans cette désastreuse entreprise semble absurde. C'est pour cela qu'Inna Galovneva n'accepte pas *Les Cercueils de zinc*. Pour elle ce livre est une offense ; pour une mère la vérité sans fard sur la guerre d'Afghanistan est un fardeau trop lourd à porter.

Taras Ketzmour, un "Afghan" ancien chauffeur, est le second plaignant dans ce procès civil. Sa demande a été partiellement satisfaite par le tribunal : deux passages profondément dramatiques, profondément humains de son récit, qui selon moi montrent que la guerre n'épargne personne même si on en réchappe, ont été reconnus « attentatoires à l'honneur et à la dignité ». D'ailleurs je peux comprendre Taras Ketzmour. Vous connaissez la phrase : « Craignez les premiers élans du cœur, ils peuvent être sincères. » Eh bien, il me semble que son récit dans *Les Cercueils de zinc*, c'est justement cela, un premier élan. Quatre années ont passé. Taras a changé, et le monde autour de lui. Il aimerait sans doute changer bien des choses dans les souvenirs du passé, faute de pouvoir les rayer de sa mémoire... Mais *Les Cercueils de zinc* sont là, c'est écrit noir sur blanc.

Svetlana Alexievitch a quitté la salle avant la fin du procès, après que le tribunal eut une fois de plus rejeté sa demande d'expertise littéraire. Elle avait à juste raison déclaré : Comment peut-on juger d'un récit documentaire sans connaître les lois du genre, sans posséder les rudiments du métier d'écrivain, sans demander l'avis des professionnels ? Le tribunal a été inflexible. Après le second refus d'expertise, Svetlana Alexievitch a quitté la salle en disant :

— À titre personnel, je demande pardon pour avoir blessé, pardon pour ce monde imparfait où il est souvent impossible de même marcher dans la rue sans heurter quelqu'un... Mais en tant qu'écrivain, je n'ai pas le droit de demander pardon pour ce livre, pardon pour avoir dit la vérité !

Le procès de S. Alexievitch et des *Cercueils de zinc*, c'est notre seconde défaite dans la guerre « afghane »...

Elena Molotchko, *Narodnaïa Gazeta*,
23.12.1993.

En décembre 1993 le marathon judiciaire contre l'écrivain Svetlana Alexievitch et ses *Cercueils de zinc* s'est enfin achevé. Décision du tribunal : l'auteur doit présenter des excuses à Taras Ketzmour, l'"Afghan" dont l'honneur et la dignité ont été selon le tribunal « partiellement offensés ». Le tribunal biélorusse a sans hésiter condamné la *Komsomolskaïa Pravda* à publier un démenti ainsi que les excuses de l'auteur et de la rédaction.

La plaignante Inna Galovneva, mère d'un officier mort en Afghanistan, a été déboutée de sa demande, bien que le tribunal ait jugé qu'une « partie des informations dont la paternité est attribuée à Galovneva ne correspond pas à la réalité ». Si la demande a été rejetée, c'est qu'on a pu entendre à l'audience une cassette où Galovneva dans un meeting tenu voici quelques années approuve entièrement le livre d'Alexievitch.

Svetlana Alexievitch, dans ce tribunal, dans ce système judiciaire, dans cette procédure n'avait aucune chance de défendre sa dignité humaine et professionnelle...

Craignant l'indignation du monde entier devant un procès politique fait à une œuvre et à son auteur, les metteurs en scène de la farce biélorusse ont déclaré que ce n'était « en aucun cas le procès d'un livre, le procès contre un auteur et ses écrits », mais uniquement « une action en justice pour la protection de l'honneur et de la dignité intentée à la *Komsomolskaïa Pravda* pour une publication de 1990 ».

— Que faites-vous de la présomption d'innocence ? ont demandé au juge Jdanovitch après le procès Evguéni Novikov, président de la Ligue biélorusse des Droits de l'homme et Ales Nikolaïtchenko, dirigeant de l'Association biélorusse des médias libres. D'après Jdanovitch « la présomption d'innocence n'existe que dans les affaires pénales ». Eh oui, si Galovneva et Ketzmour avaient accusé S. Alexievitch de calomnie, la présomption d'innocence aurait joué, puisque « calomnie » est un terme de procédure pénale, et les parties civiles auraient dû produire devant le tribunal des pièces à conviction...

Dans le cas d'une action civile pour la protection de l'honneur et de la dignité, la présomption d'innocence n'existe pas en Biélorussie...

Il se pourrait que l'affaire glisse doucement du civil au pénal, Galovneva a promis de s'y employer.

La presse procommuniste biélorusse a été rejointe par la *Komsomolskaïa Pravda* dans un article du 30 décembre 1990 signé de Victor Ponomarev.

Svetlana Alexievitch « a cru voir derrière les mères des épaulettes de généraux », et derrière, ça au moins c'est vrai, les tombes de leurs fils. Ce sont elles et non l'écrivain décoré, primé qui ont besoin d'être défendues. S'il y a ici un acte de condamnation, ce n'est absolument pas à l'encontre de l'écrivain » écrit la *Komsomolskaïa Pravda* dans sa hâte fébrile et démagogique de se démarquer de S. Alexievitch.

C'est le prélude à des excuses officielles, à un changement de ton, ou plutôt un retour à l'ancien. Vladimir Jirinovski doit être satisfait. Du titre aussi : « Les cercueils sont de zinc. De plus en plus les écrivains sont de fer. » Et les journalistes de la *Komsomolskaïa Pravda* ? De plus en plus souples ?

Dire la vérité a toujours coûté cher. Nier la vérité a toujours entraîné les esprits faibles au désastre. Mais il n'y a pas eu, me semble-t-il, dans l'histoire contemporaine de désastre plus absolu et plus irrémédiable que cette destruction de la nature humaine qu'ont pratiquée sur eux-mêmes les asservis du communisme, quand il ne reste des individus, comme disait Mikhaïl Boulgakov, que des « décombres fumants ».

Des décombres fumants dans les cendres du brasier soviétique.

Inna Rogatchi, *Rousskaïa Mysl*,
20-26 janvier 1994.

... Les dix années de la funeste aventure afghane ont marqué des millions de gens, qui se retrouvent au final liés non pas seulement par un sentiment d'amour pour la patrie soviétique mais par quelque chose encore de bien plus essentiel. Beaucoup ont péri, et nous pleurons en chrétiens leur mort prématurée, nous respectons la douleur des blessures morales et physiques infligées à leurs parents et à leurs proches. Mais il n'est guère possible aujourd'hui d'échapper à l'idée que ce ne sont pas des héros méritant sans conteste l'hommage de la nation, mais tout juste des victimes dignes de pitié. Les "Afghans" en ont-ils pris conscience ? Cela semble encore trop difficile pour la plupart d'entre eux. Les Américains « héros du Viêt-nam » au destin similaire, quand ils eurent compris la véritable nature de leur « héroïsme », rendirent à leur président les décorations reçues ; les nôtres semblent fiers de leurs décorations « afghanes ». Lequel d'entre eux s'est jamais demandé ce qui lui a valu ces médailles ? Si encore elles ne servaient qu'à obtenir des avantages et des facilités, aujourd'hui obsession de toute notre population si appauvrie. Mais les revendications de nos médaillés vont bien au-delà. Récemment à Minsk, lors d'un meeting « afghan », il fut ouvertement question de réclamer le pouvoir en Biélorussie. Revendication qui en effet n'est pas improbable de nos jours. Quand on exploite la confusion régnant dans les esprits (l'Afghanistan est une sale guerre, mais ses participants sont des héros internationalistes), tous les espoirs sont permis. Dans ce contexte, les mères de soldats sont une aubaine pour les Rouges et les Bruns, présents et passés, qui reprennent partout du poil de la bête. Ils manipulent les mères en jouant sur leur juste colère, leur sainte douleur. Tout comme ils ont exploité les convictions communistes et le patriotisme de leurs enfants disparus. Le calcul est habile : qui ira jeter la pierre à des mères en deuil ? Mais derrière elles se profilent de sinistres et familières silhouettes, et la *Komsomolskaïa Pravda* feint à tort de ne voir personne en affirmant « que la question n'est pas dans des généraux aperçus dans le dos des mères »...

Le souffle mauvais d'une politique impérialiste qui n'a pas abouti en Afghanistan se fait de plus en plus sentir en Biélorussie. Le procès de Svetlana Alexievitch n'est qu'un maillon dans la longue chaîne de faits de ce genre cachés ou manifestes. Le parti de Jirinovski dont les tenants sont nombreux en Biélorussie n'est pas seul à souffrir d'une nostalgie de grande puissance et de mers chaudes. « Secouer » la société post-totalitaire, la « souder » par le sang, voilà le moyen de parvenir au but, toujours le même, fouler aux pieds les idéaux d'hier...

Vassil Bykov, *Literatournaïa Gazeta*,
26 janvier 1994.

... Non, ça n'était pas la vérité de la guerre, l'enjeu de cette âpre bataille judiciaire. Le combat se menait pour défendre l'âme humaine, défendre son droit à l'existence dans notre monde si froid, si peu accueillant ; elle seule peut faire obstacle à la guerre. La guerre continuera tant qu'elle fera rage dans nos esprits en plein désarroi. Elle est la conséquence inéluctable du mal et de la haine amassés dans les cœurs...

En ce sens, les paroles de l'officier mort deviennent symboliques et prophétiques : « Je reviendrai bien sûr, je suis toujours revenu... » (Journal du lieutenant-chef Iouri Galovnev)

Piotr Tkatchenko, *Vo Slavou Rodinou*,
15-22 mars 1994.

Table

ÉPILOGUE

Composition : IGS-CP à L'Isle-d'Espagnac
Impression : Normandie-Roto Impression s.a.s. à Lonrai
Dépôt légal : juin 2006
N° d'édition : 1794-2 – N° d'impression : 1504709
Imprimé en France

Collection « Titres »

SVETLANA ALEXIEVITCH
les cercueils de zinc

ROBERTO BOLAÑO
étoile distante

ROBERTO BOLAÑO
la littérature nazie en amérique

E.E. CUMMINGS
l'énorme chambrée

FRIEDRICH DÜRRENMATT
justice

WILLIAM GADDIS
gothique charpentier

LIDIYA GINZBURG
le siège de leningrad

OSSIP MANDELSTAM
le bruit du temps

OSSIP MANDELSTAM
la quatrième prose

THOMAS McGUANE
à la cadence de l'herbe

ROLAND RECHT
la lettre de humboldt

GERTRUDE STEIN
picasso

ENRIQUE VILA-MATAS
enfants sans enfants

ENRIQUE VILA-MATAS
abrégé d'histoire de la littérature portative

VOLTAIRE
mahomet le prophète

WILLIAM CARLOS WILLIAMS
au grain d'amérique

À paraître dans
la collection « Titres »

GIORGIO AGAMBEN
le langage et la mort

CÉSAR AIRA
un épisode dans la vie du peintre voyageur

ANTONIO LOBO ANTUNES
le cul de judas (adaptation théâtrale)

SYBILLE BEDFORD
puzzle

PIERRE BOULEZ
l'écriture du geste

JANE BOWLES
plaisirs paisibles

WILLIAM BURROUGHS
mon éducation

WILLIAM BURROUGHS
l'ombre d'une chance

GEORGES DIDI-HUBERMAN
memorandum de la peste

NORBERT ELIAS
la solitude des mourants

KAYE GIBBONS
ellen foster

KAYE GIBBONS
une femme vertueuse

JEAN-FRANÇOIS LYOTARD
et JEAN-LOUP THÉBAUD
au juste

THOMAS McGUANE
la source chaude